ビル・ゲイツ 未来を語る

BILL GATES THE ROAD AHEAD

ビル・ゲイツ著
西和彦訳

アスキー出版局

BILL GATES *THE ROAD AHEAD*

WITH NATHAN MYHRVOLD AND PETER RINEARSON

Published in the United States by Viking Penguin, a division of Penguin Books USA Inc.
Japanese translation rights arranged with Microsoft Press, a division of Microsoft Corporation, Washington, throught Tuttle-Mori Agency, Tokyo.

本書は、株式会社アスキーが米国 Microsoft Press 社との契約により翻訳したものです。

［図版提供］
17ページ：Courtesy of Lakeside School
35ページ：Reproduced by permission of Intel Corporation, copyright1972 Intel Corporation
39ページ：Reproduced from Popular Electronics, January1975,copyright©1975 Ziff-Davis Publishing Company
53ページ：Illustrations courtesy of Carey, Keller, Anderson
57ページ：UPI/Bettmann
65ページ：Reproduced by permission of Intel Corporation,copyright1994 Intel Corporation
91ページ：Courtesy of International Bussiness Mashines Corporation
97, 135, 199, 351ページ：Microsoft Corporation
101ページ：Courtesy of Apple Computer, Inc.
123ページ：Copyright1995 Davis Freeman, Seattle, WA
127ページ：Courtesy of Scientific-Atlanta, Inc./Illustration courtesy of Carey, Keller, Anderson
133ページ：Courtesy of Digital Equipment Corporation
347, 349ページ：Courtesy of Intergraph Corporation

両親に

ビル・ゲイツ　未来を語る　目次

謝辞

ソフトウェアのビッグタイトルを開発し市場に出すためには、数百人の才能を必要とする場合がある。本書の執筆に数百人の協力を仰いだわけではないものの、わたしひとりの力ではとても書き上げられなかったのはまちがいない。力を借りた方々の名前を以下に記して感謝を捧げる。うっかりだれかの名前を書き漏らしていたとしたら、まことに申し訳ない。その方々にも感謝を捧げる。

コンセプトからマーケティングまでの全段階と、しばしば生じた中断の折りにも手を貸してくれたジョナサン・ラザレスとそのチーム、ケリー・ジェローム、メアリー・エングストロム、ウェンディ・ランジェン、デビー・ウォーカーに感謝する。ジョナサンの助力と忍耐がなければ、本書はけっして世に出なかっただろう。

プロジェクト全体を通して有益な示唆を与えてくれたトレン・グリフィン、ロジャー・マクナミー、メリッサ・ワグナー、アン・ウィンブラッドには特別の感謝を。

鋭い批評の言葉を与えてくれたスティーヴン・アーノルド、スティーブ・バルマー、ハーヴェイ・バーガー、ポール・キャロル、マイク・デルマン、キンバリー・エルワンガー、ブライアン・フレミング、ビル・ゲイツ・シニア、メリンダ・ゲイツ、バーニー・ジフォード、ボブ・ゴムルキウィッツ、メグ・グリーンフィールド、コリンズ・ヘミングウェイ、ジャック・

ヒット、リタ・ジェイコブズ、エリック・ラシティス、ミッチ・マシュー、スコット・ミラー、クレイグ・マンディ、リック・ラシド、ジョン・シャーリイ、マイク・ティンペイン、ウェンディ・ウルフ、ミン・イー、マーク・ズビコウスキーに感謝する。

　リサーチ、口述筆記、データ収集を手伝ってくれたケリー・カーナハン、アイナ・チャン、ペギー・ガノウ、クリスタイン・シャノン、ショーン・シェリダン、エイミイ・ダン・スティーヴンスンに感謝する。また、マイクロソフト・プレスのエルトン・ウェルケとその有能なスタッフ——クリス・バンクス、ジュディス・ブロック、ジム・ブラウン、サリー・ブランズマン、メアリー・デジョン、ジム・フュークス、デイル・メイジー・ジュニア、エリン・オコナー、ジョアンヌ・ウッドコック、マーク・ヤングなど——に感謝したい。

　また、本書米国版の出版社であるバイキング・ペンギンの人々の助力と忍耐にも感謝する。とりわけ、ピーター・メイヤー、マーヴィン・ブラウン、バーバラ・グロスマン、パメラ・ドーマン、シンディ・アーチャー、ケイト・グリッグス、テオドル・ローゼンバウム、スーザン・ハンス・オコナー、マイクル・ハーダートに。

　編集上の助力を与えてくれたナンシー・ニコラスとナン・グレアムにも感謝する。

　共同執筆者であるピーター・リニアスンとネイサン・ミアボルドには特別の感謝を捧げる。

はじめに

これまでの二十年間は、信じられないような冒険の日々だった。まだカレッジの二年生のころ、友人のポール・アレンとハーバード・スクウェアに立ち、『ポピュラー・エレクトロニクス』誌のマイコンキットの記事を読んだのがその冒険のはじまりだ。はじめてほんとうに〝パーソナルなコンピュータ〟といえるものを目のあたりにして、ひどく興奮したことを覚えている。それが具体的にどんなふうに使われていくのかは見当がつかなかったけれど、それがその後の自分たちを、そしてコンピュータの世界をすっかり変えてしまうものだということは、はっきりわかった。はたして、その予感は間違っていなかった。パーソナルコンピュータ革命は何百万という人々の生活に影響を与え、わたしたちをかつて想像もしなかった世界に導いたのだった。

いま、さらに大きな旅がはじまろうとしている。今回もまた、その行き先は定かではない。それでも、この革命がさらに多くの人々の生活に影響を与え、すべての人をはるか遠くに導くものになることは、はっきりしている。最も大きく変化するのは、コミュニケーションの方法だろう。これから起こるコミュニケーション革命がもたらす利益や問題は、かつてのパソコン革命によるものより、はるかに大きなものになるはずだ。

この旅で、わたしたちは未知の世界に足を踏み入れることになる。頼れる地図もない。ただし、二百億ドルのパソコン産業を創造し発展させた重要な教訓から学ぶことはできる。パソコン産業——つまり進化しつづけるハードウェアやビジネスアプリケーション、オンラインシステム、インターネット、電子メール、マルチメディアソフト、オーサリングツール、ゲームといったもの——は、次に来る革命の基盤となるものだから。

パソコン産業の黎明期、この新しいビジネスでどんなことが起きていても、マスメディアはほとんど関心を払わなかった。コンピュータの持つ可能性に夢中になっていたわたしたちは、自分たちの輪の外側からは気づかれない存在だった。けっして流行の最先端などというものではなかった。

でも、これからはそうはいかない。〝情報ハイウェイ〟の話題はすでに、新聞・雑誌に書きたてられ、テレビやラジオで放送され、各種の会議で議論され、さまざまな憶測や思惑を生んでいる。ここ二、三年、この話題への関心は、コンピュータ業界の内でも外でも、信じられないほど高まってきている。それはいわゆる先進諸国にかぎらない現象だし、パソコンユーザー以外の人々をも巻き込んだものだ。

いまや、知識のあるなしにかかわらず、たくさんの人たちが情報ハイウェイに関する宣伝を聞かされている。このテクノロジーについての誤解や落とし穴も、驚くほど多い。たとえばある人たちは、このハイウェイが——ネットワークとも呼ばれるけれど——現在のインターネットや、五百チャンネル同時放映のテレビのことだと、単純に考えている。かと思うと、情報ハイウェイによってコンピュータが人間とおなじように賢いものになると期待する人、あるいは恐れている人たちもいる。そういったものはいずれ開発されるにしても、情報ハイウェイとは別物だ。

コミュニケーション革命はまだはじまったばかりである。そして、この先何十年もかかるこの革命を前進させるのは、新たな〝アプリケーション〟——つまり現在では予測もできないニーズに合うような新しいツール——となるだろう。これから数年のあいだに、政府も企業も、そしてわたしたち個人も、大きな決断をいくつか下さなければならない。そうした決断のひとつひとつが、情報ハイウェイがどのようなものとなり、どんな恩恵をもたらすかを決めることになる。大事なのは、テクノロジーの専門家やコンピュータ産業にいる人たちだけでなく、もっと幅広い分野の人たちがこの議論に参加することだ。それによって、情報ハイウェイはユーザーの要求にこたえるものとなる。そうしてはじめて、あらゆる分野の人たちに受け入れられる、現実的な情報ハイウェイができあがるはずだ。

この本は、そうした議論についてのわたしなりの発言だ。むずかしいことではあるけれど、その来るべき旅のガイドブックになればとも思っている。正直なところ、多少の不安もないではない。歴史をふりかえれば、いまではばかばかしいと笑い飛ばされている技術予測が無数にある。古い『ポピュラー・サイエンス』誌をめくってみれば、家庭用ヘリコプターだとか超低コストの原子力発電機とかいった〝文明の利器〟にお目にかかれることだろう。一八七八年に、電気による照明などインチキだといって無視したオックスフォード大学の教授。一八九九年に「発明できるものはすべてしつくされてしまったから、自分の部署は廃止になる」と心配した、アメリカ特許庁の長官。歴史は皮肉な例でいっぱいだ。もちろん真面目な本としてこれを書いたけれど、十年後にこの本のとおりになるとはかぎらない。

結果的に予測が当たれば、わかりきっていたことだといわれ、はずれれば物笑いの種になる。

情報ハイウェイの建設は、さまざまな面でパソコン産業の歴史を反映するだろう。この本では、過去からの教訓や概念を説明する助けとして、わずかばかりのわたしの経験や——そう、いま建築中のわたしの自宅の話も含めて——コンピュータ産業の歴史についても多少のページを割いている。ただし、自叙伝や、わたしのような幸運な男がこれまでいかにやってきたかという物語を期待されては困る。まあ、いつか引退する日が来れば、そうした本を書く時間もとれるかもしれない。とにかくこの本は、未来を見つめるものなのだ。

技術解説的な内容を期待していた読者も、がっかりさせることになるだろう。情報ハイウェイはあらゆる人のものだし、その意味はすべての人が理解できなくてはならない。だから、できるだけ多くの人が理解できるような本にするというのが、わたしのはじめからの意図であった。

この本の内容を考え、書き上げるには、思ったよりも長い時間がかかってしまった。実際、執筆の時間的な見積もりをたてるのは、ソフトウェア開発の大型プロジェクトのスケジュールをつくるのとおなじくらいむずかしかった。ピーター・リニアスンとネイサン・ミアボルドの助けを借りてもなお、それは難事業だった。たったひとつスムーズだったのは、アニー・リーボヴィッツによるカバージャケットの写真で、これは予定よりもずっと早く仕上がった。スピーチ原稿を書くのは好きなほうなので、本を書くのもそんなものだろうと思いこんでいた。ひとつの章を書くのはスピーチ一本を書くのとおなじことだろうと、無邪気に思っていたわけだ。それはまるで、よくあるソフト開発者の勘違いみたいなものだった。つまり、十倍長いプログラムを書くには、百倍込み入った作業が必要となるということだ。この本を書き上げるため、わたしは休暇をとり、パソコンといっしょに夏の家に閉じ込もらなければならなかった。

そうして書き上げたのが、この本だ。これからの十年で生じるさまざまな変化を、いかに利用するか。この本が刺激となって、そうしたことに関する理解や議論、創造的なアイデアが生まれることを願っている。

第一章
革命のはじまり

はじめてプログラムを書いたのは十三歳のときだ。三目並べ用の単純なプログラムだったけれど、それに使ったコンピュータは巨大で扱いにくくて低速な、でも最高に魅力的なマシンだった。

子どもたちにコンピュータをあてがって自由に使わせるというのは、私立レイクサイドスクールの母親クラブの発案だった。母親たちは、がらくた市の収益金を生徒用のコンピュータ端末の設置と課金の支払いに当てようと考えたのだ。六〇年代末という時代とシアトルという土地柄を考えると、生徒にコンピュータを与えるというのは驚くべき大英断だった――そのことには一生感謝を忘れないだろう。

そのコンピュータ端末にはスクリーンがついていなかった。三目並べをプレイするには、まずタイプライター型のキーボードから自分の指し手を打ち込み、けたたましいプリンタが紙に結果をがちゃがちゃんと吐き出すのをじっと待つ。それから紙にとびついて、どっちが勝ったか確認したり、次の指し手を考えたりする。三目並べのひと勝負（紙と鉛筆を使えばだいたい三十秒で終わる）で昼休みの大半がつぶれることもざらだった。でもそんなことは問題じゃなかった。そのマシンはとにかく魅力的だったのだ。

いまになって考えてみると、巨大で高価な大人用のマシンを自分で制御できるということが、その魅力の一端だったのだろう。車の運転とか、いかにも楽しそうな大人の遊びに手を出すにはまだ若すぎた。でも、この大きなマシンに向かって命令すれば、いつでもいうことをきいてくれた。コンピュータが最高なのは、自分のプログラムがきちんと動いたかどうか、ただちに結果が出ることだ。こういう手応えが得られるものはそう多くない。これがソフトウェアに魅了されるきっかけだった。とくに、単純なプログラムならば、その結果はすぐにはっきりする。正しいプログラムを書きさえすれば、命令どおり完璧に動作する。この事実は、いまでもわたしを魅了する。

周囲の信用を勝ちとるにつれて、わたしたちはコンピュータをさらにいじりまわし、可能なかぎりスピードアップして、もっとむずかしいゲームのプログラミングをはじめた。BASIC《ベーシック》（初心者向けのプログラミング言語）はその名のとおり比較的覚えやすいプログラミング言語で、それを使って次第に複雑なプログラムに挑戦した。仲間のひとりは、コンピュータに数百のゲームをプレイさせる方法を習得して、モノポリーをシミュレートするプログラムをBASICで書いたりもした。さまざまな手を試したくて、わたしたちは次々にコンピュータに命令を入力した。どの手がいちばん勝率が高いかを知りたかったのだ。そしてコンピュータが――がちゃんこがちゃんこと――答えを教えてくれた。

子どもというのはみんなそうだけれど、おもちゃで遊ぶだけでなく、やがておもちゃの改造にも手を出す。子どもたちは、段ボール箱とクレヨンでかっこいい制御装置つきの宇宙船を作ってみたり、「赤のクルマはほかのを飛び越えられるんだよ」式のルールを即興で編み出したりする。革命精神あふれる子ども時代の遊びの中心には、おもちゃにもっといろんなことをさせたいという衝動があるものだ。

もちろん、当時のわたしたちは楽しく遊んでいただけだ——少なくとも自分ではそう思っていた。わたしたちはそのおもちゃから——そう、コンピュータは実際におもちゃになっていた——手を離すことができなくなっていた。学校の人間は、わたしたちとコンピュータを対にして考えるようになった。だから、わたしが教師から、コンピュータプログラミングを教えるのに手を貸してほしいと頼まれたときも、異を唱える人間はだれもいなかった。もっとも、学校劇の「ブラック・コメディ」で主役を演じたときは、「どうしてあんなコンピュータ野郎が主役なんだ?」というささやきが耳に入ってきたりもした。いまでもときどきそういう目で見られることがある。

世界中のわたしの同世代が、お気に入りのおもちゃを手放さないまま大人になってしまったような気がする。その過程でわたしの世代はある種の革命——おおむね平和的な革命——を引き起こし、そしていま、コンピュータはみんなのオフィスや家庭に入り込むことになった。コンピュータはどんどんサイズが小さくなり、性能が向上し、値段は劇的に下がってきた。しかも、そのすべてがかなり急速に起きた。かつてわたしが思い描いたほど急速ではなかったけれど、それでも相当な速度だといっていいだろう。低価格のコンピュータチップは、エンジンや腕時計、アンチロックブレーキ、ファックスマシン、エレベーター、ガソリンポンプ、カメラ、サーモスタット、自動販売機、盗難警報器、果てはしゃべるグリーティングカードにまで使われている。いまの学生たちは、教科書程度の大きさで、一世代前の最高のコンピュータをしのぐ性能を誇るパソコンを使って、驚くべきことをやってのける。

コンピューティングのコストが驚くほど下がり、生活のありとあらゆる分野にコンピュータが入り込

レイクサイドスクールのコンピュータ端末で作業中のビル・ゲイツ（後方）とポール・アレン（1968年）

んでいるいま、わたしたちは新しい革命のとば口に立っている。すべてのコンピュータがひとつに融合して人間とコミュニケートする時代、人間のためにコミュニケートする時代の入り口に。地球規模で相互接続されたコンピュータは、情報ハイウェイと呼ばれるネットワークを形成する。その先駆けが、いまのインターネット——現在の技術を使って接続され、情報を交換するコンピュータ群だ。

この新しいネットワークでなにができるか、それをどう使うか、その可能性や危険が本書のテーマになる。

いま起きていることは、いろいろな意味でエキサイティングに見える。十九歳のとき、わたしはそれまでの経験から未来はこうなるだろうと予測し、その予測は正しかったことが証明された。しかし十九歳のビル・ゲイツは、いまのわたしとはまるきり違う立場にいた。当時のわたしが、頭のまわるティーンエイジャーならではの自信に満ちあふれていたというだけではない。あのころは、わたしに注目している人間なんてだれもいなかった。たとえしくじったところで、なんでもなかった。それに対して現在のわたしの立場は、むしろ七〇年代のコンピュータの巨人たちに近い。それでもわたしは、彼らから多少の教訓を学んだつもりではいる。

一時期、カレッジで経済を専攻しようかと考えたことがある。けっきょく考えを変えることになったが、コンピュータ業界で過ごしてきた経験はどれも、ある意味で経済学のレッスンのようなものだった。好循環《ポジティブスパイラル》や、その逆の硬直したビジネスモデルがもたらす結果を、わたしはこの目で見てきた。業界の標準《スタンダード》が発展していくのも目のあたりにした。テクノロジーの分野において、互換性やすばやいフィードバック、絶え間ない革新がどんなに重要なことであるかも体験した。そしていまわたしたちは、アダム・スミスが理想とした市場の実現を、ついに目のあたりにすることになるかもしれない。

とはいえ、これまでのレッスンを利用して、未来を理論化して論じようというわけではない――わたしはこの未来に賭けているのだ。ティーンエイジャーのころ、低価格のコンピュータが社会に与えるインパクトを夢想し、「すべてのデスクとすべての家庭にコンピュータを」というスローガンをマイクロソフトの企業目標として、その実現のために働いてきた。コンピュータ同士が接続されたいまでは、個人がこの接続されたコミュニケーションの力の恩恵を受けられるようにするソフトウェア――コンピュータのハードウェアになにをすればよいかを伝えるプログラム――を開発している。いまはまだ、ネットワークがどんなふうに使われることになるかを正確に予見することは不可能だ。いずれだれもがさまざまな通信機器――それはテレビのような外見だったり、現在のパソコンふうのもの、電話みたいなもの、札入れ《ウォレット》のような大きさと外見のものになるかもしれない――を通じてこのネットワークとつながるようになるだろう。そして各機器にはコンピュータが内蔵される。他の数百万のコンピュータと接続された強力なコンピュータが。

そう遠くない未来に、デスクや肘かけ椅子を離れることなく、仕事や勉強はもちろん、世界とその文化を探求し、最高の娯楽をなんでも自由に呼び出し、友だちをつくり、近所のマーケットに参加し、遠くに住んでいる親戚に写真を見せることのできる日が来る。オフィスや教室を離れ、どこからでもネットワークへ接続できるようになる。それに使う機器は、たんに携帯に便利なマシンや、買い物に役立つマシンというだけのものではなく、メディア化された新生活のパスポートになるはずだ。

現実の体験とその喜びは、個人的なものであって、なにかに媒介《メディエート》されることがない。ベンチに寝そべったり、森を散策したり、コメディクラブの席についたり、フリーマーケットで買い物したりする体験が、進歩の名のもとに人間から奪い去られるようなことはけっしてないだろう。しかしそうはいっても、現実の経験すべてに価値があるというわけではない。たとえば、行列に並んで待つのは現実の体験だが、だれだってなんとか並んで待たずにすませたいと考えるはずだ。

人類の進歩の多くは、よりすぐれた強力な道具の発明によって実現してきた。物理的な道具は仕事の能率を上げ、人間を重労働から解放する。鋤や車輪、クレーンやブルドーザーは、それを使う人間の肉体的能力を強化する。

情報ツールは、ユーザーの筋肉ではなく知性を強化するシンボリックな媒介物《メディエーター》となる。あなたがこの本を読むということも、媒介された経験の一種だ。わたしとあなたは現実におなじ部屋にいるわけではない。しかしそれでも、あなたはわたしの考えを知ることができる。現代のビジネスは意思決定《ディシジョン・メイキング》の方法と知識の量に依存する部分が多いから、情報ツールは発明家たちにとって大きな目標になり、その重要性はますます高まりつつある。どんな文書も文字の集まりとして表現できるように、こうした情報機器は、あらゆる種類の情報をデジタルな形式——コンピュータが扱いやすい電気信号のパターン——で表現できるようにする。現在、世界には、情報処理を目的とする一千万台以上のコンピュータがある。いまのコンピュータは、すでにデジタル化された情報の保管や送受信に活躍しているが、近い将来、世界中のほとんどどんな情報にもアクセスできるようになるだろう。

アメリカでは、世界のコンピュータすべてを接続するというこの壮大な計画が、かつての巨大なプロジェクト、アイゼンハワー時代に着手された州間高速道路《インターステートハイウェイ》を全土に張り巡らすプロジェクトと比較されてきた。そのため、この新しいコンピュータネットワークには、〝情報ハイウェイ〟の通称がつけられている。これは、アルバート・ゴア上院議員のおかげで広く知られるようになった言葉だが、奇しくも彼の父親は、一九五六年の連邦補助道路法の提案者だった。

もっとも、ハイウェイという呼び方はかならずしも当を得たものではない。この呼び方は、風景や地形、点と点のあいだの距離の広がりを連想させる。ある場所からべつの場所にたどりつくために旅をするという意味あいが含まれてしまうのだ。しかし実際には、この新しいコミュニケーション技術のもっとも特筆すべき点は、距離を無化することにある。コンタクトしている相手がとなりの部屋にいようがべつの大陸にいようが、そんなことはなんの関係もない。高度にメディア化されたこのネットワークは、マイルやキロに縛られなくなる。

〝ハイウェイ〟という言葉にはまた、全員がおなじルートをドライブするイメージがある。情報ネットワークはむしろ、見物したり立ち止まったり、興味の赴くままになんでも好きなことができるたくさんの田舎道の集まりのようなものだ。もうひとつ、ハイウェイという言葉が暗示するのは、それが政府によって建設されるものだというイメージだろう。わたしの考えでは、情報ハイウェイ建設を政府主導で行なうことは大半の国にとって大きなあやまちとなる。しかしハイウェイという譬え《メタファー》の最大の問題点は、それが、ネットワークの利用形態《アプリケーション》よりも基礎構造《インフラストラクチャー》を強調してしまうという点だ。マイクロソフトのスローガンは、「Information At Your Fingertips（指先に情報を）」というものだが、この言葉は、ネットワークそのものよりも、そこから得られる利益に焦点を当てている。ネットワーク上で展開されるだろう多種多様な活動を形容するには、〝ハイウェイ〟よりも〝究極のマーケット〟というメタファーのほうが適切だろう。証券取引所からショッピングモールにいたるまで、市場《マーケット》は人間社会の基盤であり、ネットワークというこの新しいマーケットは、最終的に世界の中心的な百貨店になるとわたしは信じている。社会的動物であるわれわれ人間は、そのマーケットでものを売り、交換し、投資し、値切り、新製品に目をとめ、議論し、新しい人々と出会い、暇をつぶすことになる。〝情報ハイウェイ〟という言葉を聞いたら、一本の道路をイメージするかわりに、取引所や市場を思い浮かべてみてほしい。ニューヨーク証券取引所や青物市場の喧騒、あるいは魅惑的な物語や情報を求める人々でごった返す大書店を想像してほしい。十億ドルの取引から不純異性交遊まで、ありとあらゆる種類の人間活動が生じる場所。取引にはたいてい金銭が関係するが、それは通貨ではなくデジタルなかたちで決済されるようになるだろう。金銭のみならずあらゆる種類のデジタル情報が、このマーケットにおける新しい交換媒体になる。

この地球規模の情報マーケットは、人間が品物やサービスやアイデアを交換する多種多様な手段をすべて兼ね備えた巨大な市場になるだろう。実用的な面では、多くのものについて選択肢が増える。どうやって金を稼ぎ、どう投資するか、なにを買っていくら払うか、だれと友だちになりその友だちとどんなふうに時間を過ごすか、家族とどこにどんな家を構えるか。職場環境や、〝教育〟という言葉の意味は、いまとは似ても似つかないほど変貌するだろう。自分が何者でどこに属しているのかというアイデンティティの感覚は、かなり幅広いものになる。つまり、ほとんどすべてがいままでとは違うやりかたでなされるようになる。わたしはその日が来るのが待ちきれず、その実現のためにできるかぎりのことをしている。

本気で信じていいものかどうかよくわからない？　あるいは信じたくない？　もしかしたらあなたは、そんなことには参加したくないと思うかもしれない。新しいテクノロジーの脅威がいままで慣れ親しんできた快適な環境を変革しようとするとき、人間はふつう、それに抵抗する。最初のうち、自転車はばかげた発明品だった。自動車はやかましい闖入者、電卓は数学教育に対する脅威、ラジオは読書の習慣にピリオドを打つもの……という具合だ。

しかしやがて、なにかが起きる。時間がたつうちに、こうした機械は人間の日常生活に居場所を見つける。機械のおかげで便利になり手間が省けるというだけではなく、新しいテクノロジーがもたらす刺激には、新たな創造的な高みへと人間を導く力があるからだ。新しい道具といっしょに育った新しい世代がそれを変革し、人間的なものに近づけていく。つまり、それらをおもちゃにしてしまうのだ。

電話は双方向通信における一大進歩だった。しかし最初のうち、電話は迷惑なだけのものと非難された。家庭に侵入してきたこの機械のせいで人々はおちつかない気分を味わい、気詰まりな思いをした。しかしやがて、たんに新しい機械が手に入ったというだけではないことに、人々は気づきはじめた。新しいタイプのコミュニケーションを学びはじめたのである。当初、電話でのおしゃべりは、面と向かっての会話にくらべると短時間だったし、礼儀正しさにも欠けていた。電話にはどこかうさんくさいところがあり、その簡便さはむしろ反発を感じさせた。電話以前の時代なら、楽しいおしゃべりは友人の家への訪問や、会食をともなうものだった。それに午後いっぱい、あるいはひと晩まるまる費やすのがあたりまえだったのだ。しかし、大半の職場や家庭に電話が設置されてしまうと、ユーザーはこの通信手段のユニークな特徴を活用する方法を見つけ出した。電話が全盛時代を迎えるにつれて、独自の表現やいたずら、エチケットや文化が芽生えてきた。アレクサンダー・グラハム・ベルは、「秘書を使って自分より先に先方を電話口に出させる」ばかばかしい重役ゲームのことなど夢想だにしなかっただろう。いまわたしがこうして本を書いているあいだにも、もっと新しい通信手段――電子メール（Eメール）――がそれとおなじようなプロセスをたどって、独自のルールと習慣を確立しつつある。

「すこしずつ、機械は人類社会の一部になってゆくだろう」と、フランスの飛行家で作家のアントワーヌ・ド・サンテグジュペリは、一九三九年に発表した回想録、『人間の土地』の中で書いている。彼は、人間が新しいテクノロジーにどう反応するかについて触れたくだりで、一九世紀の鉄道が受け入れられるまでに長い時間がかかったことを例に引いている。原始的な蒸気機関車が吐き出す煙や、エンジンの悪魔的咆哮のおかげで、最初のうち機関車は鉄の怪物と形容された。それから鉄道網がどんどん広がっていくにつれて、町々は駅舎をつくりはじめた。この新奇な輸送形態のまわりで文化が育ちはじめ、軽蔑が受容に、さらには肯定へと変化していった。かつては鉄の怪物だったものが、生活の強力な担い手になった。ここでもまた、認識の変化は、その呼び名に反映されている。〝鉄の怪物〟が〝鉄の馬〟

と呼ばれるようになったのだ。
コミュニケーションの歴史で鉄道に匹敵する影響を与えたのは、一四五〇年、マインツ出身の鍛冶屋ヨハン・グーテンベルクが活字を発明し、ヨーロッパに史上初めての活版印刷をもたらしたことだろう（中国と朝鮮にはそれ以前から印刷機が存在した）。この発明はそれ以後の西洋文化をすっかり変えてしまった。グーテンベルクが史上初の活字版聖書を組み上げるには二年の歳月を要したが、いったん完成すると、何部でも好きなだけ印刷することが可能になった。グーテンベルク以前には、聖書は手書きで複写されていた。修道士が筆写するのが通例だったが、たいていは一年間かけて一部を複写するのがせいいっぱいだった。それにくらべると、グーテンベルクの印刷機はいまの高速レーザープリンタに匹敵する。

活版印刷は、本を複製する、より高速な手段を西洋にもたらしただけではない。その時点までは、いくら世代が交代しても、共同体の生活にはほとんど変化がなかった。大多数の人間は、自分の目で見たもの、耳で聞いたものしか知らなかった。生まれ育った村を出ていく人間はほとんどいなかった。その理由は、信頼できる地図もなく、ちゃんと自分の村にもどってくることが困難だったからだ。わたしの好きな作家、ジェイムズ・バークはこう書いている。「その世界では、すべての経験が個人的なものだった。世界はせまく、共同体は内側を向いていた。世界の外側に存在するもののことは、風のうわさの領分だった」

印刷された言葉は状況を一変させた。活版印刷は、人類史上初のマスメディアだった――このときはじめて、知識や意見や経験が、携帯可能で、耐久性があり、だれでも入手できるものとして流通可能になった。書かれた言葉が村の境を越え、人間がいるかぎり遠くまで広がると、人々はほかの場所でなにが起きているかに関心を持ちはじめた。印刷工房は各商業都市に急速に広がり、知識交換の中心的な場となった。読み書きは重要な技能となり、それが教育に革命を起こし、社会構造を変革した。

グーテンベルク以前には、ヨーロッパ大陸全体で約三万冊の書物しか存在せず、そのほとんどが聖書もしくは聖書の注釈書だった。しかし一五〇〇年の時点では、書物の総計は九百万冊を超え、ありとあらゆるテーマが網羅された。本以外にも、ビラをはじめとする他の印刷物が政治、宗教、科学、文学に影響を与えた。人類史上はじめて、教会エリート以外の人間も、書き記された情報にアクセスできるようになったのである。

情報ハイウェイは、グーテンベルクの印刷機が中世を変えたのとおなじくらい劇的な変化をわたしたちの文化にもたらすことになるだろう。

パーソナルコンピュータはすでに仕事のスタイルを変えてしまったけれど、人間の生活そのものはまだそれほど変わっていない。未来の高性能情報家電《インフォメーション・アプライアンス》がハイウェイに接続された暁には、人間、機械、エンターテイメント、情報サービスのすべてにその機器を通じてアクセスできるようになる。昼も夜も、接触していたいと思う相手ならだれとでもつねに接触を保ち、数千のライブラリのどれでも思うままに見て回ることができる。カメラを置き忘れたり盗まれたりしたら、たとえどこかよその街にあったとしても、カメラが自分で正確な位置を伝えるメッセージを送ってくる。オフィスから自分のアパートのインターフォンに返事をしたり、オフィスに届いたメールに自宅から返事を出したりできるようになる。現時点では手に入れにくい次のような情報も、手軽に知ることができるようになる。


バスは時刻表通りに走っているか？

オフィスへのドライブルートに、なにか事故が起きて渋滞していないか？

水曜の芝居のチケットを火曜のチケットと交換してくれる人はいないか？

息子の学校の出席日数はどうなっている？

大鮃《おひょう》のおいしい調理法は？

脈搏が測れるいちばん安い腕時計を明日の朝までに配達してもらえる店はどこ？

いま乗っている古いムスタング・コンバーチブルを売りに出すとして、どのくらいの値がつく？

針の穴ってどうやって空けるんだろう？

このあいだクリーニングに出したシャツはもう仕上がっている？

『ウォールストリート・ジャーナル』をいちばん安く定期購読する方法は？

心臓発作の症状は？

今日の郡裁判所でなにかおもしろい証言はあったか？

魚には色が識別できるか？

いまこの瞬間のシャンゼリゼはどんな光景？

先週の木曜日の午後九時二分にあなたはどこにいたか？

たとえば、新しいレストランを試してみようと思い立ち、その店のメニューとワインリストと今日のスペシャルが知りたいとする。お気に入りのレストラン評論家がその店をどう評価しているかもチェックしておきたいところだし、保健所がその店の衛生設備をどう評価しているかも気になる。レストランの周囲の雰囲気にも気をつかうなら、地元警察のデータに基づく安全度ランクもたしかめたい。やっぱり行ってみることにしようと心を決めたのなら、店への予約と地図、現在の道路状況に応じた最適のドライブルート――プリントアウトしてもいいし、運転しながらリアルタイムで更新される情報を音声出力させてもいい――が必要になる。

情報ハイウェイを使えば、こういう情報をいつでも簡単にとりだせるし、それは百パーセント個人的なものになる。興味を持った情報ならなんでも、自分が好きな方法で、好きなだけ見て回ることができる。テレビ局がオンエアする時刻に合わせてテレビをつけるのではなく、自分の都合に合わせて好きな時刻に好きな番組を見る。好きなときに好きなやりかたで、買い物したり、食事を注文したり、おなじ趣味の仲間と連絡をとったり、他人に使ってもらえるように情報を公開できるようになる。夜のニュースはあなたが決めた時間にはじまり、あなたが望むだけ長くつづく。あなた自身が、あるいはあなたの好みを知っているサービスが選択したテーマにそってニュースが流される。東京やボストンやシアトル発のリポートを呼び出すことも、あるニュースについての詳細をリクエストすることも、ある出来事についてお気に入りのコラムニストがどうコメントしているかをたずねることもできる。そのほうがよければ、ニュースを紙に印刷して届けさせることもできる。

これほど大規模な生活習慣の変化は、人を不安にさせる。毎日、世界各地で、来たるべきネットワークがどんな変化をもたらすかについて（多くは憂慮とともに）質問が発せられている。わたしたちの仕事はどうなってしまうのだろう？　人間は物質世界から逃げ出し、かわりにコンピュータの中で生きるようになるのか？　持てる者と持たざる者とのあいだの格差がますます広がるのではないか？　コンピュータは、東セントルイスの公民権被剥奪者やエチオピアの飢餓の問題を解決できるのか？　たしかにネットワークとそれがもたらす変化の行く手には、いくつか大きな課題が横たわっている（本書の最終章では、よく耳にする、なるほどもっともな不安についてまとめて検討する）。

ただ、こうした難題を考慮に入れたとしても、総体的に見れば、やはりネットワークの未来を信じ、楽観してもいいのではないかとわたしは考えている。その理由は、ひとつには、それがわたしの生き方そのものだから。そしてもうひとつは、コンピュータと時をおなじくして成長してきた世代がなしとげたこと、今後なしとげるであろうことを高く評価しているから。わたしたちの世代は新しいコミュニケーションの道具を人々に与えることになる。進歩はいやでもやって来るのだから、それを最大限に利用しない手はない――わたしはそう考えるタイプの人間だ。未来に目を凝らし、革命的な可能性の最初のきざしを見出す感覚は、いまでもわたしをわくわくさせる。新時代を築く変化のはじまりに参加するチャンスに二度も恵まれたことは信じられないほど幸運だと思っている。

はじめておなじような幸福感を感じたのは、コンピュータが将来いかに安価でパワフルなものになるかに気がついたティーンエージャーのころだ。一九六八年に三目並べで遊んでいたコンピュータをはじめ、当時のコンピュータの大多数は気むずかしいモンスターで、気温や湿度を一定に保つ保護ケースの中に安置されていた。母親たちが蓄えていた資金を使いはたしたあと、友だちのポール・アレン（のちに共同でマイクロソフトを設立することになる）とわたしは、大型コンピュータを使うべく知恵をしぼることになった。当時のコンピュータは、現代の基準からすればその性能は慎ましやかなものだが、当時のわたしたちにとっては畏敬の対象だった。なにしろ大きくて複雑で、一台何百万ドルもしたのだから。コンピュータは、電話線を通じてカタカタ鳴るテレタイプ端末に接続され、いろんな場所にいる人間が共同使用できるシステムだった。コンピュータの現物に近づくチャンスはめったになかった。コンピュータの時間は非常に貴重なものだった。ハイスクール時代、テレタイプを使ってタイムシェアリングのコンピュータにアクセスするための費用は一時間四十ドル――その一時間四十ドルで、コンピュータの貴重な計算能力のひとかけらを手に入れるというわけだ。ひとりが一台以上のパソコンを所有し、まる一日、手も触れないまま放っておいてなんとも思わないいまの状況から考えると、奇妙な話に思える。

その当時でも、その気になれば自分のコンピュータを所有することはできた。もっとも、一万八千ドルを都合することができればの話だけれど。ディジタル・イクイップメント・コーポレーション（DEC）がPDP―8というマシンを発売していたのだ。〝ミニコンピュータ〟と呼ばれてはいたものの、現在の基準からするとばかでかいサイズだった。底面積はおよそ五十センチ四方、高さ一メートル半のラックを占拠し、重量は二百五十ポンド。レイクサイドスクールにもその一台がしばらく置かれていたから、さんざんいじりまわしたものだ。ＰＤＰ―８の性能は、電話線経由で使えるメインフレームのコンピュータにくらべると、ごく低いものだった。実際、計算能力だけとりだせば、現代の高性能デジタル腕時計にもかなわない。それでもＰＤＰ―８は、大きくて高価なコンピュータと同様、ソフトウェアで命令を与えてプログラムすることができた。性能は低かったけれど、ＰＤＰ―８は、いつか数百万単位の個人が自分のコンピュータを持てる日が来るという夢想にふけらせてくれた。コンピュータは年を追うごとに値段が下がり、ありふれたものになっていくだろうという信念はますます深まった。わたしがパーソナルコンピュータの発展につくそうと決めた理由のひとつは、わたし自身、専用のパーソナルコンピュータが欲しかったからだ。

当時は、コンピュータのハードウェアと同様、ソフトウェアも高価だった。コンピュータの機種ごとに専用のソフトウェアが必要で、ハードウェアが変わるたびに――ハードの仕様は定期的に変更された――ソフトウェアも大部分は書き直さなくてはならなかった。コンピュータメーカーは自社のマシンといっしょに、標準的なソフトウェアプログラム（たとえば関数のライブラリなど）を供給していたが、大部分のソフトは、ビジネス上の特定の問題を解決するための専用プログラムだった。共有されているソフトウェアもいくつかあったものの、汎用ソフトウェアを販売している会社は数社しかなく、ショップの棚に並んでいるパッケージソフトはほとんどゼロだった。

レイクサイドスクールの授業料と本代は両親が出してくれていたけれど、コンピュータの利用料金については自分でなんとかしなければならなかった。ポール・アレンをはじめとする仲間たちは、初歩的なプログラミングの仕事をはじめた。その稼ぎは、ハイスクールの生徒にしては途方もない金額だった——ひと夏でおよそ五千ドル。その一部は現金で、残りはコンピュータの利用時間で支払われた。いくつかの会社と交渉し、その会社で出しているソフトの問題点を突き止めたら、コンピュータを無料で使わせてもらう、という取引を成立させた。当時書いたプログラムのひとつに、授業の時間割を作成するソフトがあった。そのプログラムにこっそり仕込んでおいた命令のおかげで、いざ授業がはじまってみると、教室いっぱいの女の子の中に男は自分ひとりだけ。前にも書いたけれど、こんなに明確なかたちで成功を実証できるマシンに魅力を感じないはずがない。わたしはすっかり夢中になっていた。

コンピュータのハードウェアに関しては、ポールのほうがわたしよりずっとくわしかった。一九七二年のある夏の日（わたしが十六歳でポールは十九歳）、彼は『エレクトロニクス』誌の百四十三ページに埋もれていた十段落の記事を見せてくれた。それは、インテルという名前の若い会社が、8008というマイクロプロセッサを発売したことを伝える記事だった。

マイクロプロセッサは、まるまるひとつのコンピュータの全頭脳をおさめた単一のチップだ。この最初のマイクロプロセッサの性能がごくかぎられたものであることはわかっていたが、ポールはチップがもっともっと強力になり、チップで動くコンピュータが急速に進歩することを確信していた。

当時のコンピュータ業界には、マイクロプロセッサを使って本物のコンピュータを組み立てるという発想がまったくなかった。たとえば、『エレクトロニクス』誌の記事は、8008を「スマートターミナル［簡単な文字修正機能のあるテレタイプ端末］をはじめとして、いかなる計算、制御、意志決定システムにも」好適、と形容していた。記者たちはマイクロプロセッサが汎用コンピュータに進化するとは思ってもいなかったのだ。マイクロプロセッサは低速で、処理できる情報量はわずかだった。プログラマが親しんでいたプログラミング言語はどれも8008では使えなかったから、8008用の複雑なプログラムを書くことはほとんど不可能だった。すべてのアプリケーションは、チップが理解できる数十種類の単純な命令でプログラムしなければならない。8008は、単純で変化のない仕事を何度も何度もくりかえし遂行する、馬車馬のような人生を運命づけられていたのだ。エレベーターや電卓に搭載されているチップなら、そういうものもめずらしくない。

エレベーターの制御装置のような専用アプリケーションに使われるシンプルなマイクロプロセッサは、素人でも扱えるドラムやホルンのような単一の楽器にたとえられる。基本的なリズムや単純な曲を演奏するならこれでじゅうぶんだ。一方、プログラミング言語が使える高性能マイクロプロセッサは熟練したオーケストラのようなものだ。適切な楽譜、すなわちソフトウェアがあれば、どんな曲でも演奏できる。

ポールとわたしは、8008でどんなプログラムが書けるだろうかと考えた。ポールはすぐにインテルに電話をかけて8008のマニュアルをリクエストした。ほんとうに一部送られてきたときにはちょっとびっくりしたが、わたしたちはさっそくとびついて、ふたりでこのマニュアルに没頭した。DECのPDP―8上で走るBASICの新バージョンをつくった経験があったから、このちっぽけなインテル製チップでもおなじことができるのではないか、そう考えるとわくわくした。しかし、８００８のマニュアルをよく見てみると、やるだけ無駄だということがわかった。８００８は、とにかくパワー不足だった。

それでも、このちっぽけなチップを使って、街の通りの交通モニタが計測した情報を分析するプログラムをつくりだした。その当時、多くの自治体が、適宜選び出した道路にゴムホースをわたして、通行車輛の数を計測していた。一台の車がホースの上を通過するたびに、ホースの端にとりつけられた金属箱の中の紙テープがパンチされる仕組みだ。８００８を使えば、このテープを処理して、グラフその他の統計をプリントさせることができる。そのために会社をつくろうということになり、このはじめての会社を〝トラフォデータ（Traf-O-Data）〟と命名した。当時は詩的ですばらしい名前だと思ったものだ。

シアトルから、ポールが通うカレッジがあるワシントン州プルマンまでのバスの長旅を利用して、わたしはトラフォデータのためのソフトを大量に書いた。試作品はちゃんと動いた。全国でこの新しいマシンをがんがん売りさばく未来を夢想したものだ。わたしたちは何度かそれを使って交通量テープを処理し、報酬を受けとったが、けっきょくマシン自体を買いたいという人間はひとりもあらわれなかった――少なくとも、ティーンエイジャーの二人組からは。

失望はしたものの、自分たちの未来が（ハードウェアではないにしても）マイクロプロセッサと関係のあるものになるだろうと信じていた。一九七三年、わたしがハーバード大学に進んだあと、ガタの来たクライスラー・ニューヨーカーをなだめすかしてはるばるワシントン州からボストンまでドライブし

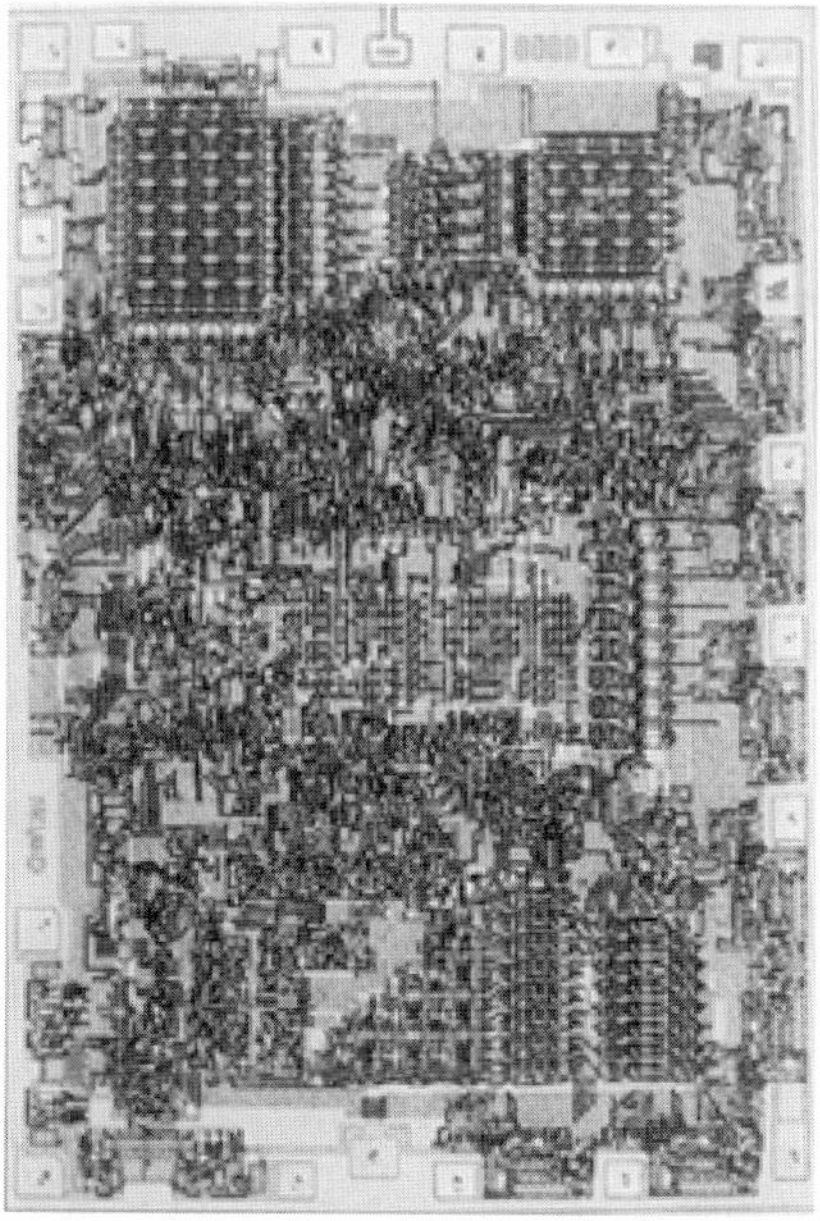

インテル社製8008マイクロプロセッサ（1972年）

てきたポールは、ハネウェル社でミニコンのプログラミングの仕事を手に入れた。ポールはしょっちゅう車でケンブリッジまでやってきて、ふたりで未来の計画について長々と語り合ったものだ。

一九七四年の春、『エレクトロニクス』誌に、インテルの新しい8080チップ——トラフォデータ社のマシンに搭載した8008の十倍の処理能力を持つチップ——の記事が発表された。8080は8008とくらべてサイズはそう大きくなかったが、内蔵するトランジスタの数は二千七百個も増えていた。本物のコンピュータの心臓部が、突然わたしたちの目の前に出現したのである。しかも価格は二百ドル以下。わたしたちはマニュアルに突撃した。「こうなったんじゃ、DECのPDP—8はもう全然売れないね」とわたしはポールにいった。ちっぽけなチップがこれだけパワフルになりうるのなら、巨大で扱いにくいマシンに終わりが来ることは、わたしたちの目には一目瞭然だった。

でもコンピュータ・メーカーは、マイクロプロセッサが脅威だとは考えていなかった。吹けば飛ぶようなチップが〝本物の〟コンピュータにとってかわることなど、想像もしていなかったのだ。インテルの科学者さえ、自社チップの潜在的可能性をじゅうぶんに理解していたわけではなかった。彼らにとって8080はチップ製造技術の向上を示すものでしかなかった。短期的に見れば、コンピュータ・エスタブリッシュメントの判断はまちがっていない。たしかに、8080は8008からほんのちょっぴり進歩しただけだ。しかしポールとわたしは、この新しいチップの先にあるものを夢見ていた。すべての人々にとって完璧な道具となる新しい種類のコンピュータ——パーソナルで手頃な価格の、使いやすいマシンを。新しいチップがこれほど低価格で供給されるなら、あっというまに普及するはずだ。わたしたちにとって、それはまったく自明のことだった。

かつてめったにさわることもできなかったコンピュータのハードウェアが、簡単に手が届くものになる。コンピュータへのアクセスも、一時間いくらの高い料金を請求されることはなくなる。料金さえ安ければ、みんながコンピュータのあらゆる新しい使用法を見つけ出すだろう。そうなったとき、マシンの潜在能力をフルに引き出す鍵になるのはソフトウェアだ。ハードウェアの大部分は、日本の会社とIBMとが生産することになる可能性が高い。しかしわたしたちなら、革新的な新しいソフトウェアが開発できる。そうなっていけない理由がどこにある？　マイクロプロセッサは産業構造そのものを変革するはずだ。そしてそこには、わたしとポール、ふたりの居場所もあるかもしれない。

学生時代にこういうおしゃべりはつきものだ。ありとあらゆる新しい経験に出会い、とてつもない夢を紡ぐ年ごろ。わたしたちは若く、世界中の時間はみんな自分のものだと思っていた。もう一年ハーバードに通うことにしたわたしは、その一方で、ソフトウェア会社を経営するにはどうすればいいか考えつづけていた。プランのひとつはじつにシンプルだった。学生寮の自分の部屋から大手コンピュータ会社にかたっぱしから手紙を出し、インテルの新型チップに対応するBASICを書きましょうと申し出たのだ。が、それに応じた会社はゼロ。十二月になるころには、かなりがっくりきていた。わたしは冬休みを利用して飛行機でシアトルに帰省する予定だったが、ポールは年末年始をずっとボストンで過ごすという。わたしがシアトルに出発する数日前の、身を切るように寒いマサチューセッツの朝、ポールとわたしはハーバード・スクウェアのニューススタンドの前をぶらついていた。とそのとき、ポールが

『ポピュラー・エレクトロニクス』誌の一月号を手にとった。本書「はじめに」の冒頭に記したのはこの瞬間のことだ。その雑誌が、ふたりの未来の夢を現実のものに変えた。

雑誌の表紙にはとても小さな、オーブントースターとたいして変わらない大きさのコンピュータの写真が載っていた。その名前の印象も「トラフォデータ」のそれと大差なかった。アルテア８８００（アルテアというのは、『スター・トレック』の中で宇宙船エンタープライズ号が赴く星の名前のひとつ）。このマシンは、ユーザーが自分で組み立てるキットとして、三百九十七ドルで販売された。組み立てが完了しても、アルテア８８００にはキーボードもディスプレイもない。かわりに、十六個のアドレススイッチと、それとおなじ数の電球がついている。フロントパネルの小さなライトを点灯させることはできる。でも、できることはほとんどそれだけ。問題は、アルテア８８００用のソフトウェアが存在しないことだ。そのためアルテア８８００は、道具というより目新しいおもちゃのような代物だった。

一方、アルテアの内部には、インテル８０８０マイクロプロセッサの頭脳が入っている。それに気づいた瞬間、ふたりはパニックに襲われた。「ああ！　おれたち抜きではじまってる！　みんなこのチップのために本物のソフトウェアを書きはじめるぞ」。近い将来そうなることは確信できたし、できるなら最初からそれに関わりたかった。ＰＣ（パーソナルコンピュータ）革命の第一ステージに参加するチャンスは一生に一度しかない――わたしはそう考え、そしてそのチャンスをこの手でつかんだ。

二十年後のいま、わたしはそのときとおなじ気持ちを味わっている。当時のわたしにとっては、ほかの人間が自分たちとおなじビジョンを抱いているのではないかというのが最大の不安だった。いまは、

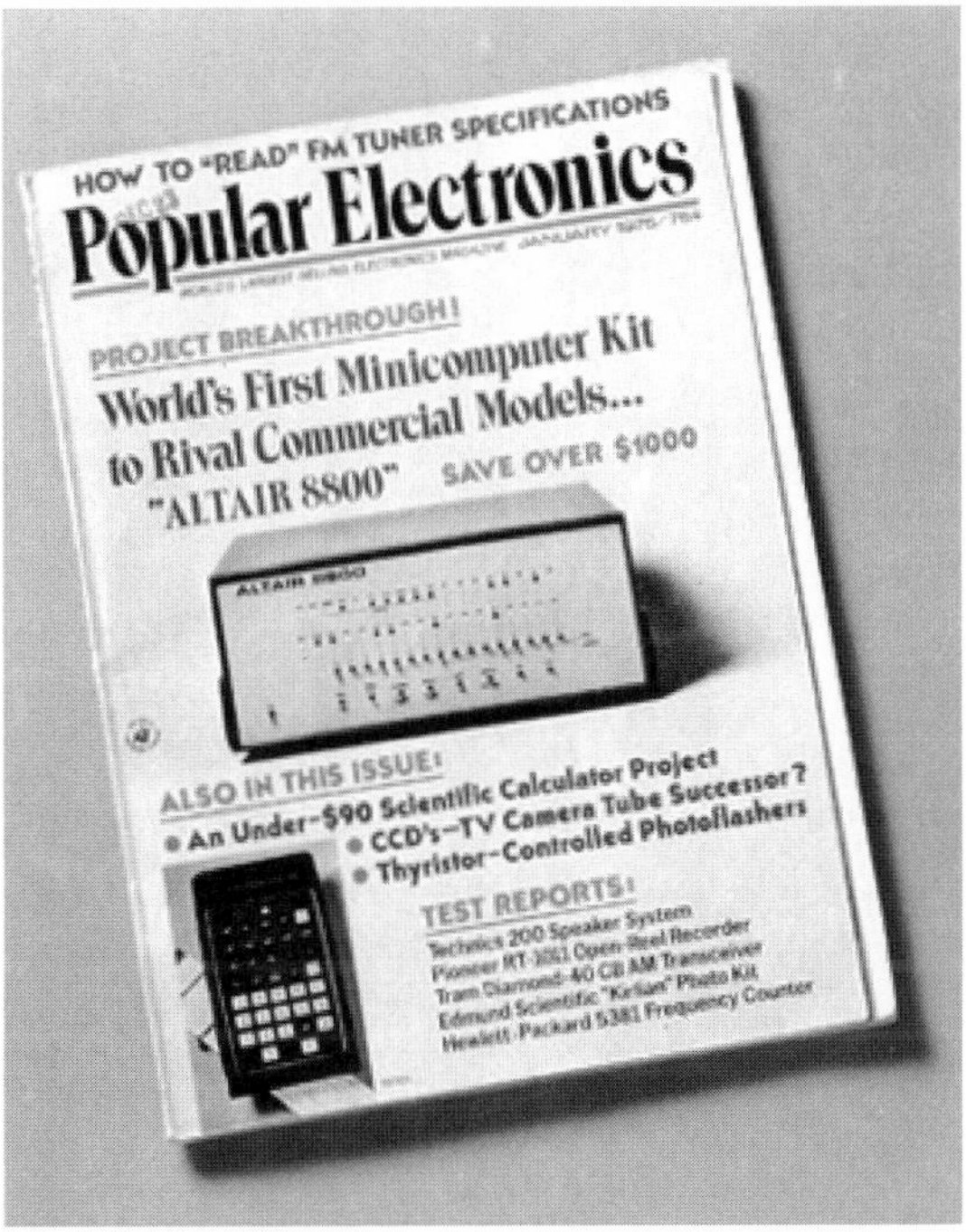

『ポピュラー・エレクトロニクス』誌（1975年1月号）

何千人もの人々がわたしとおなじことを考えているのはわかっている。二十年前の革命のおかげで、毎年毎年全世界で五千万台ものパーソナルコンピュータが売れ、その売り上げはふたたびコンピュータ業界に還流してきた。勝者も敗者も大量に出た。今回の革命では、無数の会社が、まだ変化がはじまらないうちに、無限のチャンスがあるうちに、革命に参加しようと先陣争いをつづけている。

この二十年間をいまふりかえってみると、わきめもふらずひとつの方向だけに邁進していたために環境の変化に適応できず、結果的に敗者となってしまった大企業はたくさんある。いまから二十年後にふりかえってみても、きっとおなじパターンを見ることになるだろう。いまこうやってこの本を書いているあいだにも、コミュニケーション革命についての自分の洞察が正しいと信じて突き進み、やがて新しい大企業を生み出すことになる若者が、少なくともひとりはいるはずだ。数千単位の革新的な会社が、来たるべき変化の波に乗るべく創立されるだろう。

一九七五年、ポールとわたしが会社をつくろうと弱気な決心をしたとき、ふたりは、例の「納屋でショウをかけよう!」ではじまるジュディ・ガーランドとミッキー・ルーニーの青春ミュージカル映画の登場人物みたいにふるまっていた。ぐずぐずしているひまはなかった。最初の仕事は、アルテアのためのBASICを書くことだった。

そのためには、高性能のBASICを、どうにかしてアルテアの小さなメモリに押し込める必要があった。アルテアの一般的なモデルのメモリ容量は約四千字分(4キロバイト)。現在、ほとんどのパーソナルコンピュータは、四百万または八百万字分(4メガまたは8メガバイト)のメモリを搭載している。さらにやっかいなのは、自前のアルテアを持っていないばかりか、現物を見たことさえないということだった。もっともこれはそれほど大きな問題ではなかった。ふたりがほんとうに興味を持っていたのは新型のインテル８０８０マイクロプロセッサ・チップだったけれど、８０８０の現物を目にしたことだって一度もなかったのだから。おそれを知らないポールはチップのマニュアルを研究し、それからハーバードの大型コンピュータに小さなアルテアの真似をさせるプログラムを書いた。まるまるひとつのオーケストラをやとってシンプルなデュエットを演奏させるようなやりかただが、それでもこの手は成功した。

よいソフトウェアを書くためには多大な集中力が要求される。アルテア用のＢＡＳＩＣを書くのはひどく消耗する作業だった。わたしはときおり、考えごとをしながら体を前後に揺すったり部屋の中を歩きまわったりした。ほかのことに気を散らさないでひとつのアイデアだけに意識を集中するにはそれが役に立つ。一九七五年の冬は、寮の部屋で体を揺すったりうろうろしたりをずっとくりかえした。ポールもわたしもほとんど眠らず、夜と昼の感覚もなくなった。眠りに落ちるのはたいていデスクの前か床の上だった。なにも食べずだれとも会わずに何日も過ごした。しかしそのおかげで、五週間後にはＢＡＳＩＣが書き上がり、そして世界初のマイクロコンピュータソフトウェア会社が誕生した。わたしたちはその会社を〝マイクロソフト〟と名づけた。

会社の創業が犠牲をともなうものであることはわかっていた。しかし同時に、いまやらなければマイクロコンピュータソフトウェア業界に参入するチャンスを永遠に失ってしまうこともわかっていた。一九七五年の春、ポールはプログラミングの仕事を辞め、わたしはハーバードを休学する決心をした。

この問題については両親と何度も話し合った。両親はどちらもコンピュータ業界についてかなりよく知っていた。ソフト会社をはじめたいというわたしの熱意を知ると、両親は応援してくれた。しばらく時間をとって会社を軌道に乗せ、それから大学にもどってちゃんと卒業するというのがわたしの計画だった。学位をあきらめるという決断を下したことはない。規則上は、わたしはいまでも長い長い休学期間中の身だ。わたしは大学が好きだった。自分とおなじくらいの年齢の大勢の優秀な連中に囲まれておしゃべりするのは楽しかった。しかし、ソフト会社を旗揚げするチャンスの扉は、このときを逃したら二度と開かないかもしれない。そこでわたしは、十九歳にしてビジネスの世界に身を投じた。

ポールとわたしは最初からすべての資金を自力で調達した。ふたりとも多少の貯金はあった。ポールはハネウェル社で高給をとっていたし、わたしが出した金のいくぶんかは、寮の深夜ポーカーで稼いだものだ。さいわい、わたしたちの会社は大量の資金を必要とはしなかった。

マイクロソフトの成功の秘訣を教えてほしいとよくいわれる。社員ふたりの零細企業から出発して、従業員一万七千人、年間売り上げ六十億ドル以上の会社をどうやって育て上げたのか？　その秘密は？　もちろんシンプルな答えなどない。運も味方してくれたけれど、いちばん重要だったのは、わたしたちが持っていた最初のビジョンだったと思う。

わたしたちはインテル８０８０チップの先にあるものを予見し、そのビジョンに基づいて行動した。「コンピューティングがただ同然になったらどうなる？」。コンピューティング・パワーが安価になれば、いたるところにコンピュータが普及するだろう。それを活用するためのすばらしい新ソフトが出てくるに違いない。わたしたちはその可能性を信じ、前者に賭けて会社をはじめ、まだだれも手をつけていない時期に後者を開発しはじめた。最初にこのビジョンがあったおかげで、その後のすべてが多少なりとも楽になった。わたしたちはしかるべき時にしかるべき場所にいた。最初にそこにたどりつき、はやい時期に成功をおさめたおかげで、大勢の優秀な人々を雇うチャンスができた。世界に広がる販売網を築き上げて、そこからの収益を新製品の開発にまわすことができた。わたしたちは最初から、正しい方向に向かう道を出発したのだ。

いままた、目の前に新しい地平がひらけている。いま発すべき問いは、「もしコミュニケーションがただ同然になったらどうなる?」だ。すべての家庭やオフィスを高速ネットワークで相互接続するというアイデアは、この国の想像力を宇宙計画以来の激しさで燃え立たせている。アメリカだけでなく全世界で人々の想像力に火がついた。数千の会社がおなじビジョンを抱いて走り出しているいま、個々のめざす焦点、中間段階がどんなものになるかについての認識、そして実際の製品のできばえが、それぞれの会社の成功を決するだろう。

わたしは仕事が好きで好きでたまらないタイプだから、かなりの時間、ビジネスのことを考えて過ごす。最近では、考えることの大半は情報ハイウェイについてだ。二十年前、マイクロチップを搭載したパーソナルコンピュータの未来について考えていたときも、それが自分をどこに導こうとしているのか確信があったわけではない。しかし、あくまで自分の針路は守りつづけたし、すべてがはっきりしたときに、いたいと思った場所にいられるような正しい方向に向かっていることには自信があった。失うものなどなにひとつなかったあのころとは違って、いまでは賭け金ははるかに大きくなっている。それでもわたしはまたおなじ気分を味わっている。神経をやすりにかけられるようだが、それと同時に気持ちが高揚している。

あらゆる個人と企業が、情報ハイウェイを現実のものにする活動に参加すべく、その未来を賭けている。いまマイクロソフトでは、テクノロジーの潜在的可能性をフルに開花させるためにはどうすればいいか、その展開を懸命に模索している最中だ。この革命に加わっている企業ばかりでなく、その利点を理解する者すべてにとって、現代はエキサイティングな時代なのである。

第二章

情報化時代の幕開け

〝情報化時代〟という言葉をはじめて耳にしたときはもどかしい気持ちになった。鉄器時代や青銅器時代なら知っている。人類が道具や武器をつくる素材に基づいて歴史上の一時期を命名したのだから、こちらは具体的なある時代を意味している。でも〝情報化時代〟とは？　学者たちが、これからの国家は天然資源ではなく情報の支配をめぐって争うことになるだろうと予言しているのも読んだ。これまた魅惑的に響く予言だけれど、しかしいったい彼らは情報という言葉でなにをいおうとしているのか？

情報が未来を決するという説を聞くたびに、一九六七年の映画『卒業』に出てくる有名なパーティの場面を思い出す。とあるビジネスマンが、ダスティン・ホフマン演じる大学院生ベンジャミンに向かって立ち話をはじめ、卒業後の針路についておせっかいな助言を一言だけ与える。いわく「プラスチックだよ」。この場面が二、三十年後に書かれていたとしたら、くだんのビジネスマン氏のアドバイスはこうなっていたんじゃないだろうか。「ベンジャミン、〝情報〟できまりだよ」

未来のオフィスの給湯室で交わされる意味のない会話が思い浮かぶ。「情報をどれだけ持ってる？」「スイスはすごいよ、あれだけの情報を抱えてるんだから！」「情報価指数が昇り調子なんだってさ！」

この手の会話がナンセンスに思えるのは、それまでの時代で決定的な役割をはたしてきた物質とくらべて、情報がはっきりした実体を持たず、量をはかりにくいからだ。情報革命はまだ端緒についたばかりだ。コミュニケーションのコストは、コンピューティングのコストがそうなったように、すさまじい勢いで下がってゆくだろう。コミュニケーションのコストがじゅうぶんに下がり、それが他の技術的進歩と組み合わされれば、〝情報ハイウェイ〟は、もはや野心満々のエグゼクティブや興奮した政治家ご用達の空疎なフレーズではなくなる。〝電気〟とおなじくらい現実的であたりまえのものになるはずだ。情報がなぜそれほど中心的な存在になるのかを理解するためには、テクノロジーが情報処理の方法をどう変革してきたかを知っておく必要がある。

本章の大部分はその解説である。この章では、次章以降の理解を手助けするために、コンピュータの原理や歴史、その背景となる知識を紹介している。コンピュータの仕組みがいかにデジタルなものであるかを御存知なら、この章に書いたことは先刻ご承知だろうから、とばして先に進んでいただいてかまわない。

さて、未来の情報が現代の情報と根本的に違うところは、その大部分がデジタルなものになるということだ。現在すでに、図書館いっぱいの活字の書物がスキャナにかけられ、ディスクやCD−ROMなどに電子データとして保存されつつある。いまの新聞や雑誌は、最終工程までひっくるめて、すべて電子的に制作されているものが少なくない。紙に印刷するのは、あくまで流通のための方便なのだ。電子情報は永久的に――あるいは、そうしたいと思うかぎりいつまでも――コンピュータ・データベースに保存できる。新聞や雑誌の記事データの巨大なデータベースは、オンラインサービスを通じていつでも利用可能になる。写真や映画やビデオは、次々にデジタル情報に変換されつつある。しかも、情報を計量し、それを千兆のデータパケットに変換する方法は、年々洗練されてきている。いったんデジタル情報として保存されれば、そこへのアクセス手段とパーソナルコンピュータを持つ人間ならば瞬間的にそれを呼び出し、比較し、変更することもできる。現代という時代を歴史的に特徴づけるとしたら、情報を加工し操作するまったく新しい手段の獲得と、情報処理速度の向上をあげるべきだろう。低コストで高速のデジタルデータ処理・転送を可能にするコンピュータの性能は、家庭とオフィスにある従来の通信機器を一変させるはずだ。

数字を操作するために道具を使うという発想はけっして新しいものではない。アジアでは五千年近くも前からそろばんが使われてきた。一六四二年には、十九歳のフランス人科学者ブレーズ・パスカルが機械式計算機を発明した。これは一種の計数システムだった。その三十年後、ドイツの数学者ゴットフリート・フォン・ライプニッツがパスカルの設計を改良した。ライプニッツの〝歯車計算機〟は、掛け算・割り算に加えて平方根の計算ができた。回転するダイヤルと歯車で作動する信頼性の高い機械式計算機、歯車計算機の子孫たちは、その電子版に追い落とされるまでのあいだ、ビジネスの大黒柱だった。わたしが子どものころに使われていたキャッシュレジスターは、現金を入れるひきだしと連動した機械式計算機だといえる。

いまから百五十年以上も前、先見性豊かな英国の数学者がコンピュータの可能性を予見した。その予見によって、彼の名は当時でさえ有名だった。彼、チャールズ・バベッジはケンブリッジ大学の数学教授であり、一連の計算を実行できるような機械装置を構想した。バベッジははやくも一八三〇年の段階で、情報をいったん数字に変換しさえすれば、それを機械で操作できるという着想を得ていた。バベッジが思い描いた蒸気駆動のマシンは、木釘、歯車、円筒その他の機械部品を利用したものだった。バベッジはこの〝解析機関〟が、計算から手間と不正確性をとりのぞくために使えると信じていた。

バベッジがマシンの部品を形容するために使っていた言葉は、現在使われている用語とはずいぶん違っている。バベッジは、中央処理装置、マシンの動く中枢を、〝作業部《ミル》〟、マシンのメモリを〝貯蔵部《ストア》〟と呼んだ。バベッジは、綿花とおなじように変形する情報をイメージしていたのだ――つまり、ストア（倉庫）から引き出された情報は、ミルにかけられて、なにか新しいものに生まれ変わる。

バベッジの解析機関は機械的な装置だったが、彼はそれにさまざまな命令セットを与えることで、いろいろな機能を持たせられるはずだと予見していた。これこそソフトウェアの本質だといっていい。ソフトウェアとは、機械に特定の仕事をどのように遂行するかを伝える〝命令〟の集まりなのだ。バベッジは、自分が必要とするこうした命令をつくりだすためにはまったく新しい種類の言語が必要だと考えて、数字や文字や矢印などの記号を使ってそれを考案した。この言語は、一連の命令によって解析機関を〝プログラム〟し、状況の変化に応じてマシンがふるまいを変えることを可能にするものだった。バベッジは、ひとつの機械を複数の異なる目的に利用する方法を考え出した歴史上最初の人間だった。

つづく二〇世紀の数学者たちは、バベッジがアウトラインを描いたアイデアにとりくみ、一九四〇年代半ばには、バベッジの解析機関の原理に基づく電子計算機がつくられた。しかし、現代のコンピュータの父に当たる人物がだれなのかを特定するのはむずかしい。軍事機密のベールに隠れて、第二次世界大戦中のアメリカとイギリスで、さまざまな研究や開発がなされていたからだ。ただ、三人の中心的な貢献者をあげるとすれば、アラン・チューリング、クロード・シャノン、ジョン・フォン・ノイマンだ。

一九三〇年代半ば、アラン・チューリング――バベッジと同様、ケンブリッジで教育を受けた最上級の英国人数学者だった――は、現在チューリング・マシンの名で知られているものを提案した。これはほとんどどんな種類の情報でも処理できる、完全な汎用計算機だった。

一九三〇年代末、まだ学生だったクロード・シャノンは、論理命令を実行するマシンが情報を操作できることを実証した。彼の修士論文のテーマは、コンピュータ回路――真のときは閉じ、偽のときは開く――が〝真〟を示す1と〝偽〟を示す0とを使うことによって論理演算を実行できると示すことだった。

これがすなわち二進法だ。二進数は電子計算機のアルファベットにあたり、コンピュータの中のあらゆる情報が翻訳され保存され使用されるさいの言語の基盤となる。シンプルではあるけれど、コンピュータが動く仕組みを理解するためには決定的に重要な意味を持つものだから、ここでもうすこしくわしく説明しておく。

250ワットまで使える電球で部屋を明るくすることを考えてみよう。照明を、0ワット(真っ暗闇)から250ワットの最大照明まで調節できるようにしたい。それを実現する方法のひとつは、250ワットの電球にダイヤル式の調光スイッチをとりつけることだ。ダイヤルを反時計回りにいっぱいに回して切《オフ》にすれば、0ワットの光、すなわち完全な闇が訪れる。明るさを最大にしたい場合は、ダイヤルを時計回りにいっぱいに回し、250ワットまでワット数を上げる。中間の明るさがほしい場合には、ダイヤルをどこかその中間の位置に回しておく。

このシステムは簡単に使えるけれど、限界がある。ダイヤルが中間レベルにあるとき——たとえば、恋人とふたりだけの夕食を演出するために、照明を暗めにしているような場合——照明レベルがどの程度なのかは推測するしかない。実際に何ワットの光が使われているのか、正確なワット数はわからない。与えられる情報はおおよそのものだから、その情報を保管または複製することはむずかしい。

来週になって、いまとぴったりおなじレベルの照明を再現したいと思ったらどうすればいい？　スイッチ板にしるしをつけて、ダイヤルをどこまで回せばいいかの目安にする手はある。しかしこれではとても正確とはいえない。べつの設定を再現したくなったときはどうするのだろう？　設定を友人に伝えるために「ダイヤルを時計回りに約五分の一回すこと」とか「矢印がだいたい二時の位置に来るまでダイヤルを回すように」と指示することは可能だが、完全に正確とはいえない。もしあなたの友人がまたべつの友人にその情報を伝えて、その第二の友人がダイヤルを回すとしたら？　情報が伝達されるたびに、正確さが失われてしまう。

これが〝アナログ〟的に保存された情報の例だ。調光ダイヤルの位置は、電球の明るさの類比《アナロジー》になっている。ダイヤルを半分まで回せば、全ワット数のおよそ半分の明るさになる。ダイヤルをどこまで回したかを計測したり他人に伝えたりする場合、実際に伝達される情報は、明るさそのものではなく、そのアナロジー（ダイヤルの位置）についての情報なのである。アナログ情報も収集し、保存し、再現することができるが、不正確になりがちだ——そして、伝達されるたびにさらに不正確になっていく危険がある。

では今度は、部屋の明るさを指定するまったくべつの方法を考えてみよう。情報を保存し使用するための、アナログではなくデジタルな方法だ。どんな種類の情報も、0と1だけを使った数字に転換できる。0と1のみによって構成される数字は二進数と呼ばれ、ひとつひとつの0または1はビットと呼ばれる。情報が二進数に変換されれば、長いビット列としてそれをコンピュータに入力し、保存することができる。〝デジタル情報〟という言葉が意味しているのは、つまりそういう数字のことなのだ。

250ワットの電球一個のかわりに、八個の電球があるとする。ワット数順に並べられた電球は、1ワットからはじまって128ワットまで、それぞれ前の電球の倍のワット数になっている。電球一個一個にはそれぞれスイッチがついていて、いちばんワット数の低い電球がいちばん右にある。並べ方は、次ページの図のようになる。

この八つのスイッチを入れたり切ったりすることで、照明のレベルを0ワット（全スイッチ切）から255ワット（全スイッチ入）まで、1ワット単位で調節することができる。これによって256種類の組み合わせが可能になる。1ワットの光が必要な場合、いちばん右のスイッチをひとつだけ入れると、1ワットの電球が点灯する。2ワットの光が必要なら、2ワットの電球のスイッチひとつだけをオンにする。3ワットの光が必要なら、1ワットの電球と2ワットの電球両方のスイッチを入れる——1たす

2で、求める3ワットの光が得られるわけだ。4ワットの光が必要なら、4ワットの電球のスイッチを入れる。5ワットなら、4ワットの電球と1ワットの電球のスイッチを入れる。250ワットなら、4ワットの電球と1ワットの電球をのぞく残り六個の電球のスイッチをすべてオンにする。

ディナーのときの理想的な明るさは137ワットだと決めたら、128ワット、8ワット、1ワットの電球をオンにすればいい。

このシステムなら、正確な明るさを記録し、あとでそれを再現したり、おなじ電球のくみあわせを持っている相手に伝えることもできる。二進法の情報を記録する方法は万国共通だから——低い数字が右、高い数字が左で、どの数字も必ず右の数字の二倍になっている——電球の数値をいちいち書く必要はなく、スイッチのパターンを記録するだけでいい。オン、オフ、オフ、オフ、オン、オフ、オフ、オン。この情報を伝えられた相手は、あなたの部屋の137ワットの照明を正確に再現できる。実際、全員がちゃんと情報どおりにスイッチを入れたかどうかをチェックしさえすれば、このメッセージがリレー式に百万人に伝達されたとしても、最後のひとりまで全員がまったくおなじ情報を持つことになり、正確に137ワットの明るさで照明できる。

表記法をもっと短くするために、「オフ」を0、「オン」を1と記録することもできる。つまり、「オン、オフ、オフ、オフ、オン、オフ、オフ、オン」と書いて、一番目と四番目と八番目の電球のスイッチを入れ、あとのスイッチは切っておくことを指示するかわりに、1、0、0、0、1、0、0、1または10001001という二進数によっておなじ情報を記録できる。この二進数は137だ。友だち

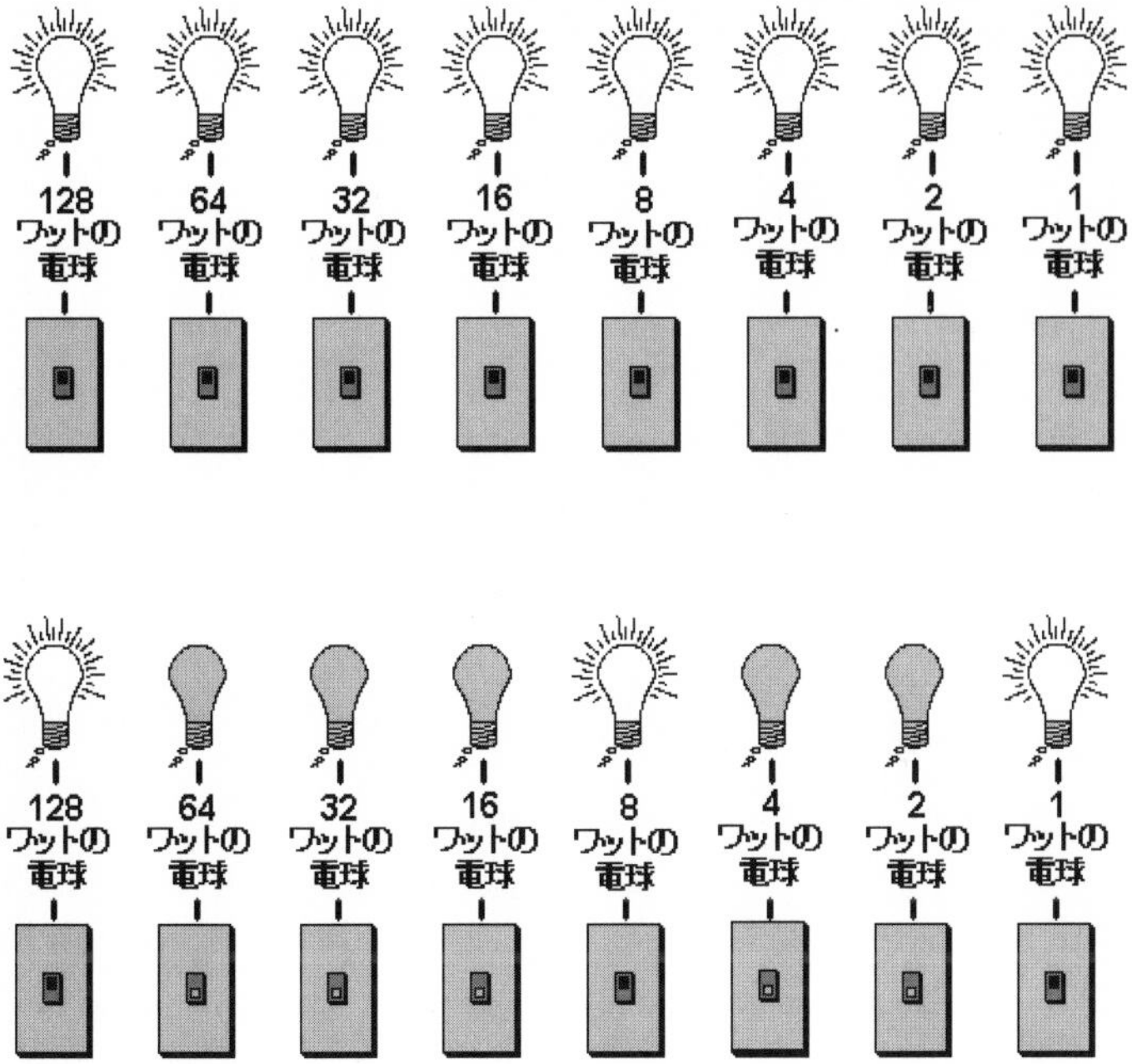

8個の電球によって明るさを調節する。
上は255ワットの明るさ(全スイッチ入)、下は137ワットの明るさ(128、8、1ワットのスイッチ入)

に電話をかけて、「完璧な照明レベルを発見したぞ！　10001001だ。ためしてみろよ」といってみればいい。あなたの友人は、1のスイッチをオン、0のスイッチをオフにすることで、その情報を正確に再現できる。

明るさを伝えるにはまわりくどいやりかただと思えるかもしれないが、この例は、現代のコンピュータすべての基礎となる二進法表記の理論を示している。

二進法表記は、電子回路を使って計算機をつくることを可能にした。第二次大戦中、ペンシルバニア大学ムーア電子工学スクールのJ・プレスパー・エッカートとジョン・モークリーが率いる数学者グループが、電子式数値積分計算機《エレクトロニック・ニューメリカル・インテグレーター・アンド・カルキュレーター》、略称ENIACと呼ばれる電子計算機の開発に着手した。弾道をより速く計算するのがその目的だった。ENIACはコンピュータというより電子計算装置だが、機械式計算装置のように歯車のオンとオフの設定で二進数を表現するのではなく、真空管〝スイッチ〟を使用したものだった。

軍によってこの巨大な機械の担当に任命された兵士たちが、真空管を山積みにした手押し車をゴトゴト押して部屋を巡回した。真空管が一本でも焼き切れるとENIACはシャットダウンしてしまい、切れた真空管がどれなのかつきとめて交換しなくてはならない。いささか眉唾ものの一説によれば、それほどひんぱんに真空管を交換しなければならなかったのは、熱と光のせいで蛾が引き寄せられ、それが巨大な機械の中に飛び込んで回路をショートさせたからだという。もしこれがほんとうなら、コンピュータのハードウェアもしくはソフトウェアのささいな不具合を意味する〝バグ〟［バグには虫の意味がある」という用語に新しい意味がくわわることになる。

すべての真空管がきちんと動きさえすれば、技術者陣が手作業で六千本のケーブルを接続し、ENIACに問題を解かせることができた。ただしべつの計算を実行するためには、そのたびにケーブルを配線しなおさなければならなかった。ハンガリー生まれで頭脳明晰なアメリカ人ジョン・フォン・ノイマンは、ゲーム理論の構築や核兵器への貢献などさまざまな分野の業績で有名な人物だが、このケーブルのつなぎかえの作業をなくす方法を考え出したのも彼である。彼はすべてのデジタルコンピュータがいまだに準拠しているパラダイムを生み出した。現在〝フォン・ノイマン・アーキテクチャ〟の名で知られるこのパラダイムは、彼が一九四五年に完成した原理に基づくものだ——メモリに命令を保存することでケーブルつなぎかえの悪夢から汎用コンピュータを解放した原理もそこに含まれる。このアイデアが実用になったとき、現代のコンピュータが誕生した。

現在の大多数のコンピュータの頭脳は、七〇年代にポール・アレンとわたしをあれほどまで魅了したマイクロプロセッサの子孫にあたる。パーソナルコンピュータの性能は、そこに搭載されているマイクロプロセッサが一度に何ビットの情報を処理できるか（電球の例では、一度にスイッチひとつ、つまり1ビット）、あるいは何バイト（1バイトは8ビット）のメモリまたはディスクベースの記憶容量があるかによってランク付けされることが多い。ENIACは三十トンの重量があり、大きな部屋をまるごと埋めつくす大きさだった。その内部では、計算用のパルスが千五百の電子工学的継電器《リレー》を経由して一万七千個の真空管を流れていた。稼働に必要な電気は十五万ワット。しかしENIACが保存できた情報の量は、わずか八十文字（80バイト）相当だった。

一九六〇年代はじめには、家庭電化製品の分野で、トランジスタが真空管にとってかわった。ちっぽけな銀色のシリコンのかけらに真空管とおなじ働きができることをベル研究所が発見してから、すでに十年以上の歳月がたっていた。真空管と同様、トランジスタは電気的スイッチとして機能するが、動作に必要な電力は真空管よりずっと少量で、その結果、発熱量ははるかに少なくなり、必要とするスペースもわずかですむ。多数のトランジスタ回路をたったひとつのチップに集めることも可能で、これが集積回路になる。いま使われているコンピュータチップは、トランジスタ数百万個相当を一平方インチよりも小さいシリコン上に焼きこんだ集積回路だ。

一九七七年の『サイエンティフィック・アメリカン』誌に発表した記事の中で、インテルの創業者のひとりであるボブ・ノイスは、当時三百ドルのマイクロプロセッサと、コンピュータ時代黎明期の怪物ＥＮＩＡＣとを比較している。ちっぽけなマイクロプロセッサはＥＮＩＡＣよりパワフルなだけでなく、「二十倍高速で、メモリ容量ははるかに大きく、信頼性は千倍高く、電球一個程度の電力しか消費せず、サイズは三万分の一で価格は一万分の一。通信販売でも最寄りのホビーショップでも購入できる」ものになっていた。

もちろん一九七七年当時のマイクロプロセッサは、いまの目から見ればおもちゃ同然。事実、現在では安いおもちゃでさえ、マイクロコンピュータ革命がはじまったばかりの七〇年代のチップよりもずっと強力なコンピュータチップを搭載している。とはいえ、サイズやパワーに関係なく、現代のコンピュ

ＥＮＩＡＣコンピュータの内部（1946年）

ータもすべて二進数として保存された情報を操作している。

二進数は、パーソナルコンピュータにテキストを、コンパクトディスクに音楽を、銀行のキャッシュマシンネットワークにお金を保存するために使われている。情報は、コンピュータに入る前に、まず二進数に変換する必要がある。デジタル機器は、二進数の情報を本来の人間が利用できるかたちにもどして出力する。各機器がその内部でスイッチを入れたり切ったりして、電子の流れを制御しているところを思い浮かべてもいい。しかし、内蔵されているスイッチ（ふつうシリコンでできている）は極端に小さく、とてつもない速さで電荷をかけることでスイッチが入り――パーソナルコンピュータの画面上に文章を映したり、ＣＤプレーヤーから音楽を流したり、キャッシュマシンから現金を吐き出したりする。

どんな数字も二進法で表記できることは電球のスイッチの例で示した通りだけれど、テキストを二進数で表現するためには、以下のような手続きが必要になる。慣習的に、数字の65は大文字のAを表わし、66は大文字のBを表わすことになっていて、以下同様に、アルファベットの各文字に数字が対応している。コンピュータ上では、これらの数字は二進法で表わされる。大文字のAは65だから０１０００００１、大文字のBは66だから０１０００００１０。空白のスペースは32、二進数では００１０００００になる。したがって、「Socrates is a man」（ソクラテスは男である）という文章は１と０が１３６個並ぶ数字の列に置き換えられる。

01010011　01101111　01100011　01110010　01100001　01110100　01100101　01110011　00100000

01101001 01110011 00100000 01100001 00100000 01101101 01100001 01101110

文字が二進数の数列に翻訳できることは理解できると思う。しかし、文字以外の情報がどうやってデジタル化されるかを理解するには、アナログ情報のべつの例を考える必要がある。ビニール盤のレコードは音の震動をアナログ的に表現したもので、レコードの長い螺旋形の溝にオーディオ情報が刻み込まれている。音楽に大音量のパートがあれば、曲線は溝の中により深く刻まれる。高音があれば、曲線の幅がぎゅっと縮められる。溝の曲線は、本来の震動――マイクに拾われた音波――の類似物《アナログ》だ。ターンテーブルの針が溝を進んでいくとき、針はこの微細な曲線と反響して振動する。これまた本来の音のアナログ的な表現であるその振動がアンプに増幅されて、ラウドスピーカーに音楽として送られる。

情報を保存するすべてのアナログ機器の例に洩れず、レコードにも欠点がある。埃、指紋、レコード表面の傷などによって針が不適当な振動を起こし、雑音が生じる。レコードが正しい速度で回転していないと、音楽のピッチは不正確になる。レコードが演奏されるたびに、針は溝の曲線をほんのちょっとずつ磨耗させ、音楽の再生品質は劣化してゆく。ビニール盤のレコードからカセットテープに歌を録音すると、レコードの欠陥はテープにそのまま移行する。旧来の磁気テープレコーダーはそれ自体アナログ機器だから、新たな欠陥がさらに加わってゆく。情報は、再記録または再送信される各世代ごとに品質が落ちてゆく。

これに対して、コンパクトディスクでは、音楽は一連の二進数として保存され、その各ビット（もしくはスイッチ）は、ディスクの表面の顕微鏡的な穴《ピット》で表わされている。現在使われているCDには五十億個以上のピットがある。CDプレーヤー（デジタル機器）の内部で反射したレーザ光線が各ピットを読みとってスイッチの位置が0か1かを判断し、それからその情報を特殊な電気信号に変換する。スピーカーがそれを音波に変換して、もとの音楽にもどす。その結果、ディスクが再生されるたびに、まったくおなじ音が流れることになる。

すべてをデジタル情報に変換することができれば便利なのだが、そうするとビット数は膨大なものになる。情報のビット数が多すぎるとコンピュータのメモリが不足したり、他のコンピュータへの転送に長い時間がかかったりすることになる。デジタルデータを圧縮して保存もしくは送信し、そののち本来のかたちに伸張するコンピュータ能力がいま注目を集めている（そして今後もますます重要になっていく）のはそのためだ。

コンピュータがこの芸当をどうやって実現しているのか、ここでかいつまんで説明しておこう。話は前述の数学者クロード・シャノンが、情報を二進法で表現する方法を編み出した一九三〇年代にまで遡る。第二次大戦中、シャノンは情報の数学的記述法を発展させて、のちに情報理論の名で知られるようになる分野を開拓した。シャノンは情報を不確実性の除去と定義した。この定義にしたがえば、もし今日が土曜日だとわかっている場合、だれかに今日は土曜日だよと教えてもらったとしても、情報が与えられたことにはならない。一方、今日が何曜日なのか自信がないときに、だれかから今日は土曜日だと教えてもらえば、情報を与えられたことになる。なぜなら、その情報によって不確実性が減少したからだ。

シャノンの情報理論はやがて他のブレークスルーに発展した。ひとつは、コンピューティングにとっても通信にとっても必要不可欠な、効果的データ圧縮技術。一見したところ、シャノンの主張は自明の理に思える。すなわち、あるデータのうち、ユニークな情報を提供しない部分は冗長であり、削除してもかまわない。新聞に見出しをつける整理部の記者は、記事の中から本質的でない部分をカットする。一文字いくらで料金を支払う電報の文案を練るときや、新聞に三行広告を出すときもそれとおなじだ。シャノンが提起した冗長な情報の例に、アルファベットのqの文字のあとにつづくuの文字がある。英語ではqのあとにかならずuの字が来ることはわかっているのだから、実際には、文中のuは省略できる。

シャノンの原理は、音声と映像の双方の圧縮に適用できる。ビデオ映像の一秒間を構成する三十コマには、冗長な情報が大量に含まれている。本来は約二千七百万ビットある情報を約百万ビットにまで圧縮して送信しても意味は失われず、見苦しい映像になることもない。

そうはいってもデータの圧縮には限界があるから、近い将来、わたしたちは増大しつづける膨大なビット数を送受信することになるだろう。ビットは銅線を通り、あるいは空気中を通り、またあるいは情報ハイウェイの構造物（大部分は光ファイバーケーブルだろう）を通って運ばれてゆく。光ファイバーは、きわめてなめらかなガラスまたはプラスチック製のケーブルで、その透明度は、七十マイルの厚さの壁をつくっても壁の向こうでろうそくが燃えているのが見分けられるくらいのものだ。変調された光のかたちをとった二進数の信号は、この光ファイバーを通じて長い距離を搬送される。信号の搬送速度は、光ファイバーを使った場合でも、銅線を使った場合と変わらない（どちらもデータは光速で伝わる）。光ファイバーケーブルが銅線よりすぐれている点は、それが運ぶことのできる帯域幅にある。帯域幅とは、一秒間に運ぶことのできるビット数の尺度をいう。実際、この点に関しては本物のハイウェイとよく似ている。八車線の州間高速道路《インターステート》なら、細い未舗装道路よりずっとたくさんの車が通行できる。帯域幅が広くなればなるほど、利用できる車線の数が増える――つまり、一秒間に通過できる車の数（情報のビット数）が大きくなるわけだ。帯域幅の広いケーブル――複数のビデオ／オーディオ信号を含めて、一度に大量の情報を運ぶことのできるケーブル――は、広帯域の容量がある、というように使われる。

　情報ハイウェイではデータ圧縮技術も活用されるだろうが、それでもやはり広い帯域幅が必要になる。実用に耐えるハイウェイがまだ実現していない理由のひとつに、現在の通信ネットワークに、さまざまな新しいアプリケーションを支えるだけの帯域幅がないことがあげられるだろう。光ファイバー網がじゅうぶんに普及するまで、この事態は変わらない。

　光ファイバーケーブルは、バベッジはもちろんエッカートやモークリーでさえ予想できなかったテクノロジーの実例だ。そして、チップの性能の向上速度も彼らの予測をはるかに上回っている。

　一九六五年、のちにボブ・ノイスとともにインテルを創立するゴードン・ムーアは、コンピュータチップの性能が毎年倍々で向上していくだろうと予言した。それに先立つ三年間のコンピュータチップの価格性能比の推移をもとに未来を予測したわけだが、じつのところムーア自身、この向上率がそう長くつづくとは思っていなかった。しかし十年後、彼の予言が正しかったことが証明された。ムーアはその時点で、性能の向上は二年ごとに倍になると、第二の予言をした。現在にいたるまで彼の予言は持ちこたえ――平均すると十八カ月ごとに二倍――技術者のあいだでは〝ムーアの法則〟と呼ばれている。

わたしたちの日常生活には、倍々で増えてゆく大きな数字――指数関数的増大――の意味を実感させてくれるような経験がない。理解するためには、寓話の助けを借りたほうがいいかもしれない。

インドのシラーム王は、大臣のひとりがチェスを考案したとき、おおいに喜び、なんでも好きな褒美をとらせようといった。大臣はそれに対してこう答えた。

「陛下、チェス盤の最初のひと升について小麦ひと粒、第二の升について小麦ふた粒、第三の升には四粒というふうに、升目の数が増えるたびに小麦の粒の数を倍にして、六十四個の升すべての分の小麦をいただきとうございます」

王はこの要求の慎ましさに感じ入り、小麦の袋を持ってこさせた。王は約束した小麦の数を、チェス盤の升目に応じて数えるように命じた。最初の列の最初の升には、小さな粒がひと粒置かれた。第二の升には二個の小麦が置かれた。第三の升には四個、それから八個、十六個、三十二個、六十四個、百二十八個。最初の列のいちばん端、八番目の升に達したときには、シラーム王の食糧長は、ぜんぶで二百五十五個の小麦を数えていた。

王はおそらくなんの不安も感じていなかっただろう。たぶん、思ったより多少たくさんの小麦がチェス盤の上に載っていたかもしれないが、驚くようなことはなにも起きていなかった。小麦ひと粒を数えるのに一秒かかるとして、これまでの小麦を数えるに要した時間はわずか四分。一列が四分で終わったのなら、チェス盤の六十四コマすべてについて小麦を数え終わるのにどのくらい時間がかかるだろう？四時間？　四日？　四年？

第二列がすむころには、食糧長は六万五千五百三十五個を数えるために十八時間を費やしていた。八列のうち三番めの列が終わったときには、二十四番目のコマまでの千六百八十万個を数えるために、百九十四日を要していた。

王は大臣との約束を破ることになってしまった。もし最後のコマまで数えたとすれば、小麦の数は18446744073709551615個になり、これを数えるのに要する時間は五千八百四十億年となる（いまの地球の年齢は、およそ四十五億年といわれている）。この昔話では、シラーム王はどこかの時点で自分がトリックにひっかかったことに気づき、頭のまわる大臣の首をはねさせたということになっている。

指数関数的成長は、ちゃんと説明されても、トリックのように見える。

ムーアの法則は、あと二十年間はもちこたえる可能性が高い。もしそうなれば、二十年後には、現在まる一日かかっている計算が、一万倍以上の高速化により十秒以内で完了するようになる。

研究室レベルでは、すでにフェムト秒単位の切り替えが可能な〝弾道〟トランジスタが稼働している。フェムト秒は千兆分の一秒にあたり、これは現在のマイクロプロセッサに使われているトランジスタと

インテルマイクロプロセッサの伸び

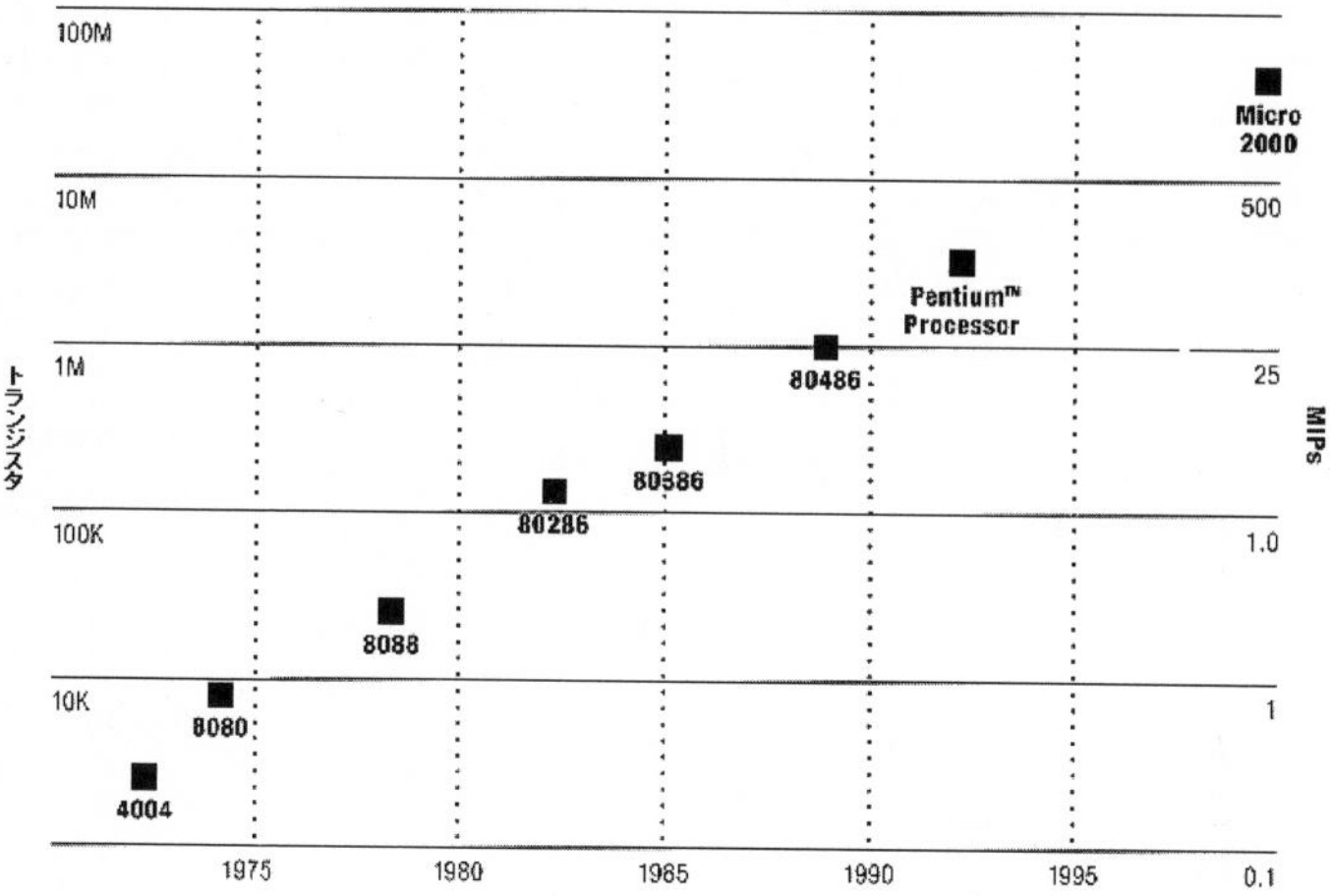

インテル社製マイクロプロセッサの性能は18カ月ごとに倍の伸び率を示してきた
これはムーアの法則にぴったりあてはまる

くらべておよそ一千万倍速い。この技術のポイントは、チップの回路サイズと電流のフローを縮小し、電子がおたがい同士を含めてどんな障害物にも衝突しないようにしたことにある。その次に控えているのは〝単電子トランジスタ〟で、これは一ビットの情報を電子一個によって表わすというもの。現在のわれわれの物理学の理解に基づくかぎり、これが究極の省電力コンピューティングになる。分子レベルの信じられないような高速性を活用するために、コンピュータはきわめて小さく（場合によっては顕微鏡的なサイズに）する必要がある。こうした超高速コンピュータをつくることを可能にする科学は、理論的にはすでに確立している。必要なのは技術的なブレークスルーだけだ。経験的に、それはしばしば予想以上にはやく訪れる。

コンピュータがこれほどの速度を獲得するころには、大量のビットの保存は問題ではなくなっているだろう。一九八三年の春、IBMは史上初のハードディスク搭載市販パーソナルコンピュータ、PC／XTをリリースした。PC／XTのハードディスクは内蔵の記憶装置で、10メガバイトの記憶容量があった。文字に換算するとおよそ一千万字、八千万ビットに相当する。すでに自分のパーソナルコンピュータを持っている顧客は、この10メガの記憶装置を単体で購入して、システムに追加することができた。IBMは独立した電源を搭載したキットを記憶容量拡張用に三千ドルで売りだした。つまり、1メガバイトあたり三百ドルということになる。現在、ムーアの法則が示す指数関数的成長のおかげで、1・2ギガバイト（十二億字分の情報）の容量を持つパソコン用ハードディスクの値段はおよそ二百五十ドル。1メガバイトあたり、なんと二十一セント！　将来的には、ホログラフィックメモリと呼ばれる新しいタイプの記憶方式が控えている。これは、わずか一立方インチ以下の体積に、テラバイト〔1テラバイトで約一兆文字分の情報量〕単位の情報を保存できるというもの。これだけの容量があれば、人間のこぶし大のホログラフィックメモリに、議会図書館の全蔵書がおさまってしまうだろう。

いま二千ドルで買えるラップトップコンピュータは、二十年前の一千万ドルのＩＢＭ製メインフレームを性能で上回る。通信技術がデジタルに移行するにつれて、それとおなじ指数関数的な性能向上がこの分野にも押し寄せてくるだろう。

それほど遠くない未来のある時点で、各家庭に通じた一本の回線が、その家のデジタルデータすべての送受信をまかなうようになる。回線は、現在長距離電話の幹線に用いられている光ファイバーか、ケーブルＴＶ信号の送信に使われている同軸ケーブルとなる。ビットが音声通信に翻訳されれば電話が鳴り、映像ならテレビに映し出される。オンラインニュースサービスなら、文章や写真としてコンピュータ画面に表示される。

ネットワークの回線は、電話や映画やニュース以外の情報も大量に運んでくるだろう。しかし、おそまつな石刃を使っていた石器時代の男にギベルティの洗礼堂の扉が想像できないように、いまのわたしたちには、二十年後の情報ハイウェイでなにが運ばれているのか想像できない。ハイウェイが現実のものになったときはじめて、そのあらゆる可能性が理解されることになる。しかし、多くのデジタルブレイクスルーを見てきたこの二十年間の経験から、未来のキーとなる原理と可能性のいくぶんかは予想することができる。

成功は最低の教師だ。優秀な人間をたぶらかして、失敗などありえないと思いこませてしまう。未来の案内役としても当てにならない。今日は完璧なビジネスプラン、あるいは最新のテクノロジーと見えたものが、8トラックのカセットや真空管テレビ、メインフレームのコンピュータのように、たちまち時代遅れになってしまうかもしれない。そういうことが起きるのをわたしは実際に見てきた。長期にわたってさまざまな企業を注意深く観察することで、未来に向けた戦略を練るための有益な原理を学ぶことができる。

これから情報ハイウェイに投資する会社は、この二十年間にコンピュータ業界でおかされたあやまちをくりかえすまいとするだろう。私見では、こうした失敗の原因は、いくつかの重要なファクターに注目することで理解できる。その中には、好循環と悪循環、トレンドを追うのではなく創造することの必要性、ハードウェアの対立概念としてのソフトウェアの重要性、互換性の役割とそれがもたらすポジティブフィードバックなどが含まれる。

伝統の知恵は当てにならない。伝統が役に立つのは伝統的なマーケットの場合だけだ。この三十年間、コンピュータのハードとソフトのマーケットは、まちがいなく非伝統的だった。かつては何億ドルもの売り上げを誇り大勢の顧客を満足させていた伝統ある大会社が、短期間で消え失せた。ゼロからスタートしたアップル、コンパック、ロータス、オラクル、サン、マイクロソフトなどの新興企業がたちまち年商数十億ドルを記録するまでに成長した。こうした成功の一因は、わたしが〝好循環《ポジティブスパイラル》〟と呼ぶものにある。

ホットな製品があれば、投資家たちが注目し、その会社に喜んで資本を投下しようとする。頭のまわる若者は、おやおや、だれもかれもこの会社の話をしてるじゃないか、ここで働いてみたいなと考える。優秀な人材がひとり入社すると、べつのひとりがすぐそれにつづく。才能のある人間はいっしょに働きたがるものだ。これが勢いのある雰囲気をつくりだし、パートナーや顧客はさらにその会社に注意を払うようになり、螺旋《スパイラル》は上昇をつづけ、次の成功をより容易なものにする。

逆に、会社が陥りがちな悪循環もある。好循環にある会社が神意に導かれているような空気を漂わせているのに対し、悪循環《ネガティブスパイラル》に陥った会社は運に見放されたように見える。もしある会社がシェアを落としはじめたり、悪い製品をひとつリリースしたりすると、「どうしてそんな会社で働いてるんだ？」、「あんな会社になんで投資する？」「あそこの製品は買わないほうがいいと思うね」などという会話が交わされるようになる。マスコミや企業アナリストは血のにおいを嗅ぎつけ、だれとだれが不和で経営ミスはだれの責任なのかという内幕話をレポートしはじめる。顧客はその会社の製品を将来も購入しつづけたものかどうか首をひねりだす。病んだ会社の中では、うまくいっていることまで含めて、すべてが疑問視される。上々の戦略でも「旧態依然のやりかたを踏襲してるだけじゃないか」といった意見によって捨て去られ、それがさらに大きなあやまちにつながる場合もある。会社の風向きはこうして下降しはじめる。リー・アイアコッカのように、下降を上昇に転じることのできた指導者は、おおいに称賛されてしかるべきだろう。

わたしの学校時代を通じて、ホットなコンピュータ会社はディジタル・イクイップメント・コーポレーション（DEC）だった。二十年にわたって、DECの好循環は止めるべくもないように見えた。DECの創業者ケン・オルセンは伝説的なハードウェア設計者で、わたしにとっての英雄、近寄りがたい神だった。一九六〇年、彼は史上初の〝小型〟コンピュータをつくりだしてミニコンピュータ産業を創造した。初代のマシンはPDP―1、わたしのハイスクールにあったPDP―8のご先祖様にあたる。ユーザーはIBMの〝ビッグ・アイアン〟に数百万ドルを支払うかわりに、オルセンのPDP―1を一台十二万ドルで手に入れることができた。大型機ほどパワフルではないにしろ、PDP―1では広範囲にわたる多種多様なアプリケーションが使用できた。DECはさまざまなサイズのコンピュータを提供することで、八年後には年商六十七億ドルの企業に成長した。

二十年後、オルセンのビジョンはつまづいた。彼は小型デスクトップコンピュータの未来を予見できなかった。けっきょくDECを追い出され、いまでは、「パソコンなど一過性の流行でしかない、とくりかえし公言することで有名な男」というのがオルセンの伝説の一部になっている。こういう逸話に接すると、冷水を浴びせられた気分になる。ケン・オルセンは、新しいやりかたを予見することに長けた優秀な人物だった。それなのに――革命児として長く君臨したのち――大きな曲がり角を曲がりそこねてしまったのだ。

つまづいたもうひとりの幻視者《ビジョナリー》に、アン・ワンがいる。中国からの移民である彼が設立したワング・ラボラトリーズは、一九六〇年代に電子計算機のトップメーカーにのしあがった。七〇年代になると、ワンは周囲の人間すべての忠告を無視して計算機マーケットから撤退した。その直後、低コスト競争の波が押し寄せてきた。ワンは会社を再編成し、ワードプロセッサのトップメーカーに仕立て上げた。ワンの撤退は天才的な一手だった。計算機マーケットに残っていたら破滅のもとになったはずだ。ワンの撤退は天才的な一手だった。七〇年代を通じて、世界中のオフィスでワング社のワープロはタイプライターにとってかわっていった。マシンにはマイクロプロセッサが組み込まれていたものの、言語処理専用に設計されていたから、本物のパーソナルコンピュータではなかった。

ワンは幻視の力を持つエンジニアだった。計算機市場からの撤退を決断させた洞察力をもってすれば、八〇年代のパソコン用ソフト市場で成功することも可能だったはずだ。しかし彼は、次の業界動向を見誤った。ワンはすばらしいソフトを開発したが、それは同社のワードプロセッサ専用だった。ワードスター、ワードパーフェクト、マルチメイト（これはワンのソフトの焼き直しだった）などのワープロソフトを実行できる汎用パーソナルコンピュータが出現すると、ワンのソフトの命運はつきた。互換性のあるアプリケーションソフトの重要性をワンが理解していたら、現在のマイクロソフトはなかったかもしれない。わたしは数学者か弁護士にでもなって、パーソナルコンピューティングに没頭した思春期は遠い日の思い出程度のものになっていたかもしれない。

ＩＢＭもＰＣ革命の黎明期に技術動向の変化を見誤った大会社のひとつだ。会社の指導者は、元キャッシュレジスターのセールスマンだった猛烈型の経営者、トマス・Ｊ・ワトスン。正確にはＩＢＭの創業者ではないが、ワトスンの攻めの経営のおかげで、一九三〇年代はじめには、ＩＢＭは計算機市場に君臨していた。

ＩＢＭがコンピュータに参入したのは一九五〇年代の半ば。この分野の主導権を握ろうと競い合う多数の会社のひとつだった。一九六四年まで、コンピュータ各機種は、同一メーカーの製品であってさえ、それぞれ独自の設計仕様に基づき、専用のオペレーティングシステムと専用のアプリケーションが必要だった。オペレーティングシステム（ディスクオペレーティングシステム、あるいはその頭文字をとってＤＯＳ《ドス》と呼ぶ場合もある）はコンピュータシステムの構成要素を統一的に管理して共同作業させるなどの機能を持つ基本ソフトで、これがなければコンピュータはただの箱になってしまう。オペレーティングシステムは、会計、給与計算、ワープロ、電子メールなどのアプリケーションソフトすべてがその上で動作する土台になる。

価格帯の異なるコンピュータは、設計も異なっていた。ある機種は科学研究向き、べつの機種はビジネス向きという具合だ。さまざまなパーソナルコンピュータにＢＡＳＩＣを移植したわたしの経験からいっても、コンピュータのある機種からべつの機種にソフトウェアを移植する苦労は並大抵のものではない。コボルやフォートランのような標準言語でソフトが書かれていた場合でも事情はおなじだ。若きトム（ワトスンのあとを継いだ息子はこう呼ばれていた）の指導のもと、ＩＢＭはスケーラブルアーキテクチャという新しい概念に五十億ドルを投じる賭けに出た。それは、システム／360ファミリーのすべてのコンピュータが、サイズを問わず、おなじ命令セットに対応するという画期的なシステムだった。さまざまなテクノロジーでつくられた機種——最低速から最高速まで、ふつうのオフィス向けの小型マシンから温度調節されたガラス室に鎮座する水冷式の巨大マシンまで——の上で、おなじひとつのオペレーティングシステムが走る。顧客はアプリケーションや周辺機器（ディスク、テープドライブ、プリンタなど）をある機種からべつの機種に自由に移すことができる。スケーラブルアーキテクチャは業界地図を完全に塗り変えてしまうことになった。

システム／360は大成功をおさめ、IBMはつづく三十年間、メインフレームコンピュータ業界の牽引車になった。顧客は、時間と労力を投資してひとつのソフトウェアの操作法を習得しても、その投資が無駄になることはないと信じ、360に気前よく金を払った。より大型のコンピュータに移行することになっても、いままでとおなじシステムが走り、いままでのマシンとおなじアーキテクチャを共有するべつのIBMマシンを手に入れることができた。一九七七年、DECが自社開発のスケーラブルアーキテクチャのプラットフォーム、VAXを発表した。VAXファミリーのコンピュータは最終的に、デスクトップ機からメインフレームサイズの大型機にまで広がり、システム／360がIBMに与えたのとおなじ効果をDECに与えて、DECはミニコン市場の圧倒的なリーダーになった。

IBMのシステム／360とその後継のシステム／370のスケーラブルアーキテクチャは、IBMの競争相手多数をメインフレーム業界から追い落とし、新規参入を考えている企業も二の足を踏んで近寄ろうとしなかった。しかし一九七〇年、新たな競争相手となる企業が、ＩＢＭのシニアエンジニアだったユージン・アムダールによって設立された。アムダールはまったく新しいビジネスプランを持っていた。彼の会社、アムダール社は、ＩＢＭ３６０と完全な互換性のあるコンピュータの開発に乗り出した。やがて発売されたアムダール社のメインフレームは、ＩＢＭ機とおなじオペレーティングシステムやアプリケーションソフトが走るだけでなく、３６０より新しい技術を採用していたため、同一価格帯のＩＢＭ機を性能で上回っていた。まもなく、コントロールデータ、日立、アイテルも、ＩＢＭ機と〝プラグ・コンパチブル〟のメインフレームを発売した。一九七〇年代の半ばには、３６０互換の重要性が明白になった。メインフレームメーカーで業績を上げていたのは、ＩＢＭのＯＳが走るハードを出している会社だけだったのだ。

３６０以前のコンピュータは、意図的に他社製品のそれとは互換性を持たない仕様で設計されていた。自社製品にいったん金を注ぎこんだ顧客を放さないためには、他社製品への乗り換えは面倒で金がかかると思わせておくほうが都合がよかったのだ。マシン一台を導入したら、そのコンピュータのメーカーが提供するものから離れられなくなる。ソフトを変えることは不可能ではないにしろ、たいへんな労力が必要だったからだ。アムダール社とそのあとにつづいた会社が、この風潮にピリオドを打った。市場原理による互換性の浸透は、未来のパーソナルコンピュータ産業にとって重要な教訓になる。ハイウェイを建設しようとする者も、この教訓を記憶にとどめておくべきだろう。顧客は、ハードウェアのメーカーを自由に選ぶことができ、アプリケーションソフトの選択肢がもっとも広いシステムを選ぶ。

コンピュータ業界がこの変革の波に洗われているあいだ、わたしは学校生活を楽しみ、コンピュータで実験するのに余念がなかった。一九七三年の秋、わたしはハーバードに入学した。大学にはそれぞれ気どりがあるもので、当時のハーバードでは、なまけているように見せることでクールな学生を気どるようなところがあった。そこでわたしは、一年生のあいだ、ほとんどの授業を自主休講して、学期末に必死に勉強しようという方針を立てた。最小の時間を投入して最高の成績をあげることがゲームになった（当時もいまも、これはさほどめずらしいゲームではない）。空いた時間のほとんどはポーカーに注ぎこんだ。わたしにとっては、ポーカーというゲーム自体が魅力的だった。ポーカーのプレーヤーは、さまざまな情報の断片——だれが大胆にベットするか、どのカードが捨てられたか、この男のベットとブラフのパターンはなにか——を注意深く収集し、そのすべてを咀嚼し、自分の手のためのプランを考える。わたしはこの種の情報処理にかなりの腕前を発揮し、マイクロソフトの創業資金の一部はポーカーの儲けでまかなうことになった。

ポーカーの戦略立案の経験——と収益金——は、ビジネスの世界に入るときに役立ってくれたが、わたしがプレイしていたもうひとつのゲームのほうはむしろ悪影響をもたらした。もっとも当時のわたしにそんなことは知る由もない。それどころか、学生寮のカリアハウスで生活していたあいだは、ぎりぎりまで引き延ばしてからスパートをかけるというこのゲームを、一年生のころ知り合った友人で数学専攻のスティーブ・バルマーといっしょにやるようになった。スティーブとわたしはまるきり別種の人生を歩んできたが、ふたりとも必要最小限の時間でトップの成績をとることにエネルギーを費やすタイプだった。スティーブは無限のエネルギーの持ち主で、生まれついての社交家だった。いろんな活動に首をつっこんでいるおかげで、彼はいつも時間に追われ、忙しそうだった。二年のときには、フットボールチームのマネージャーと学内新聞『ハーバード・クリムゾン』の広告担当と文芸誌の発行人を兼任したうえに、学生友愛会《フラタニティ》のハーバード版にあたる社交クラブにも所属していた。

彼とわたしはふだんの授業にほとんど出ず、試験直前になってから一心不乱にテキストを読みふけった。一度、ふたりでいっしょに、大学院生レベルの経済学の授業、「経済学2010」を受講したことがある。教授は、学生にその気があれば、一年間の全成績を賭けて期末試験を受験することを認めていた。そこでわたしとスティーブは学期中ずっと遊びほうけてその講義の勉強にはいっさい手をつけず、最終試験の一週間前になって猛勉強を開始した。ふたりとも首尾よくAをとった。

しかし、ポール・アレンといっしょにマイクロソフトをはじめてから、こういう引き延ばし癖が会社経営にとっては好ましくないことがわかってきた。マイクロソフトの創業当時のお得意さんの中に、数社の日本企業があった。彼らはすばらしくきちょうめんで、一分でもスケジュールに遅れるとだれか社員を飛行機で派遣し、わたしたちの子守にあたらせた。社員を派遣したところで仕事の戦力にはならないことは日本企業サイドも承知していたけれど、それでも子守役の日本人社員は、彼らがどんなに仕事の進み具合を気にかけているか証明するためだけに、一日十八時間うちのオフィスでがんばっていた。彼らはほんとうに真剣だった！　たとえば、派遣されてきた日本企業の社員は、「どうしてスケジュールが変更になったのですか？」とたずねる。「理由を教えていただく必要があります。そうすれば、遅延の原因となった点を改善しますから」。そうしたプロジェクトのいくつかで、スケジュールの遅れがいかにたいへんな苦痛をもたらしたかはいまでもありありと思い出せる。わたしたちは軌道を修正し、やりかたを改善した。いまでもときどきプロジェクトの進行が遅れることはあるものの、あのおそるべき子守役たちと過ごした経験がなかったら、きっともっと悲惨なことになっていただろう。

マイクロソフトは一九七五年、ニューメキシコ州アルバカーキで産声を上げた。アルバカーキを選んだのは、ＭＩＴＳの所在地がそこだったからだ。ＭＩＴＳは、アルテア８８００パーソナルコンピュータキットで『ポピュラー・エレクトロニクス』誌のカバーを飾った会社だ。小さな会社だが、低価格のパーソナルコンピュータを一般大衆向けに売り出した最初の企業だったから、わたしたちはＭＩＴＳと仕事をすることにした。一九七七年になると、アップル、コモドール、ラジオシャックもパーソナルコンピュータ市場に参入した。マイクロソフトは初期のほとんどのパーソナルコンピュータにＢＡＳＩＣを提供した。当時のユーザーは市販のパッケージソフトを買うかわりにＢＡＳＩＣで自分用のアプリケーションを書いていたため、ＢＡＳＩＣは決定的に重要なソフトウェアだった。

創業当初は、ＢＡＳＩＣの販売もわたしの無数の仕事のひとつだった。最初の三年間、マイクロソフトの他の社員たちはほとんど技術的な仕事だけに没頭し、販売、経理、マーケティングの大半は（コードを書くかたわら）わたしが担当した。まだ二十歳を過ぎたばかりのわたしにとって、売り込みはびくびくものだった。マイクロソフトの戦略は、ラジオシャックのようなコンピュータ会社が販売するパーソナルコンピュータ（たとえばラジオシャックＴＲＳ－８０）にマイクロソフト製ソフトをバンドルする権利を売り、ロイヤリティを受けとることだった。こういうアプローチを選んだ理由のひとつに、ソフトウェアの違法コピー問題がある。

アルテアBASICを販売しはじめた当初、売り上げ金額は、その普及度から想定される売り上げよりもはるかに低かった。わたしは広く知られることになる「ホビイストへの公開状」を書いて、初期のパーソナルコンピュータユーザーに、ソフトウェア泥棒をやめるよう訴えた。わたしたちが金を儲けることができれば、その金をもとに新しいソフトを開発できる。「十人のプログラマーを雇ってホビー市場に大量のすぐれたソフトウェアを送り出すことができれば、わたしにとってこれ以上の喜びはない」とわたしは書いた。しかしこの主張も、多数のホビイストたちを説得してマイクロソフト製品に代金を支払わせることはできなかった。彼らはソフトを気に入って使っているようだったが、金を出して購入するより、たがいに〝貸し借りする〟ことのほうを好んだ。

さいわい現在では、大多数のユーザーが、ソフトウェアは著作権法によって保護されていることを理解してくれているが、ソフトの違法コピーは、いまだに国際貿易上の大きな問題になっている。国によっては著作権法を持っていない——あるいは施行していないため、アメリカは他国政府に対し、書籍、映画、CD、ソフトウェアに対して著作権法を施行するよう強く求めている。未来の情報ハイウェイが違法コピーの温床とならないよう、用心の上にも用心を重ねなければならない。

米国内のハードウェア会社への販売で、マイクロソフトは大成功をおさめた。ところが、一九七九年には、売り上げの半分近くが日本からの金で占められるまでになった。これは、西和彦（ケイ）という名の驚くべき男のおかげだった。ケイは一九七八年にわたしのオフィスに電話をかけてきて英語で自己紹介した。マイクロソフトについての記事を読み、わたしたちといっしょにビジネスをやりたいという。話を聞いてみると、ケイとわたしとのあいだは共通点がたくさんあった。年齢はおなじだし、ケイもやはり、パーソナルコンピュータへの情熱のために大学を休学中の学生だった。

数カ月後、わたしたちはカリフォルニア州アナハイムで開かれたコンベンションで会い、そのあとケイはわたしといっしょにアルバカーキへ飛んで、一ページ半の契約書にサインした。その内容は、マイクロソフトBASICの東アジア市場における独占販売権をケイの会社に与えるというもの。弁護士は介在せず、ケイとわたしのあいだだけの、血族同士で交わされるような契約だった。その契約書のもとで、一億五千万ドルを越える取引があった——これはわたしたちが期待していた数字の十倍以上だった。

ケイは日本のビジネス文化とアメリカのビジネス文化のあいだを楽々と行き来した。ケイはエネルギッシュなタイプで、日本市場ではその人柄がわたしたちにとって有利に作用した。わたしたちが切れる若者集団だという日本人ビジネスマンたちの先入観を強める結果になったからだ。日本に行ってホテルのケイとおなじ部屋に泊まると、数百万ドルの取引を決めるケイ宛の電話が一晩中ひっきりなしにかかってきて、これには度肝を抜かれた。ある晩、午前三時から五時までのあいだ一本の電話もかかってこなかったことがある。午前五時に電話が鳴ったとき、ケイは受話器に手をのばしながら、「今夜の商売はちょっとのんびりだね」といった。まったくたいへんなローラーコースターだった。

それからの八年間、ケイはあらゆるチャンスをつかみつづけた。一九八一年、シアトルから東京に帰る飛行機の中で、ケイはとなりの席にすわっている男が年商六億五千万ドルの大企業、京セラ株式会社の社長、稲盛和夫氏だと気づいた。マイクロソフトと緊密な関係にある会社アスキーを日本で経営していたケイは、稲盛氏に新しいアイデアを吹き込むことに成功した――シンプルなソフトウェアを搭載した小型のラップトップコンピュータだ。ケイとわたしは、ふたりでマシンを設計した。当時のマイクロソフトはまだ小さい会社だったから、わたし自身がソフトウェア開発にプログラマとして関わることができた。アメリカでは、このマシンは一九八三年にラジオシャックから、モデル100という名前で発売された。価格はわずか七百九十九ドル。おなじマシンが、日本ではNECのPC―8200として、ヨーロッパではオリベッティM―10として販売された。ケイの熱意のおかげで、これは世界最初のポピュラーなラップトップマシンとなり、長年にわたってジャーナリストたちに愛用された。

それから何年もたった一九八六年、ケイは、わたしがマイクロソフトに望んでいる方向とは違う方向にアスキーを導くことを決断した。そのため、マイクロソフトは日本に独自の子会社を設立することになった。ケイの会社はいまでも日本市場においてきわめて重要なソフトウェア企業でありつづけている。いまもわたしの親友のケイは、あいかわらずエネルギッシュで、パーソナルコンピュータを遍在する道具にするため、精力的に活動しつづけている。

パソコン市場のグローバルな性質も、情報ハイウェイの発展にとっては重要な鍵になる。アメリカ、ヨーロッパ、アジアの会社の協力関係は、パーソナルコンピュータにとっても重要だったが、情報ハイウェイにとってはさらに重要になってくるだろう。製品をグローバルに展開することができない国または企業は、主導的な役割を果たせなくなる。

一九七九年一月、マイクロソフトはアルバカーキからワシントン州シアトル郊外に引っ越すことになった。ポールとわたしは、一ダースの社員のほぼ全員を引き連れて故郷に帰った。わたしたちは、パソコン市場の勃興にともない雨後の筍のように出現しはじめた新型マシン用にプログラミング言語を書く仕事に没頭した。大きなビジネスになる可能性を宿した、ありとあらゆる種類の興味深いプロジェクトを携えた人々が、ひっきりなしにオフィスへやってきた。マイクロソフトのサービスに対する需要は、わたしたちが供給できる上限を越えていた。

ビジネスを切り回すために助力が必要になったわたしは、ハーバード時代の「経済学2010」の古なじみ、スティーブ・バルマーに白羽の矢を立てた。スティーブは大学卒業後、シンシナチのプロクター&ギャンブル社で、プロダクトマネージャー補佐として働いていた。ニュージャージー州の小さな雑貨屋に電話料金を気にしながら電話をかけつづけるのも彼の仕事のうちだった。入社二、三年で、スティーブは会社を辞め、スタンフォードビジネススクールに再入学した。わたしが助けを求める電話をかけたとき、スティーブはまだ一年を終えたばかりで、学位をとりたいんだ、と断わってきた。しかし、マイクロソフトの共同所有権を提示した結果、彼もまた無期限休学中の学生になった。マイクロソフトが従業員の大部分に提供したストックオプション（株式買入れ選択権）つき共同所有権は、その後、だれも予想もしなかったほどの大きな成功をもたらすことになる。文字どおり何十億ドルもの価値が生じたのである。アメリカ企業に広く受け入れられている、従業員にストックオプションを認めるというこの慣習のおかげで、一攫千金の未来を夢見て創業された会社が成功する例は他国にくらべて格段に多い。これはアメリカにとって有利な点のひとつだ。

スティーブがマイクロソフトにやってきてから三週間後、わたしたちははじめての論争を経験した。当時マイクロソフトは三十人の社員を抱えていたが、スティーブはただちにもう五十人増やす必要があるといいだしたのだ。

「とんでもない」とわたしはいった。創業当時の顧客の多数がすでに倒産していたし、急激な成長のさなかに経営が破綻するのではないかという不安のせいで、わたしは財政面では極端に慎重だった。マイクロソフトをスリムでハングリーな会社にしておきたかった。しかしスティーブは一歩も引かず、けっきょくわたしが譲歩した。「優秀な連中をできるだけ急いでどんどん雇ってくれ」とわたしはいった。「もうこれ以上雇うのは無理だというところまで来たらそういうから」。だが、その言葉を口にする機会はついになかった。マイクロソフトの収益の上昇速度は、スティーブが優秀な人材を見つけ出す速度をずっと上回っていた。

マイクロソフト創業当初の最大の不安は、どこかべつの会社が参入してきて市場をわたしたちの手から奪い去るのではないかというものだった。その当時、マイクロプロセッサチップやソフトウェアを発売している小さな会社がいくつかあって、わたしにとってはとりわけそれが心配の種だったけれど、さいわいソフトウェア市場をわたしたちのような目で見ている会社はほかに一社もなかった。

もうひとつ、どこか大手のコンピュータメーカーが大型機用のソフトウェアをスケールダウンし、マイクロプロセッサ搭載の小型コンピュータ上で走るようにしたソフトを売り出すのではないかという不安もあった。IBMとDECには強力なソフトの豊富なラインナップがあった。しかし、今度もまたマイクロソフトにとって幸運なことに、業界の巨人たちは自社のコンピュータアーキテクチャやソフトウエアを武器にパソコン業界へ乗り込んでこようとはしなかった。唯一それに近いところまで行ったのは、一九七九年、DECがPDP－11に準ずるアーキテクチャを使ったマイコンキットを作成し、ヒースキット社から売り出したときだ。しかしDECはパーソナルコンピュータの可能性を本気で信じていなかったらしく、製品を真剣に売ろうとはしなかった。

マイクロソフトの目標は、コンピュータハードウェアの製造や販売に直接関わることなく、より多くのパソコン用にソフトウェアを開発し供給することだった。マイクロソフトはソフトをきわめて低価格でライセンスした。利益は量によって確保できるというのがわたしたちの信念だった。わたしたちはマイクロソフト版BASICをはじめとするプログラミング言語を各機種に対応させた。どんなハードメーカーの要求にも迅速に対処した。よその会社をあたってみる理由をだれにも与えたくなかったのだ。みんながなにも考えずにマイクロソフトの製品を選ぶようにしたかった。

わたしたちの戦略は図に当たった。事実上すべてのパーソナルコンピュータが、マイクロソフトのプログラミング言語をライセンスした。ふたつの会社のコンピュータの仕様が違っても、その両方でマイクロソフトBASICが走るのなら、両者のあいだには多少の互換性があるということになる。互換性は、パソコンユーザーにとって機種選択の重要なポイントになりはじめていた。ハードメーカーは、B

ＡＳＩＣをはじめとするマイクロソフトのプログラミング言語が自社製品で利用できることを宣伝文句に謳うようになった。

その過程で、マイクロソフトＢＡＳＩＣは業界標準のソフトウェアになっていった。

テクノロジーの中には、その価値が普及率に依存しないものもある。汚れがつかない優秀なフライパンなら、いままでそれを買った客がひとりもいなかったとしても、じゅうぶん役に立ってくれる。しかし、通信機器をはじめ、だれかと共同で作業するための製品に関しては、製品の価値のかなりの部分が普及率に左右される。ワンサイズの封筒しか入らない美しい手造りのメールボックスと、だれでも気軽にあなた宛の郵便物やメッセージを投げ込める古い段ボール箱と、どちらか片方を選べといわれたら、より広い用途に使える段ボール箱を選ぶだろう。

いいかえれば、互換性が選択の鍵になる。

政府や委員会が互換性を推進するために標準規格を定めることがある。これは、〝法律上の《デジュール》〟標準《スタンダード》と呼ばれ、法的な拘束力を持つ。しかし、大きな成功をおさめた標準規格は、〝事実上の《デファクト》〟標準《スタンダード》――市場が発見したスタンダードである場合が多い。アナログメーターの大多数は時計回りに動く。英語のタイプライターおよびコンピュータのキーボードは、文字キーのいちばん上の列が、左から右に向かって〝ＱＷＥＲＴＹ〟となる配列を採用している。そうしなければならないと法律で決まっているわけではない。にもかかわらず、なにか劇的な向上をもたらすべつの配列が登場しないかぎり、大多数のユーザーはこうした標準《スタンダード》を使いつづけるだろう。

デファクトスタンダードは法律ではなく市場に支えられているため、正当な理由によって選択され、もしほんとうにもっといいものが登場したときは、それにとってかわられる運命にある――コンパクトディスクがアナログレコードにほぼ完全にとってかわったように。

デファクトスタンダードは、成功したビジネスの原動力となる好循環《ポジティブ・スパイラル》のコンセプトとよく似た経済メカニズムを通じて、市場の中で成長していくことが多い。〝ポジティブフィードバック〟と呼ばれるこの原理は、人々が互換性を求めている場合にしばしばデファクトスタンダードが生まれるという事実をうまく説明してくれる。

ポジティブフィードバックのサイクルがはじまるのは、成長期の市場にあっては、なんらかの目的を実現するためのある手段が、競争相手とくらべてわずかなアドバンテージを持っているときだ。ごくわずかなコスト上昇で大量生産することができ、互換性が商品の価値をある程度まで左右するハイテク製品に関しては、ポジティブフィードバックがもっとも起きやすい。家庭用ＴＶゲーム機がその一例だ。ＴＶゲーム機は、ゲームソフトの土台となる専用オペレーティングシステムを搭載した単一目的のコンピュータと考えることができる。互換性がなぜ重要かといえば、利用できるアプリケーション――この場合はゲームソフト――の数が増えれば増えるほど、顧客にとってはそのマシンの価値が高くなるからだ。同時に、そのマシンを買う消費者が増えれば増えるほど、そのマシン用のソフトを開発する会社の数が増えてくる。マシンの普及率が一定レベルを越えるとポジティブフィードバックのサイクルがまわりはじめ、売り上げはさらに増大する。

産業分野におけるポジティブフィードバックの力を示すもっとも有名な実例は、一九七〇年代末から八〇年代はじめにかけてのビデオカセットレコーダー方式をめぐるシェア争いだろう。ＶＨＳよりベータマックスのほうが技術的にすぐれていたにもかかわらず、ポジティブフィードバックの力のみを頼りにＶＨＳがベータに打ち勝ったという神話はいまだに根強く信じられているけれど、これはかならずしも真実ではない。実際には、初期のベータのテープは、ＶＨＳの三時間に対し、一時間しか録画できなかった――これでは映画一本またはフットボール一試合を録画するにも足りない。ユーザーは、エンジニア好みのスペックより、テープの容量のほうを重視した。その結果、ＶＨＳ方式は、ソニーがベータマックスプレーヤーに採用したベータ方式に対し、わずかなリードをとることができた。ＶＨＳ方式を開発した日本ビクターは、他のビデオデッキメーカーに対し、きわめて低いロイヤリティでＶＨＳ規格の使用を認めた。ＶＨＳ互換プレーヤーが急増するにつれて、ビデオレンタル店ではベータ方式のテープよりＶＨＳ方式のテープをたくさん置くようになった。その結果、ＶＨＳデッキのユーザーのほうがベータのユーザーより見たいビデオをレンタル店で見つけられる確率が高くなり、消費者の立場からはＶＨＳのほうが基本的に有用だということになって、その結果、さらに多くの人々がＶＨＳプレーヤーを購入した。そうなると、ビデオレンタル店側としても、ＶＨＳの在庫をさらに増やす理由ができる。ＶＨＳのほうが長保ちする規格だと信じてみんながＶＨＳデッキを買いはじめるにつれて、ベータはどんどんシェアを落としていった。つまり、ＶＨＳはポジティブフィードバック・サイクルの恩恵に預かったわけだ。成功は成功を呼ぶ。しかし、だからといってクォリティが犠牲になるわけではない。

ベータマックス方式とVHS方式の死闘がつづいているあいだ、アメリカのビデオレンタル市場におけるビデオソフトの売り上げは年間わずか二、三百万本で、グラフはほとんど横這いだった。一九八三年ごろ、VHSがどうやら標準になりそうだという展望がはっきりしてくると、ビデオデッキは普及の閾値を超え、ビデオソフト売り上げが示す通り、マシンの普及率は急激な上昇に転じた。一九八三年一年間で売れたビデオソフトは総計九百五十万本以上。対前年比五十パーセント以上の上昇だった。翌一九八四年、ビデオソフトセールスは二千二百万本を記録した。その後は年を追うごとに、五千二百万、八千四百万と増えつづけ、八七年には一億一千万本に達した。このときにはもう、レンタルビデオ店で借りてきた映画を自宅で見ることは、もっともポピュラーな家庭用娯楽のひとつになり、VHSデッキはどこの家庭にも遍在するようになった。

これは、新しいテクノロジーが普及するさいに、その量的な変化が、テクノロジーのはたす役割を質的に変化させた例だ。もうひとつの例にテレビがある。一九四六年にアメリカ国内で売れたテレビは一万台で、翌年もわずか一万六千台にとどまった。しかしその後突然テレビは閾値を超えて、一九四八年の販売台数は十九万台にはねあがった。翌四九年には百万台、その翌年には一千万台を記録、以後も着実に増えつづけて、一九五五年には三千二百万台が売れた。テレビが普及するにつれて番組制作にはますます多くの資本が投下されるようになり、その結果さらに多くの人々がテレビを買う誘惑にかられることになった。

はじめて市場に登場してからの数年間、オーディオCDプレーヤーとCDはあまり売れなかった。理由のひとつは、CDタイトルをたくさん置いている店が少なかったためだ。しかし、あるとき突然、一夜にしてがらりと状況が変わったかのように、じゅうぶんな数のプレーヤーが家庭に行き渡り、じゅうぶんな数のCDタイトルが店に出回り、CDは普及の閾値を超えた。タイトル数が増えるにつれてCDプレーヤーを買う人が増え、それにともなってレコード会社は発売するCDタイトル数を増やしていった。音楽ファンは新しいハイクォリティのサウンドとCDの簡便さを好み、CDは事実上の標準《スタンダード》となって、ついにはLPをレコード店から駆逐してしまった。

コンピュータ業界が学んだもっとも重要な教訓のひとつは、ユーザーにとってコンピュータの価値のきわめて大きな部分が、その機種で利用できるアプリケーションソフトの質と量で決まるということだ。この業界の人間全員が、その教訓を学んでいる――ある者はほくほく顔で、ある者は高い授業料を払って。

一九八〇年の夏、IBMの密使ふたりがマイクロソフトを訪れ、IBMが開発を検討中のパーソナルコンピュータについてわたしたちと討議した。

当時のIBMはハードウェア帝国における並ぶ者のない巨人であり、大型コンピュータ市場では八十パーセントを超える圧倒的シェアを誇っていた。しかし、小型コンピュータの世界では、IBMの成功は慎ましいものだった。IBMは、大型で高価なマシンを大手企業に販売することには慣れていたが、パーソナルな市場では新参者だった。三十四万人の従業員を擁する大会社であるにもかかわらず、IBMの経営陣は、近い将来、企業だけでなく個人客を相手に小型の安価なマシンを売り出すつもりなら、社外からの助力が必要だと考えていた。

ＩＢＭは、一年以内に、自社開発のパーソナルコンピュータを市場に出したいと望んでいた。このスケジュールに合わせるためには、関連するすべてのハードとソフトを自社で開発するというＩＢＭ伝統の方針を捨てるしかなかった。そこでＩＢＭは、だれでも利用できる既成の部品を中心にパーソナルコンピュータを組み立てる道を選んだ。その結果、プラットフォームは基本的にオープンなものとなり、そのおかげで簡単にコピーできるようになった。

自社製品に採用するマイクロプロセッサは自社で開発するのがＩＢＭの通例だったが、この新しいパーソナルコンピュータに関しては、インテルからマイクロプロセッサを購入することになっていた。そして、マイクロソフトにとっていちばん重要だったのは、ソフトを自社で開発するのではなく、オペレーティングシステムをマイクロソフトからライセンスするという決断だった。

わたしたちはＩＢＭ開発チームと共同で作業する過程で、開発中のマシンを、はじめて16ビットのマイクロプロセッサチップを搭載したパーソナルコンピュータにしてはどうか、と提案した。8ビットから16ビットへの移行は、パーソナルコンピュータをホビイストのおもちゃから本格的なビジネスツールに変貌させることになる。16ビット世代のコンピュータは、まるまる1メガバイトのメモリをサポートできる――8ビットコンピュータにくらべると、これは二百五十六倍に相当する。もっとも、当初はこれも理論的なアドバンテージでしかなかった。16ビットチップの搭載は決まったものの、ＩＢＭは搭載可能な全メモリの六十四分の一、わずか16キロバイトのメモリしか提供しない予定だったからだ。しかも、データのやりとりを8ビット幅でしか行なえないチップを使うことでコストを下げるというIBMの決断によって、16ビットに移行するメリットはさらに減殺された。つまり、通信できる速度よりはるかに高速で思考するチップを使うことになったわけだ。とはいうものの、16ビットプロセッサを使うという決断はきわめて賢明だった。そのおかげでIBM―PCは発展し、現在にいたるまでパーソナルコンピュータの標準でありつづけている。

これまでに培ってきた名声と、他社がコピーできるオープンアーキテクチャを採用するという決断のおかげで、IBMはパーソナルコンピューティングの世界に新たな標準を確立するきっかけをつかんだ。わたしたちもその一翼を担いたかった。そこでマイクロソフトはオペレーティングシステムの難題にとりくみ、シアトルのべつの会社から開発中のソフトウェアを買いとって、その会社のトップエンジニアだったティム・パターソンを雇い入れた。無数の改良を加えられたのち、このシステムは、マイクロソフトディスクオペレーティングシステム、すなわちMS―DOS《エム・エス・ドス》になった。ティム・パターソンは事実上、MS―DOSの父だといっていい。

MS―DOSの最初のライセンス先であるIBMは、このオペレーティングシステムをPC―DOSと命名した。PCはパーソナルコンピュータを意味する。IBMパーソナルコンピュータは一九八一年に発売され、大勝利をおさめた。宣伝戦略も図にあたり、〝PC〟という用語が一般化した。このプロジェクトはビル・ロウが発案し、ドン・エストリッジの指揮のもとで完成に導かれた。構想から一年以内で自社のパーソナルコンピュータを市場に出すことができたのは、IBMの人間の優秀さの証だろう。

IBM パーソナルコンピュータ（1981年）

いまとなっては覚えている人間も少ないだろうが、初代IBM－PCが出荷されたときには、顧客は三つのオペレーティングシステム――PC－DOS、CP／M－86、UCSDパスカルP－システム――の中からどれかひとつを選ぶことになっていた。この三つのOSのうちどれかひとつだけが成功して標準になることはわかっていた。MS－DOSを標準にするために必要なのは、VHSのカセットがあらゆるレンタルビデオ店に並ぶようにあと押ししたのとおなじ種類の力だった。MS－DOSをトップに立たせるために、わたしたちは三つの策を練った。第一に、MS－DOSを最高の製品にすること。第二に、他のソフト会社がMS－DOS上で動くソフトを開発するのに協力すること。第三に、MS－DOSが低価格で販売されるようにすること。

わたしたちはIBMにとてつもなく有利な取引を持ちかけた――一回限りの低額の料金を支払うだけで、マイクロソフト製のオペレーティングシステムをIBMが販売するすべてのコンピュータ上に搭載する権利を認めたのだ。これによってIBMはMS－DOSの利用を推進することになり、低価格で販売した。わたしたちの戦略は図に当たった。IBMはUCSDパスカルP－システムを約四百五十ドルで、CP／M－86を約百七十五ドルで、そしてMS－DOSを約六十ドルで販売した。

わたしたちの目標は、IBMから直接利益を上げることではなく、IBM－PCと多かれ少なかれ互換性のあるマシンを売り出そうとする他のコンピュータ会社にMS－DOSをライセンスして稼ぐことだった。IBMはマイクロソフトのソフトウェアを無料で使用できる。しかしその権利は独占権ではないし、将来の機能強化に対する支配権もない。こうしてマイクロソフトはパーソナルコンピュータ業界にソフトウェアプラットフォームをライセンスするビジネスに参入した。ＩＢＭはやがてＵＣＳＤパスカルＰ－システムとＣＰ／Ｍ－86のバージョンアップをやめてしまった。

消費者はこぞってＩＢＭ－ＰＣを購入し、一九八二年になるとソフト会社がＩＢＭ－ＰＣ上で走るアプリケーションをリリースしはじめた。新しい顧客のひとりひとり、新しいアプリケーションの一本一本が、ＩＢＭ－ＰＣを業界の事実上の標準《デファクトスタンダード》に向けてあと押しした。ほどなく、ロータス1－2－3をはじめ、新しい優秀なソフトの大部分がＩＢＭ－ＰＣ用に開発されはじめた。ミッチ・ケイパーはジョナサン・ザックといっしょにロータス1－2－3を開発し、表計算ソフト《スプレッドシート》の世界に革命を起こした。電子スプレッドシートの最初の発明者であるダン・ブリックリンとボブ・フランクストンは、その製品ビジカルクによって長く記憶されてしかるべきだが、ロータス1－2－3はビジカルクを時代遅れなものにしてしまった。ミッチ・ケイパーは魅力的な人物で、その多面的な関心――彼の場合は、ディスクジョッキーと超越主義瞑想のインストラクター――は、最上のソフトウェア開発者に典型的なものだ。

ポジティブフィードバックのサイクルがＰＣ市場で動きはじめた。いったん歯車がまわりだしたとたん、たちまち数千のアプリケーションソフトが登場し、無数の会社がＰＣのハードウェア性能を拡張するアドインカードを開発しはじめた。豊富なソフトウェアとハードウェア拡張機器のおかげで、ＰＣはＩＢＭが予期していた以上の売れ行きをあげた――数百万台の単位で。ポジティブフィードバック・サイクルによって、数十億ドルがＩＢＭに流れ込んだ。ほんの数年でビジネスユースの全パーソナルコンピュータの半数以上がＩＢＭ製になり、残りの大多数もＩＢＭのマシンと互換性のあるものとなった。

IBMスタンダードは、だれもかれもが追従するプラットフォームになった。そうなった大きな理由は、タイミングがよかったことと、16ビットプロセッサの採用だろう。タイミングとマーケティングはどちらもハイテク製品の普及の鍵を握っている。PCはたしかによくできたマシンだったが、必要なアプリケーションを獲得し、じゅうぶんな数のマシンを売れば、他のどんな会社でも標準を確立できたはずだ。

PCを大急ぎでリリースするために、IBMはオープンアーキテクチャを採用した。この決定のおかげで、他の会社は互換性のあるマシンを簡単につくることができた。アーキテクチャは公開されている。インテルのマイクロプロセッサとマイクロソフトのオペレーティングシステムはいつでも入手可能。この開放性が、部品メーカーやソフトハウスをはじめとするコンピュータ業界のあらゆる人間をIBM―PCのコピーへと駆り立てる強力な牽引車になった。

三年のうちに、IBM―PCと競合するパーソナルコンピュータのスタンダードはほとんどすべて消滅した。例外はアップルIIとマッキントッシュだけ。ヒューレット・パッカード、DEC、テキサス・インスツルメンツ、ゼロックスは、その技術と名声と顧客リストにもかかわらず、一九八〇年代はじめには、パーソナルコンピュータ市場で挫折を味わった。彼らのマシンにはIBMアーキテクチャと互換性がなく、なおかつ決定的な優位性も提供できなかったからだ。イーグルやノーススターをはじめとする一群の新興企業は、IBM―PCとは違った、わずかに性能のいいマシンを提供すれば、ユーザーは自社製品を買ってくれるだろうと考えた。そうした新興企業はどこもやがて互換機に方向転換するか、市場から撤退することになった。IBM—PCはハードウェアの標準となり、八〇年代半ばまでには数十のIBM—PC互換機が登場した。PC購入者はそう思っていなかったかもしれないが、彼らが求めていたのは大多数のソフトが走るハードであり、友だちや同僚が持っているのとおなじシステムだったのである。

ある種の修正主義歴史家のあいだでは、IBMがPCを開発するさいにインテルおよびマイクロソフトと共同戦線を張ったのはまちがいだったという説が流行している。IBMはPCアーキテクチャを自社で専有すべきだった、インテルとマイクロソフトはIBMをまんまと利用したのだと彼らは主張する。しかし修正主義者たちの論点は的がはずれている。IBMがパソコン業界の中心的な力になりえたのは、革新的な才能と企業精神をフルに活用してオープンアーキテクチャを推進することができたからなのだ。IBMはスタンダードを樹立した。

メインフレーム業界ではIBMは天界の王であり、競争相手はIBMの販売力と高い研究開発力にとうてい太刀打ちできなかった。しかし変化の激しいパーソナルコンピュータの世界では、IBMの立場はむしろマラソンのトップランナーのようなものだった。後続のランナー以上の速さで走りつづけているかぎりは先頭にとどまり、競争相手はそれに追いつこうと努力しつづけることになる。しかし速度をゆるめたり気を抜いたりすれば、後続の一団にたちまち追い越されてしまう。まもなく明らかになったとおり、他の競争者を縛る足枷はそう多くなかったのである。

一九八三年、わたしは、グラフィカルなオペレーティングシステムの開発がマイクロソフトの次のステップだと考えた。いつまでもMS－DOSに拘泥していたのでは、ソフト業界トップの地位を保つことはできない。MS－DOSはキャラクタベース（文字主体）のオペレーティングシステムだった。ユーザーは、意味不明なコマンドをキーボードからタイプし、その結果が画面にあらわれる。MS－DOSには、ユーザーとアプリケーションのインターフェイスを助けるグラフィカルな機能がない。未来はグラフィカルインターフェイスにある。MS－DOSを越えて、画像もフォント（書体）も、使いやすいインターフェイスの一部として組み込んだ、オペレーティングシステムの新しい標準を打ち立てる必要がある。このビジョンを実現するには、PCはもっと使いやすくならなくてはならない――いまのPCユーザーを手助けするだけでなく、複雑なインターフェイスを時間をかけてマスターする気のない新しいユーザー層までひきつけなければ。

キャラクタベースのプログラムとグラフィカルベースのプログラムとの大きな違いを理解するには、チェス、チェッカー、碁、モノポリーなどのボードゲームをコンピュータ画面上でプレイすることを考えてみればいい。キャラクタベースのシステムでは、文字を使って指し手をタイプする。「その駒を11マスから19マスに移動」とか、もうちょっと暗号めいた命令「ポーンをQB3へ」とか。しかし、グラフィカルなコンピュータシステムでは、画面にボードゲームの盤が表示される。動かそうと思う駒をポイントしてから新しい位置にドラッグしてやるだけで駒が動かせる。

いまではすっかり有名になったゼロックスのパロアルト研究所の研究者たちは、人間とコンピュータの相互作用《インタラクション》の新しいパラダイムを探求していた。画面上のものをポイントしたり、絵を見たりすること

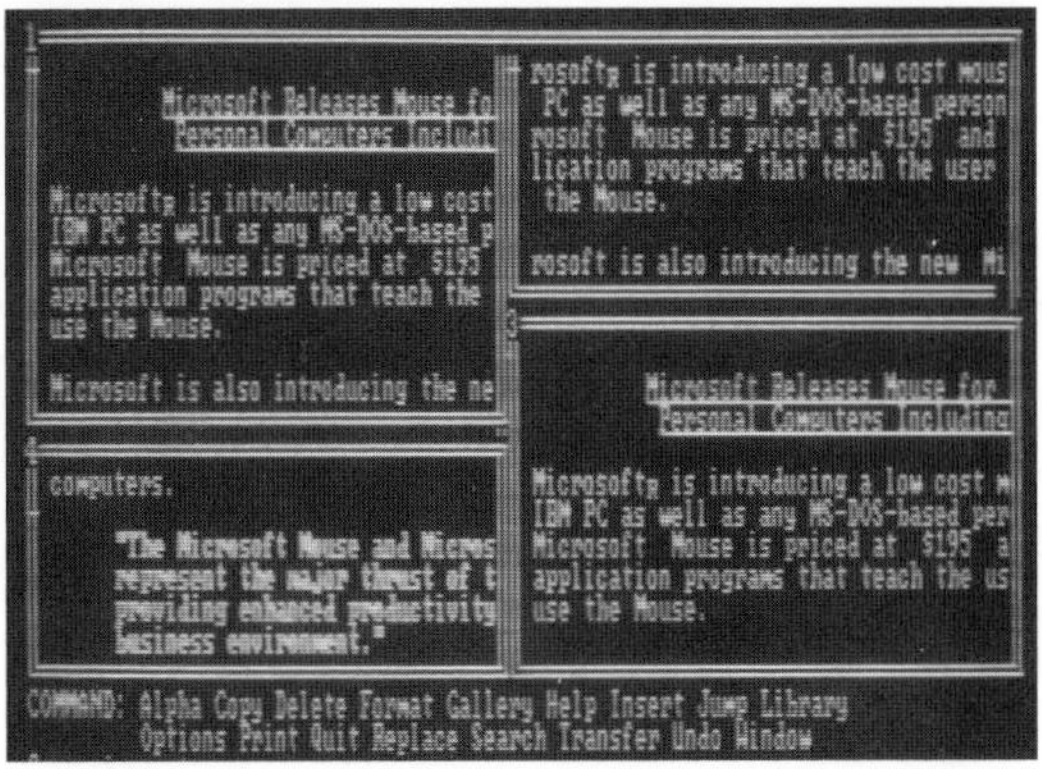

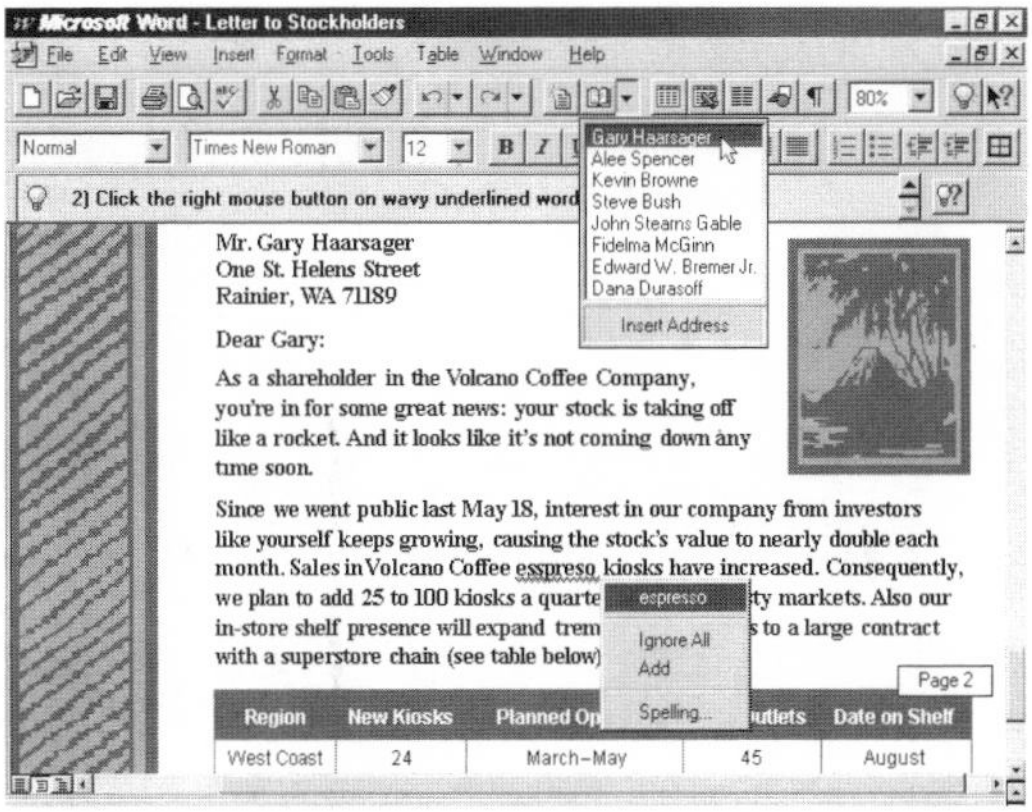

上：〝マイクロソフト ワード〞初期バージョンのキャラクタユーザーインターフェイス画面（1984年）
下：〝マイクロソフト ワード for ウィンドウズ〞のグラフィカルユーザーインターフェイス画面（1995年）

ができれば、コンピュータに命令するのが簡単になる。テーブルの上で転がすことで画面上のポインタを自由に動かせる、〝マウス〟と呼ばれる装置を彼らは開発した。もっとも、この画期的アイデアを商業利用する段階では、ゼロックスの仕事はお粗末だった。マウスを搭載したゼロックスの新型マシンは高価で、標準的なマイクロプロセッサを採用していなかった。画期的な研究を売れる製品に応用するむずかしさは、いまでも多くの会社にとって頭を悩ます問題である。

一九八三年、マイクロソフトは、ウィンドウズと呼ぶ製品でＩＢＭ—ＰＣにグラフィカルなコンピューティングをもたらす計画を発表した。わたしたちの目標は、ＭＳ—ＤＯＳの機能を拡張して、ユーザーがマウスを操り、コンピュータ画面上のグラフィカルなイメージを利用しながら、それぞれべつのコンピュータプログラムが走る複数の〝ウィンドウ〟を画面上に開けるようなソフトウェアを開発することだった。その当時販売されていたパーソナルコンピュータのうち、グラフィカルな機能を持っている機種はふたつだけ——ゼロックスのスターとアップルのリサ——だった。どちらも高価で、かぎられた性能しかなく、専用ハードウェアアーキテクチャに基づいて設計されていた。他のハードウェア会社はそれと互換性のあるシステムを構築したくてもＯＳのライセンスを受けることができず、ハードの出荷台数が少ないため、専用のアプリケーションソフトを開発しようというソフト会社も多くはなかった。マイクロソフトが目指したのは、グラフィカルユーザーインターフェイスのオープンスタンダードを打ち立てて、いまＭＳ—ＤＯＳが走っているすべてのコンピュータにグラフィカルな機能を付加することだった。

最初のポピュラーなグラフィカルプラットフォームは、一九八四年にアップルが発表したマッキントッシュだった。マッキントッシュの独自ＯＳはすべてグラフィカルで、これは大成功をおさめた。初代のマッキントッシュは、ハードウェアもオペレーティングシステムもさほど高性能ではなかったものの、グラフィカルインターフェイスの持つ可能性を鮮やかに証明していた。ハードとソフトの性能が向上するにつれて、この可能性に対する理解も広がっていった。

マイクロソフトはマッキントッシュ開発の最初から、アップルと緊密に協力してきた。マッキントッシュチームのリーダーはスティーブ・ジョブズ。彼と仕事をするのは楽しい経験だった。スティーブはエンジニアリングとデザインに関して天才的な直観力を持っているが、人間を動かす能力にかけても天下一品だ。

グラフィカルなコンピュータプログラムを開発するには自由な想像力を必要とする。いったいどんなデザインにすればいいのか？　どんなふうにふるまうべきか？　ゼロックスの研究成果を継承したアイデアもあれば、オリジナルなアイデアもあった。最初のうち、わたしたちは可能性の幅を広げすぎた。使えるかぎりのフォントやアイコンをほとんどすべて使って画面を設計したのだが、やがてこんなに要素が多すぎては見るのがたいへんだと気がついて、もっと地味なメニューに変更した。わたしたちはワープロソフトのマイクロソフトワードと、スプレッドシートのマイクロソフトエクセルをマッキントッシュ用に開発した。この二本は、マイクロソフトにとってのはじめてのグラフィカルな製品だった。

マッキントッシュはすばらしい独自ＯＳを持っていたが、アップルは（一九九五年まで）他社がその

ＯＳの走るコンピュータハードウェアをつくることを認めようとしなかった。これは、伝統的なハードウェア会社の考えかただ。ソフトが使いたいなら、アップルのコンピュータを買いなさい。マッキントッシュがたくさん売れて広く普及することはマイクロソフトの願いでもあった。マッキントッシュ用アプリケーションの開発に大金を投資したからというばかりではなく、グラフィカルなコンピューティングが広く一般に受け入れられることを望んでいたからだ。

ＯＳの販売を自社のハードウェアに限定するというアップルの決定と同様のあやまちは、これから先も何度となくくりかえされるだろう。電話会社やケーブル会社の中には、自分たちのソフトウェアだけで通信環境を整えようとしているところもある。

自由に競争すること、そして同時に協調すること。これがますます重要になってきている。が、そのためには業界全体がもっと成熟する必要があるだろう。

ハードとソフトの分離は、ＩＢＭとマイクロソフトのＯＳ／2開発に際しても大きな問題となった。ハードの標準とソフトの標準の分離は、いまもなお問題でありつづけている。ソフトの標準は、ハード会社にとって公平なグラウンドになる。しかし多数のメーカーは、ハードとソフトの結びつきを利用して、自社のシステムをきわだたせようとする。ハードとソフトを別個のビジネスとして扱う会社もあれば、そうでない会社もある。この二種類のアプローチは、情報ハイウェイでも再現されるだろう。

一九八〇年代を通じて、ＩＢＭは資本主義の世界のあらゆる尺度に照らして最高の企業だった。一九八四年、ＩＢＭは一企業の単年度黒字としては史上最高の金額を記録した——六十六億ドルの利益。こ

アップル　マッキントッシュコンピュータ（1984年）

の大豊作の年、IBMは第二世代のパーソナルコンピュータ、PC―ATと呼ばれる高性能マシンを発表した。インテルの80286マイクロプロセッサ(〝286〟と呼ばれる)を搭載したこのマシンは、初代IBM―PCの三倍の処理速度を誇った。ATは大成功をおさめ、一年のうちに、全ビジネスPC売り上げの七十パーセント以上を占めるにいたった。

初代PCを発表した当初、売り上げのかなりのパーセンテージを従来のIBMの顧客が占めていたにもかかわらず、IBMはこのマシンが同社のビジネスシステムの売り上げに影響をおよぼすとはまったく予想していなかった。IBMの重役陣は、小型マシンはマーケットのローエンドにのみ浸透するだろうと考えていたのだ。PCが高性能になるにつれ、ハイエンド向けの自社製品との共食いを避けるため、IBMは意識的にPCの性能の向上を抑えるようになった。

メインフレームのビジネスでは、IBMは新しい標準の採用をつねに自分でコントロールすることができた。たとえば、ハードウェアの新製品ラインナップの価格性能比を低く抑えて、既存のもっと高価な製品の売り上げを食わないように調整していた。新しいソフトを必要とするハードをリリースすることで新バージョンのOSの採用を促したり、その反対に新しいハードを要求するソフトを開発して新型機を買わせたり。この種の戦略は、メインフレームについてはうまくいったかもしれない。しかし、移り変わりの激しいパーソナルコンピュータ市場では、これが破滅的な結果を招いた。IBMは、他と同性能のパーソナルコンピュータにいくらか高い価格を設定した。しかしそのときにはもう、たくさんの会社がIBM互換ハードウェアを製造していること、そして、もしIBMが適正価格で性能を提供できないなら、他社のどこかがそうするだろうということは周知の事実だった。

IBMのパーソナルコンピュータビジネス参入が開いた可能性に目をつけた三人のエンジニアがテキサス・インスツルメンツを退職し、新しい会社を設立した。この新興企業、コンパック・コンピュータは、IBM－PC用の拡張カードに対応したハードウェアをつくり、MS－DOSをライセンスして、IBM－PC上で走るアプリケーションがすべて実行できるマシンを発売した。IBM－PCにできることはすべてできる上に、もっとポータブルなマシンだった。コンパックはたちまちアメリカのビジネス界におけるサクセスストーリーのひとつとなり、創業初年度に一億ドルのコンピュータ売り上げを達成した。IBMは各種パテントをライセンスすることでロイヤリティ収入を得ることはできたが、互換機が続々とリリースされてIBM製のハードウェアが競争力を失うにしたがい、市場におけるシェアは低下していった。

IBMは、286の後継にあたる強力なインテル386チップを搭載したPCのリリースを意図的に遅らせた。これは、386ベースのPCとさほど性能の変わらないローエンドのミニコンの売り上げを守るためだった。しかしそのおかげで、コンパックは一九八六年に、386ベースのコンピュータをはじめて世に出す会社となった。コンパックはこれによって、かつてはIBMだけのものだった名声とリーダーシップを獲得した。

IBMはこの打撃からワンツーパンチで立ち直ろうとした。一にハードウェア、二にソフトウェア。IBMは新しいコンピュータをつくり、新しいOSを開発し、まったく新しい機能の実現のためにハードとソフトがたがいに依存する排他的なシステムを構築することをめざした。そうすれば競争相手は締め出されるか、高額のライセンス料を支払うことを余儀なくされる。この戦略は、他のすべての〝IBM互換〟パーソナルコンピュータを時代遅れのものにするはずだった。

IBMの戦略にはすぐれたアイデアも含まれていた。ひとつは、それまでオプションだった多数の回路をはじめからマシン本体に内蔵し、PCの設計を単純化したこと。これによって、コストを削減すると同時に、最終的な販売段階でのIBM部品の比率を高めることができる。このプランはまた、ハードウェアアーキテクチャの大々的な変更を要求した。アクセサリカード、キーボード、マウス、さらにはディスプレイにまでいたる新しいスタンダードを。このマシンにさらにアドバンテージを与えるべく、IBMは最初のシステムを出荷するまで、こうしたコネクタのスペックをいっさい公表しなかった。他のPCメーカーおよび周辺機器メーカーは、ゼロからスタートしなければならない――IBMはまた他社をリードできる。それは、互換性の標準を新たに定義しなおすことになるはずだった。

一九八四年には、マイクロソフトのビジネスのかなりの部分が、IBM互換機メーカーに対するMS―DOSの供給で占められていた。わたしたちは、やがてOS／2と名づけられることになるMS―DOSに替わるオペレーティングシステムの開発で、IBMといっしょに仕事をはじめた。IBMがマシンに同梱して出荷する予定のOSを、マイクロソフトは他のメーカーに単体で販売できるという契約だった。IBMもマイクロソフトも、共同で開発したオペレーティングシステムをそれぞれ独自に拡張することが認められていた。今回は、IBMといっしょにMS―DOSを開発したときとは事情が違っていた。ＩＢＭは自社のＰＣハードウェアとメインフレームビジネスをあと押しするために、スタンダードに対するコントロールを望んだのだ。ＩＢＭはＯＳ／2の設計と商品化に直接携わることになった。

ＯＳ／2はＩＢＭ全社のソフトウェア事業計画の中心になった。ＩＢＭのシステムズアプリケーションアーキテクチャ（ＳＡＡ）の最初の実践であり、ＩＢＭはそれを最終的に、メインフレームからミッドレンジを経てパソコンにいたるまでの全ラインナップを通じて共通の開発環境とするつもりだった。ＩＢＭ重役陣は、ＩＢＭのメインフレームテクノロジーをＰＣに採用すれば、メインフレームやミニコンからＰＣへの移行を進めている法人顧客にとって、抵抗しがたい魅力のある製品ができるはずだと考えていた。メインフレームテクノロジーを持たない互換機メーカーに対しても、これは大きなアドバンテージになるだろう。ＩＢＭが独自に拡張したＯＳ／2の専有版――拡張版と名づけられた――には、コミュニケーションとデータベースサービスが含まれていた。さらに、拡張版の上で動くフルセットのオフィス用アプリケーション――オフィスビジョンと命名される――を開発する予定だった。このプランは、ワードプロセッサを含むこれらのアプリケーションによって、ＩＢＭがロータスやワードパーフェクトと張り合うＰＣアプリケーション業界のメジャープレーヤーとなることを約束するものだった。オフィスビジョンの開発には、さらに数千人のチームを必要とした。ＯＳ／2はたんなるオペレーティングシステムではなく、ＩＢＭが社運を賭けた聖戦の一部だったのである。

ＯＳ／2の開発作業は、たがいに矛盾したさまざまな設計要求に対応する必要性と、拡張版およびオフィスビジョンに対するＩＢＭのスケジュール的な介入という、ふたつの重荷を背負うものとなった。

数々のジレンマを解決しながら、マイクロソフトは、市場を動かす使命を担ったOS／2アプリケーションを開発した。しかし時間がたつにつれて、OS／2に対するマイクロソフトの信頼は失われていった。マイクロソフトがこのプロジェクトに参加したのは、IBMがOS／2をウィンドウズと似たものにして、ソフトハウスはせいぜいちょっとした変更を加えるだけでOS／2上でもウィンドウズ上でも動作するアプリケーションを開発できるようになると信じていたからだった。しかし、IBMはアプリケーションがメインフレームでもミッドレンジでも動作することに固執した。たびかさなる設計変更要求と、容赦のないスケジュール管理の結果、わたしたちに残されたのは、パソコン用のOSというよりむしろ扱いにくいメインフレーム用のOSだった。

マイクロソフトにとってIBMとの関係は決定的な重要性を持っていた。一九八六年、わたしたちはストックオプションを与えられた従業員に流動資産を提供するため、マイクロソフトの株式を公開した。そのころ、スティーブ・バルマーとわたしは、マイクロソフトの株式の三十パーセントまでを――バーゲン価格で――買い入れてはどうかとIBMに打診した。そうすれば、ふたつの会社がより友好的かつ高い生産性で共同開発に臨む助けになるのではないかと考えたのだ。しかしIBMは興味を示さなかった。

わたしたちは、IBMと共同開発する自社のオペレーティングシステムを成功させようと必死に働いた。どちらの会社にとってもこのプロジェクトは未来への鍵になるだろうと思っていた。しかしそれとは逆に、OS／2はけっきょく両者のあいだに大きな溝をつくることになった。IBMとの共同開発は、書類の上ではよさそうに見えたが、現実はそうではなかった。新しいオペレーティングシステム開発は巨大プロジェクトだ。マイクロソフトはシアトルの外に開発チームを置いた。ＩＢＭはボカラトン、ハースリイパーク、英国、のちにはテキサス州オースティンにまで開発チームを分散させた。四つのべつべつの場所で開発が進められたおかげで、プロジェクトを統合することはひどく困難になった。

しかし、この地理的弊害も、ＩＢＭのメインフレーム信仰がもたらした弊害にくらべればなにほどのこともない。ＩＢＭ側は、ＰＣユーザーの要求にきちんと応じることができそうになかった。メインフレームの顧客を念頭に開発されていたのが原因だった。たとえば、あるバージョンのＯＳ／２は〝起動〟（電源を投入したあと、ユーザーがいつでも使えるように準備をととのえること）に三分かかった。メインフレームの世界では起動に十五分かかることもめずらしくないため、彼らにはそれが問題とは思えなかったのだ。

またＩＢＭは、全社的なコンセンサスを得る手続きのために、がんじがらめに縛られてもいた。三十万人以上の従業員を擁する会社が機敏に動くのは容易なことではない。ＩＢＭの全部署が設計変更要求書を出すよう求められた。どの変更も、この新たなパーソナルコンピュータ用のＯＳ上でメインフレーム製品がよりうまく動くように求めるものだった。マイクロソフトは一万通にもおよぶそうした要求書を受けとり、ＩＢＭとマイクロソフト双方の才能豊かな人材がそのたびに会議を開いて何日もそれについて議論することになった。

わたしはいまでも設計変更要求二二一号のことを覚えている。「フォントを削除すること。その理由、製品に拡張性を持たせるため」。ＩＢＭのだれかが、パーソナルコンピュータのＯＳで複数の書体が使われるのをいやがっていたのだ。ＩＢＭメインフレーム用のあるプリンタで複数の書体が印刷できない、というのがその理由だった。

ついに、共同開発がうまくいかないことが明らかになった。マイクロソフトは新しいオペレーティングシステムを独自に開発し、それをＩＢＭに安くライセンスする方式を提案した。わたしたちは、それまでもおなじやりかたで利益を確保してきた。しかしＩＢＭは、ＩＢＭが戦略的だと考えるすべてのソフトウェアの開発には、自社のプログラマがスタッフとして含まれなければならない、と表明していた。もちろん、オペレーティングシステムは明らかに戦略ソフトだ。

ＩＢＭほど巨大な会社が、どうしてＰＣ用ソフトの開発にそれほど手こずったのだろう？　ひとつの答えは、優秀なプログラマをかたっぱしから管理職に昇進させて、現場にはそれほど才能のない人間ばかりが残されるというＩＢＭの人事システムにある。さらに問題だったのは、ＩＢＭが過去の栄光にとりつかれていたことだ。ＩＢＭ伝統の開発方式は、パソコンソフトの速いペースと市場の要求にはふさわしくなかった。

一九八七年四月、ＩＢＭは、模倣者を駆逐するはずの、ハードウェア／ソフトウェア統合環境を発表した。この〝クローンキラー〟ハードウェアはＰＳ／２と命名され、その上で新しいオペレーティングシステム、ＯＳ／２が動作した。

ＰＳ／２には多数の革新的技術が投入されていた。最大の目玉は、新しい〝マイクロチャネル・バス〟回路で、これはアクセサリカードをシステムに接続するためのものだった。アクセサリカード（アドインカードとも呼ばれる）は、サウンド機能やメインフレームとの通信機能など、ユーザーの要求に応じて、パーソナルコンピュータのハードウェアを拡張することを可能にする。すべての互換機は、そうしたカードをPC上で動作させるためのハードウェア接続〝バス〟を持っている。PS／2のマイクロチャネルはPC—ATの接続バスのエレガントな後継だった。とはいえ、大多数のユーザーにとって、それは、ないも同然の問題に対する回答のようなものだった。マイクロチャネルはたしかにPC—ATのバスよりはるかに高速だが、実用上バスの速度が問題になることはなかったから、この新たな高速性もユーザーにとって大きなメリットではなかった。さらに重要なのは、マイクロチャネル・バスがこれまでPC—ATと互換機用に販売されてきた数千のアドインカードのどれにも対応してないことだった。

IBMはけっきょく、アドインカードとPCのメーカーに対して、ロイヤリティを受けてマイクロチャネルのライセンスを供与することに同意したが、そのときにはもう、マイクロチャネルの機能の多数を備え、なおかつPC—ATバスとも互換性のある新しいバス規格がメーカーの連合によって発表されていた。ユーザーは古いPC—ATバスを搭載したマシンがそのまま利用できるメリットを選び、マイクロチャネルを拒否した。PS／2用アクセサリカードの数は、PC—AT互換機用カードの数とはくらべものにならなかった。その結果、IBMは古いバスをサポートするマシンをリリースしつづけることになった。真の不幸は、IBMがパーソナルコンピュータのアーキテクチャに対する支配力を失ってしまったことにある。IBMが独力で、パーソナルコンピュータ業界に新しいアーキテクチャーをもたらすことはもう二度とないだろう。

ＩＢＭとマイクロソフト双方が大々的にプロモーションをかけたにもかかわらず、ユーザーはＯＳ／2が扱いにくくて複雑すぎると判断した。ＯＳ／2が悪く見えれば見えるほど、ウィンドウズがよく見えてきた。ウィンドウズとＯＳ／2の互換性をとることにも、ＯＳ／2を低スペックのマシンで動かすことにも失敗したため、マイクロソフトにとって、ウィンドウズ開発の続行にはまだ意味があった。ウィンドウズはＯＳ／2よりはるかに〝小さい〟オペレーティングシステムだったから――つまり、必要とするハードディスク容量が小さく、もっとメモリの少ないマシンでも動作できる――ＯＳ／2が走らないマシンのために、ウィンドウズの居場所があるはずだ。わたしたちはこれを〝ファミリー〟戦略と呼んだ。つまりＯＳ／2はハイエンドのシステム用、ウィンドウズは家族の中の子どもで、もっと小型のマシン用というわけだ。

ＩＢＭはマイクロソフトのファミリー戦略を歓迎しなかったが、彼らは彼らでプランがあった。一九八八年の春、ＩＢＭは他のコンピュータメーカーと共同で、ＵＮＩＸを推進するためのオープン・ソフトウェア・ファウンデーション（ＯＳＦ）を設立した。ＵＮＩＸはもともと一九六九年にＡＴ＆Ｔベル研究所が開発したオペレーティングシステムだが、長年のあいだにいくつものバージョンに枝分かれしていた。あるバージョンは大学で開発されたもので、そこではＵＮＩＸがオペレーティングシステム理論の実験材料として使われていた。他のバージョンはコンピュータ会社が開発したものだが、各社は自社のコンピュータの独自仕様に合わせてＵＮＩＸを改良したため、他のＵＮＩＸとは互換性がとれなくなっていた。つまり、ＵＮＩＸは単一のオープンシステムではなく、たがいに競合する複数のオペレーティングシステムの集まりになっていた。それぞれのＵＮＩＸの仕様の違いのせいでアプリケーションソフトの互換性を実現することはむずかしく、強力なＵＮＩＸ用サードパーティソフト市場ができる障害になっていた。一ダースにのぼるＵＮＩＸの全バージョンについてアプリケーションを開発し動作テストをするゆとりのあるソフト会社は数社しかなかったのだ。それに、コンピュータソフト販売店も、全バージョンをストックする余裕はなかった。

　オープン・ソフトウェア・ファウンデーションは、ＵＮＩＸを〝統合〟する試み、さまざまなメーカーのハードウェア上で動作する共通のソフトウェアアーキテクチャをつくろうとする試みの中では、もっとも見込みがありそうだった。理論的には、統合ＵＮＩＸはポジティブフィードバックサイクルを動かせるはずだった。しかし、相当な資金が投入されたにもかかわらず、オープン・ソフトウェア・ファウンデーションが、売り上げで競合する参加各社から協力をとりつけるのは不可能だということが判明した。ＩＢＭやＤＥＣを含む参加各社は自社版の独自ＵＮＩＸの利点をプロモートしつづけた。ＵＮＩＸ各社は、顧客の選択肢を増やすことはユーザーの利益になると主張した。しかし、一社からＵＮＩＸシステムを購入しても、ソフトが他のシステム上で自動的に走るわけではない以上、顧客はその会社の製品に縛られることになる。一方ＰＣの世界では、どこからハードウェアを買うかはユーザーの選択にまかされている。

　オープン・ソフトウェア・ファウンデーションやそれと同様の試みが直面する問題は、イノベーションが急速に進行する分野、そして、標準規格制定委員会を構成する全社がたがいに競争相手であるような分野で、法律上の標準を制定するむずかしさを証明している。市場が標準を採用するのは、（コンピュータもしくは家電の分野では）顧客が標準にこだわるからだ。標準規格は、操作の共通性を保証し、操作方法の習得にかかる時間を短縮し、そしてもちろん、ソフトウェア産業をもっとも大きく育てることができる。標準を打ち立てようと思えば、きわめてリーズナブルな価格で提供しないかぎり、市場に採用されない。市場はリーズナブルな価格の標準を選択し、その標準が時代遅れになったり高価になったりした場合はべつの標準に乗り換える。

現在、マイクロソフトのオペレーティングシステムは、九百を越えるメーカーから提供されている。そのおかげで顧客には選択の権利ができる。マイクロソフトがいままで互換性を提供しつづけてこられたのは、ハードウェアのメーカーとのあいだで、ソフトに互換性がとれなくなるような改良を加えないという合意があったからだ。つまり、数十万におよぶソフト会社は、自社ソフトがどのパーソナルコンピュータで走るかについて心配する必要がない。〝オープン〟という用語はさまざまな意味で用いられているが、わたしにとってそれは、ユーザーにハードとソフトの選択肢を与えることを意味している。

家電製品も、民間企業がつくりだした標準の恩恵を被ってきた。はるか昔には、家電メーカーが他社に対し自社技術の使用を制限していた時代もあるけれど、いまでは大手家電メーカーすべてが、自社のパテントや企業秘密の他社へのライセンスについて、かなりオープンになっている。製品に対するロイヤリティは、ふつう製造コストの五パーセント以下に抑えられている。オーディオカセット、ＶＨＳテープ、CD、テレビ、携帯電話はどれも、一民間企業が開発した技術にロイヤリティを支払ってすべての会社が製造している。たとえばドルビー研究所のアルゴリズムは、ノイズリダクションの事実上の標準になっている。

一九九〇年五月、ウィンドウズ3・0リリース直前の数週間、わたしたちはIBMと話し合いをつづけ、IBM製のパーソナルコンピュータにウィンドウズの使用をライセンスする合意を結ぼうとしていた。OS／2は時間をかければうまくいくかもしれないが、当面はウィンドウズが成功し、OS／2はゆっくりとニッチを見つけることになるだろう、わたしはそういった。

一九九二年、IBMとマイクロソフトはOS／2の共同開発にピリオドをうった。IBMは単独でOS／2の開発をつづけた。オフィスビジョンの野心的なプランは最終的に中止された。

企業アナリストの推定によれば、IBMはOS／2、オフィスビジョンおよび関連プロジェクトに二十億ドル以上を注ぎ込んでいる。IBMとマイクロソフトがなんとかして共同開発をつづける道を見つけていれば、数千労働年が無駄になることもなかっただろう。OS／2とウィンドウズに互換性があれば、グラフィカルコンピューティングは何年も前に主流になっていたはずだ。

グラフィカルインターフェイスの普及が遅れたのは、大手ソフト会社がそれに投資しなかったせいもある。アプリケーションソフト開発の大手は、マッキントッシュを無視し、ウィンドウズをあざ笑った。スプレッドシートとワードプロセッサの分野でトップに君臨するロータスとワードパーフェクトは、OS／2に対してはごく控えめな協力しかしなかった。多くの中小ソフトハウスがリリースしたアプリケーションに動かされて、ウィンドウズがついにポジティブフィードバックの恩恵を被りはじめると、大手ソフト会社は取り残されることになった。ウィンドウズへの移行に乗り遅れたのだ。

ウィンドウズはパソコンと同様に進化をつづける。マイクロソフトはこれまでもウィンドウズのバージョンアップを何度もくりかえし、新しい機能を付加しつづけてきた。だれでも、マイクロソフトに通知したり許可をとったりすることなく、ウィンドウズ上で走るアプリケーションソフトを開発できる。実際、マイクロソフト製アプリケーションの大多数と競合する製品を含め、現在、ウィンドウズ用の市販パッケージソフトは数十万種類を数える。

マイクロソフトは、言葉の定義からいっても、マイクロソフトオペレーティングシステムを提供できる唯一の会社なのだから、もし万一マイクロソフトが開発の速度を落としたり新技術の投入を中止したりしたらどうなるか――そんな不安を顧客の口から聞かされることがある。もし万一そんなことになったら、マイクロソフトのOSの新バージョンは売れなくなる。いまのユーザーはアップグレードせず、新しいユーザーも獲得できない。収入はたちまち急落して、多数の会社がマイクロソフトの地位にとってかわろうとしのぎを削るだろう。ポジティブフィードバック機構は、トップに立つ者だけではなく、挑戦者にも力を貸す。王座にあぐらをかいていることはできない。虎視眈々とその椅子をねらう競争相手がつねにいるのだから。

どんな製品も、つねに向上しつづけないかぎりトップに居座ることはできない。VHS規格さえ、よりすぐれた方式がリーズナブルな価格で登場すれば、その座を追われる運命にある。実際、VHSの時代はほとんど終わりかけている。これからの数年で、新しいデジタルテープ規格や、音楽CDのような媒体に劇場映画をおさめるデジタルビデオディスクがあらわれ、やがては情報ハイウェイがビデオ・オン・デマンドなどの新サービスを可能にして、VHSは過去の遺物となるだろう。

MS—DOSは現在、新しいオペレーティングシステムにとってかわられつつある。パーソナルコンピュータでトップを誇るオペレーティングシステムというとてつもない強みにもかかわらず、グラフィカルユーザーインターフェイスを持ったシステムにその地位を追われようとしている。マッキントッシュOSがMS—DOSの後継者になるかもしれない。あるいはOS／2やUNIXかもしれない。いまのところはウィンドウズがリードしているように見えるが、ハイテクの世界では、ほんの近い将来でさえ、わたしたちがリードを保っていられる保証はない。

マイクロソフトは、ハードウェアの進歩に追いつくため、ソフトウェアを改良しつづけてきた。後続のバージョンは、現在のユーザーがそれを採用してくれた場合にのみ、新しいユーザー層にもアピールできる。マイクロソフトは、ユーザーがバージョンアップしたいと思うように、価格面でも機能面でも魅力的な新バージョンを開発すべく最大限の努力をつづけなければならない。開発者にとってもユーザーにとっても、仕様の変更は大きな出費を意味するから、これは簡単なことではない。時間と手間をかけても新しいソフトに乗り換えようという気にさせられるものがあるとすれば、それは大幅な進歩だけだ。しかし、じゅうぶんな技術革新があればそれも不可能ではない。ウィンドウズは、二年か三年おきに大幅なバージョンアップをすることになるだろうとわたしは思っている。

世界中の開発室やガレージで、たえず新しい競争の種が播かれている。たとえば、インターネットがこれほど重要になったいま、ウィンドウズはインターネットへのアクセスを得る最良の手段を保証しないかぎり生き残れないだろう。すべてのオペレーティングシステムが、インターネットをサポートするための新機能を盛り込むべく、必死に努力している。音声認識が百パーセント信頼できるものになった暁には、それもまたオペレーティングシステムの世界に大きな変革を引き起こすだろう。

この業界では、動きがはやすぎて、ゆっくり時間をかけてうしろをふりかえる余裕がない。しかしわたしは、自分たちの過去の失敗に細心の注意を払い、未来のチャンスに焦点を合わせようと努力している。あやまちを認め、そこからなにがしかの教訓を引き出すこと。それと同時に、起きてしまったことで罰を受けるのではないかとか、経営陣が問題を解決するために努力していないのではないかとか、そういうことを考える社員が出ないようにしなければならない。どんなあやまちも、それひとつだけで致命的な影響を与えることはまずないのだから。

ルイス・ガースナーのリーダーシップのもと、最近のＩＢＭはこれまでよりはるかに効率的な体質になり、利益率と未来に対するポジティブな展望をともに回復した。メインフレーム分野での収益は減りつづけているため、まだ問題は残っているものの、ＩＢＭがビジネスと情報ハイウェイに製品を提供する大手のひとつになることはまちがいない。

ここ数年、マイクロソフトは意図的に、会社の経営に失敗した経験のある管理職を何人か採用している。会社が傾きかけているときには、夜も昼も必死に対策を練り、深く掘り下げてものを考え、クリエイティブにならなければならない。わたしは、そうした経験を通過した人物に仲間に加わってもらいたいと思った。マイクロソフトもいつか失策をおかす運命にある。そうなったとき、苦しい状況のもとでも力をつくした人間がいれば頼りになるだろう。

市場のリーダーにとって、死はすみやかに訪れることがある。ポジティブフィードバックサイクルを失ったときは、いままでやってきたことを改めようとしてももう手遅れで、すでに悪循環のすべての要素が働きはじめていることが多い。ビジネスが健康そのものに見えるときに、危機的状況にあることを認識してそれに対処することはむずかしい。情報ハイウェイを建設する会社にとってはそれがパラドックスのひとつになるだろう。わたしはつねにそれを警戒している。マイクロソフトがこれほど大きくなるとはまったく予期していなかったし、そしていま、この新時代のはじまりにあって、わたしは思いがけずも自分がエスタブリッシュメントの一員になっていることを発見した。成功した企業であっても、自己改革をつづけてトップにとどまれることを証明すること――それがいまのわたしの目標だ。

第四章
アプリケーションとアプライアンス

わたしが子どものころ、『エド・サリバン・ショー』は毎週日曜の夜八時から放送されていた。テレビを持っているアメリカ人の大半が、日曜はその時間までに家に帰ろうとしたものだ。ビートルズやエルヴィス・プレスリーやテンプテーションズや、十四の犬の鼻の上で同時に皿を回す名人の芸を見ることができるのは、日曜八時のテレビの前だけかもしれないのだから。しかし、祖父母の家から車で帰宅する途中だったり、カブスカウトのキャンプ旅行に出かけていたりしたらおあいにく。日曜午後八時に家にいないということは、「ゆうべのサリバン・ショーは……」ではじまる月曜の朝のおしゃべりにも参加できないことを意味していた。

従来のテレビは、なにを見るかを選ぶ自由は与えてくれたものの、いつ見るかを選ぶことできなかった。この種の放送を、技術用語では〝同期的〟と呼ぶ。いまから三十年前のわたしは「エド・サリバン・ショー」をそうやって見たし、いまでもほとんどの人は今夜のニュースをそうやって見るだろう。

一九八〇年代のはじめに登場したビデオレコーダーは、わたしたちに自由度《フレキシビリティ》を与えてくれた。タイマー予約やビデオテープのセットといった手間をかけさえすれば、そうやって録画したビデオをあとでいつでも好きなときに見ることができる。人間は、放送局にかわって自分で番組スケジュールを決定する自由と贅沢を勝ちとったのだ——そしていま、数百万単位の人々がそうしている。電話の会話も、両者が同時に回線に接続していなければならないから、やはり同期的なコミュニケーションになる。テレビ番組を録画したり、留守番電話に着信を録音させたりすれば、同期コミュニケーションを、もっと便利なかたち——〝非同期〟コミュニケーション——に転換したことになる。

同期コミュニケーションを非同期なかたちに変換することは、人間本来の習性だといってもいい。五千年前に文字が発明されるまで、コミュニケーションの唯一の形態は話し言葉であり、聞き手は話し手のそばにいないかぎり、そのメッセージを受けとることができなかった。メッセージを書き記せるようになると、それを保存して、だれでも好きなときに読むことが可能になった。たとえばいまわたしは一九九五年のはじめに家でこの文章を書いているけれど、あなたがいつどこで読んでいるのかは知る由もない。

情報ハイウェイがもたらす利点のひとつは、自分のスケジュールをいままで以上に自分でコントロールできるということだろう。ほかにも利点はたくさんある。コミュニケーション方式を非同期にすれば、よりバラエティにとんだ選択肢を持つことになる。テレビ番組はめったに録画しないという人も、日常的に映画をレンタルしている。近所のビデオレンタル店に行けば、一本わずか二、三ドルの値段で借りられる数千本の映画があり、エルヴィスでもビートルズでもグレタ・ガルボでも、好きなスターといっしょに自宅で夜を過ごすことができる。

テレビが登場してからまだ六十年にもならないけれど、その六十年足らずのあいだにテレビは先進諸国のほとんどすべての人間の生活に大きな影響を与えてきた。しかしある意味では、テレビはそれまで二十年にわたって家庭に電子的な娯楽を提供してきたラジオの代替物でしかなかった。その意味では、どんな放送メディアも、情報ハイウェイの未来像とは比較の対象にもならない。

ハイウェイが実現する機能は、言葉にするとまるで魔法みたいに聞こえるかもしれない。それは、わたしたちの生活をより豊かで便利なものにするテクノロジーを象徴するものになる。消費者は映画の価値を理解し、映画を見るために料金を払うことに慣れているから、ビデオ・オン・デマンドは情報ハイウェイの重要なアプリケーションになるだろう。しかし、ビデオ・オン・デマンドがアプリケーション第一号というわけではない。すでに見てきたとおり、まず情報ハイウェイにつながるのはテレビではなくパソコンだろうし、初期のシステムでは完全な品質の映画を流すのは無理かもしれない。そのかわり、ゲームや電子メールやホームバンキングなど他のアプリケーションが提供される。高画質動画の送受信が実現するころには、ビデオデッキという中間段階は存在しなくなっているだろう。番組の長大なリストから好きなものを選んでリクエストするだけでいい。一部の高級ホテルの客室ではすでに、かぎられた性能ではあるものの、ケーブルTVの映画チャンネルにかわってビデオ・オン・デマンドシステムが導入されている。ホテルの客室や空港、飛行機の機内は、やがては家庭にまで広がってゆく新たな情報ハイウェイサービスのすばらしい実験場になるだろう。コントロールされた環境と、実験にうってつけのユーザー層を期待できるからだ。

テレビ番組はいまとおなじように、同期消費のために放送されつづけるだろう。本放送後の番組は——

数千の映画をはじめ、事実上すべての種類のビデオソフトも同様に――いつでも見たいときに見られるようになる。セインフェルド［アメリカで人気のコメディアン］の新しいエピソードを木曜午後九時に、九時十三分に、九時四十五分に、あるいは日曜の午前十一時に見ることができる。彼独特のユーモアが気にならなければ、いつ見てもかまわない。特定の映画やテレビドラマのエピソードをリクエストすると、それが登録され、ネットワークを通じてデータが運ばれてくる。情報ハイウェイは、ユーザーと興味の対象とのあいだにある機械類がすべて消え失せたような感覚を与えてくれる。これがほしいと指定すれば「はいどうぞ！」とばかりにそれが届けられる。

　映画やテレビ番組などあらゆる種類のデジタル情報は、〝サーバー〟に蓄えられる。サーバーは巨大なディスク容量を持つコンピュータで、ネットワークにつながっている人間ならだれでも使えるように情報を供給する。映画が見たいとか、事実を確認したいとか、電子メールを読み出したいという希望を告げると、そのリクエストがさまざまなルートを通って情報を保管しているサーバーにたどりつく。自宅に届いた情報が、通りの向こうのサーバーにあったのか、アメリカの反対側のサーバーにあったのかはわからないし、知る必要もない。

　要求されたデジタルデータはサーバーから引き出され、ネットワークを通じてテレビやパソコンや電話――情報家電《インフォメーション・アプライアンス》――に届けられる。こうしたデジタル装置は、その先駆となったアナログ装置が成功したのとおなじ理由で成功するだろう――つまり、生活のある側面を楽にしてくれるのだ。最初のマイクロプロセッサを多くのオフィスに登場させたワープロ専用機とは違って、これらの情報家電は情報ハイウェイに接続された、プログラム可能な汎用コンピュータとなる。

ある番組が生放送されている場合でも、赤外線リモコンを使えばスタートやストップはもちろん、いつでも好きなときに番組の前の箇所にジャンプすることができる。もしだれか訪ねてきたら、いくらでも一時停止しておける。ユーザーの側で百パーセントのコントロールが可能になる――そうはいっても、もちろん、いま放送されている時点より先に生番組を早送りすることはできないけれど。

映画やテレビ番組を各家庭に届けることは、技術的には容易に実現できる。視聴者の大多数はビデオ・オン・デマンドの価値を理解し、それが提供する自由を歓迎するだろう。コンピュータ用語でいえば、ビデオ・オン・デマンドはハイウェイの〝キラーアプリケーション〟になる可能性を秘めている。キラーアプリケーション（または〝キラーアプリ〟）とは、あるテクノロジーを応用してつくられたものが消費者にとって非常に魅力的で、そのためマーケットの力が活性化し、必要欠くべからざる発明品となってしまうようなものを意味する。発明者でさえ予期しない応用方法が見出される場合もある。たとえば、本来「スキン・ソー・ソフト」は競争の激しいローション市場に登場した新製品のひとつでしかなかった。やがてそれに虫よけ効果があることをだれかが発見した。いまでもまだ本来の応用目的《アプリケーション》（肌をやわらかくすること）に基づいて販売されているかもしれないが、売り上げが増大したのはそのキラーアプリ（虫よけ効果）のおかげだろう。

キラーアプリケーションという言葉は新しいけれど、その概念自体は古くからある。トマス・エジソンは、発明家としても偉大だが、ビジネスの分野でもそれとおなじくらい傑出した指導者だった。一八

パーソナルコンピュータをベースとしたインタラクティブ・メディア・サーバー（1995年）

七八年にエジソンゼネラルエレクトリック社を設立した時点で、エジソンはすでに、電気を売るためには消費者にその価値を実証する必要があること――つまり、スイッチをぱちんと入れるだけで、夜も昼も家の中を光で満たせるというアイデアを売る必要があること――を理解していた。エジソンは、電気による照明が将来きわめて安価になり、ろうそくを買うのは金持ちだけになるだろうという未来予想図を描き、一般大衆の想像力に訴えた。電気というテクノロジーのすばらしいアプリケーション――つまり照明――を享受するため、人々は金を払って自宅に電気をひくだろうと、エジソンは正しく予見していた。

電気はなによりもまず照明を供給する手段として大多数の家庭に普及したが、ほどなく多数の新しいアプリケーションが登場した。フーバー・カンパニーは初期の電気掃除機の性能を大幅に向上させたし、電気調理器具も一般化した。それにつづいて、電気ストーブ、トースター、冷蔵庫、洗濯機、アイロン、ヘアドライヤーなど無数の機器が登場し、電気は基本的な公共設備になった。

キラーアプリケーションは、テクノロジーの進歩を珍しい発明から金になる必需品へと変える働きをする。キラーアプリケーションがなければ、ある発明が人気を博すことはない。3D映画やテレビ電話、4チャンネルステレオサウンドなど、名前こそよく知られているがまるで売れなかった家電製品の数々がその実例だ。

本書第三章で書いたとおり、一九七〇年代のオフィスにマイクロプロセッサを普及させたのはワープロ専用機だった。初期のマイクロプロセッサは、ワング社の製品をはじめとする専用機のかたちで提供され、文書作成のためだけに使用された。ワープロ専用機市場は信じられないほど急速に拡大し、最盛期には五十のメーカーがしのぎを削り、総売り上げは十億ドルを超えた。

しかし、その二年後、パーソナルコンピュータが出現した。多種のアプリケーションソフトを動かせるパソコンの能力はそれまでに例のなかったもので、この性質自体がパソコンのキラーアプリになった。パソコンユーザーなら、ワードスター（長年にわたって屈指の人気を誇るワープロソフト）を終了したあと、つづけてスプレッドシート・ソフトのビジカルクやデータベース・ソフトのdBASEなど、他のさまざまなアプリケーションを起動できる。ワードスター、ビジカルク、dBASEは、この三本を一台のマシンで使えるという意味で、パーソナルコンピュータの購買動機となる魅力を持っていた。これらのソフトがパソコン初期のキラーアプリだったのである。

初代IBM－PCのキラーアプリは、このマシンの性能に合わせて手直しされたスプレッドシート、ロータス1－2－3だった。アップル・マッキントッシュのビジネスソフト分野におけるキラーアプリケーションは、印刷用に文書をデザインするためのソフト、アルダス・ページメーカーだった。ワープロではマイクロソフトワード、スプレッドシートではエクセルが、それぞれキラーアプリケーションになった。マッキントッシュ初期には、ビジネスユーザーの三分の一以上と個人ユーザーの多数が、のちにデスクトップパブリッシング（DTP）の名で知られることになる機能をページメーカーで利用するためにマッキントッシュ本体を購入していた。

ハイウェイは、コミュニケーションとコンピュータの両分野の技術的進歩を融合することによって実現するだろう。どちらか一方の技術進歩では、必要なキラーアプリケーションをつくりだすにはじゅうぶんとはいえない。しかし、両者が合体すれば話はべつだ。情報、教育サービス、エンターテイメント、ショッピング、ヒトとヒトのコミュニケーション手段を提供することによってハイウェイは必要不可欠なものとなる。そのために必要な要素が具体的にいつ出そろうのかは、まだはっきりとは断言できない。簡単に使える情報家電は決定的な要素になるだろう。この先数年で、さまざまな形の、いろいろな速度で動作する、たくさんのデジタル装置が急増するだろう。これについてはのちに詳述する。さしあたり、パソコン的な各種情報家電が、ハイウェイ経由で個々の人間を他の人間や情報と接続するようになると知っておくだけでじゅうぶんだろう。そうした情報家電の中には、テレビや電話のような、現在のアナログ機器のデジタルな代替物も含まれる。いったん必需品となってしまえば、けっして手放すことはできなくなる。どういう形のものが一般化するかはともかく、その実体は、情報ハイウェイにつながったプログラム可能な汎用コンピュータになるはずだ。

いまでもすでに、多くの家庭には二種類の通信インフラがある。電話線とCATV用ケーブルという、この二種類の専門化した通信システムが汎用化され、単一のデジタル情報設備に統合されたとき——情報ハイウェイはすでに現実のものになっているだろう。

家庭のテレビはコンピュータのようには見えないし、キーボードもついていない。しかし電子回路を内蔵もしくは付加することで、パソコン的なアーキテクチャを持たせることができる。テレビは、現在ケーブルTV会社が提供しているようなセットトップボックス（テレビ上部据付型の箱）を通じてハイ

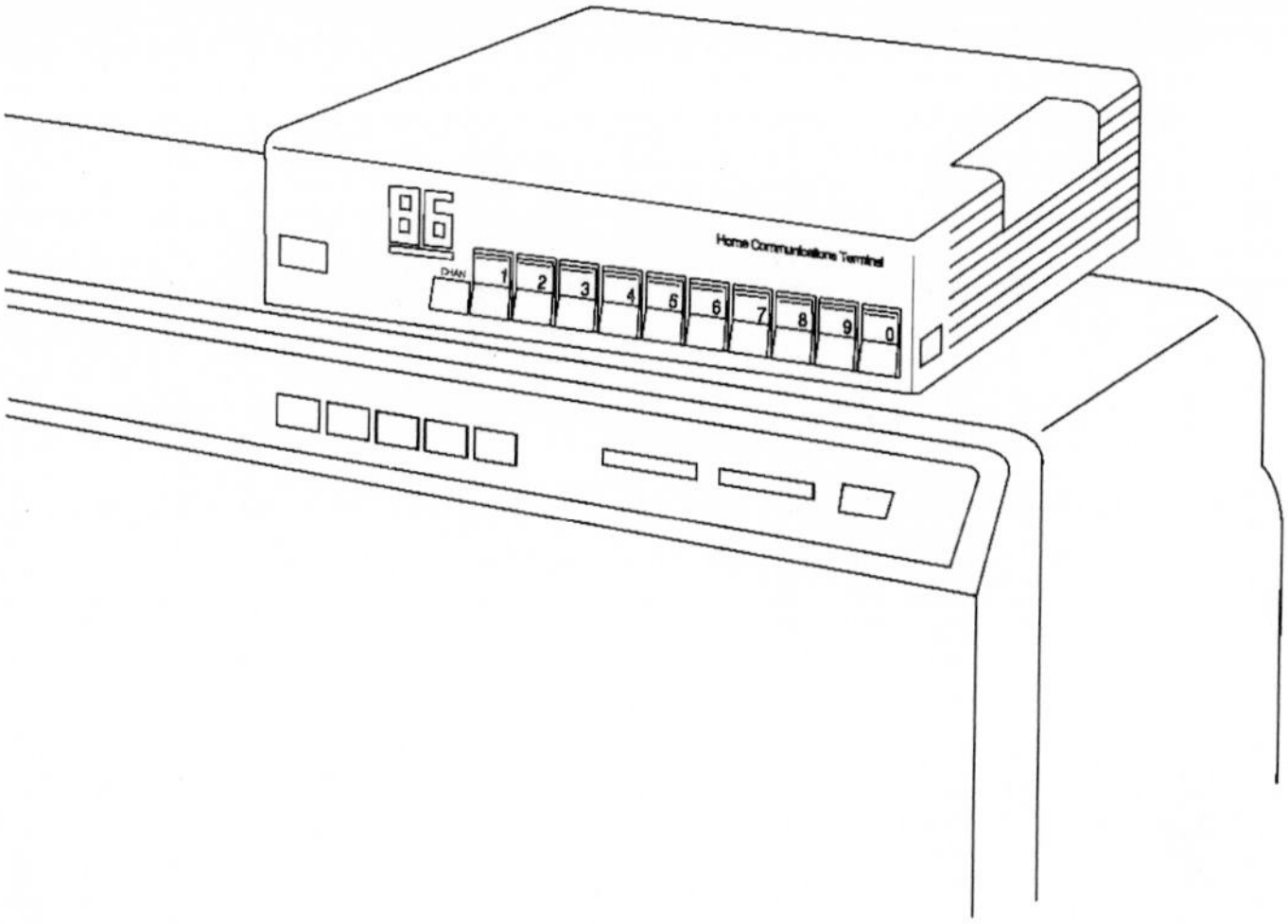

セットトップボックスのプロトタイプ

ウェイに接続される。ただし、この新型セットトップボックスには、きわめて強力な汎用コンピュータが内蔵されている。ボックス自体は、テレビの中でも背面でも上でも、地下室の壁の中でも、なんなら家の外にあってもかまわない。パソコンとセットトップボックスの両者が情報ハイウェイにつながり、ネットワークのサーバーと〝対話〟して、情報やプログラムをとってきたり、加入者の選択を中継したりする。

パソコンとセットトップボックスがどんなに似ていたとしても、パソコンとテレビの使いかたには、やはり決定的違いがある。つまり、画面との距離だ。現在アメリカの全家庭の三分の一に（家庭用ゲーム機をべつにして）パーソナルコンピュータがある。最終的にはほとんどすべての家庭に、情報ハイウェイに直接つながったパソコンが少なくとも一台、置かれるようになるだろう。パーソナルコンピュータは、細かな表示が必要なときや文章をタイプしたいときに使う。パソコンの高解像度モニターは顔から二十〜五十センチ程度の距離にあり、文章や小さい画像にも簡単に目の焦点を合わせることができる。リビングルームの大画面テレビは、キーボードの使用には向かないし、プライバシーも提供しないかわりに、同時に複数の人間が画面をながめるタイプのアプリケーションにとって理想的な機器になる。

セットトップボックスと、パソコンへのインターフェイス装置は、おそろしく古いテレビであれ、どんなパソコンであれ、問題なくハイウェイに接続できるように設計されるはずだ。しかし、よりよい映像を楽しめる新型のテレビやパソコンも登場する。現在のテレビの画質は、雑誌の写真や映画館のスクリーン映像にくらべるとかなりお粗末だ。米国のＴＶ信号は最大４８６本の走査線に対応できるが、大多数のテレビではそのすべては区別できないし、一般的な家庭用ビデオデッキは280本までの解像度でしか録画・再生できない。そのためテレビでは映画のエンドクレジットを読むのがむずかしい。従来のテレビの画面も、大多数の映画館のスクリーンとは縦横比が違う。家庭用テレビの縦横比は3対4だが、大多数の劇場用映画（シネマスコープサイズの場合）はおよそ1対2の縦横比でつくられている。

走査線1000本以上の解像度、9対16の縦横比、より美しいカラーを提供する高品位テレビ（HDTV）システムが登場しつつあるが、日本政府と日本企業の努力にもかかわらず、HDTVの人気には火がついていない。HDTVは放送にも受信にも高額の新しい機材が必要になるからだ。広告主は、それが広告効果を高めると判断しないかぎり、HDTVのためによけいな広告料を支払おうとはしない。しかし情報ハイウェイが普及すれば、HDTVも息を吹き返すかもしれない。ハイウェイなら、さまざまな解像度と縦横比で映像を受信することが可能になる。解像度を調節するという発想は、パーソナルコンピュータのユーザーにはおなじみだろう。モニターとビデオカードの性能に応じて、水平解像度480（VGA）から、600、768、1024、1200……と好きな解像度を選ぶことができる。

TV画面とパソコン画面は、どちらも進歩しつづける。画面の小型化と画質の向上がそのテーマで、大多数はフラットパネルディスプレイになるだろう。新しいタイプのディスプレイのひとつに、デジタルホワイトボードがある。壁掛け式の巨大なスクリーンで、厚さはおそらく二、三センチ。それが現在の黒板やホワイトボードにとってかわるだろう。写真や動画などのビジュアル素材と同時に、テキストなどの細かいディテールも表示することが可能で、その上に絵を描いたりリストをつくったりできる。

ホワイトボードを制御するコンピュータが手書きのリストを認識し、読みやすい書体のリストに変換する。こうした装置はまず最初に会議室で使われはじめ、それから個々のオフィスや家庭にまで広がっていくことになる。

現在の電話は、パソコンやテレビがつながるのとおなじネットワークに接続される。未来の電話には小型のフラットスクリーンと小型カメラが搭載されるだろう。しかし、それをべつにすれば、大なり小なり現在の電話と似た外見になるはずだ。キッチンの電話はカウンターのスペースを占領しないように、やはり壁掛け式のものとなるだろう。電話の近くに腰を下ろし、相手の顔が――あるいは、その人間が生のビデオ映像のかわりに送信してくる保存画像が――映し出されたスクリーンを見ながら話をする。未来のキッチン電話が、リビングルームのセットトップボックスや書斎のコンピュータと技術的におなじようなものだとしても、外見はおそらく電話のかたちをしているはずだ。どの情報家電も、筐体の中身はかなりよく似たコンピュータアーキテクチャを持つだろうが、デザインはそれぞれの機能に合わせて種々さまざまになる。

クルマ社会では、道路を走っているときにも効率的に仕事がこなせる必要がある。二世紀前、旅人はしばしば〝膝机《ラップデスク》〟を携帯していた。ペンとインクをしまうひきだしのついた薄型のマホガニー製木箱で、蝶番でつながれたライティングボードがついている。ボードを折り畳めばそこそこコンパクトなサイズになり、広げると、書き物にじゅうぶんな広さの台になる。実際、独立宣言が書かれたのは、トマス・ジェファーソンのバージニアの家から遠く離れたフィラデルフィアの膝机の上だった。携帯用執筆機具は、現在ではラップトップ（ディスプレイ折り畳み式の小さなパーソナルコンピュータ）へと変化した。わたしを含め、オフィスと自宅の両方で仕事をする人間の中には、ラップトップ（もしくはノートパソコンと呼ばれるもうすこし小型のコンピュータ）をメインマシンに使っている者が少なくない。ノートパソコンは今後もますます薄くなり、やがては便箋ひと綴り程度の厚さになるだろう。現時点では、ノートパソコンがいちばん小さくて携帯性の高いコンピュータだが、まもなく札入れサイズのウォレットPC《パソコン》が登場するだろう。写真サイズのカラースクリーンが搭載されたポケットサイズのコンピュータが、いまの札入れとおなじくらいありふれた存在になり、ポケットからそれをとりだしても、だれも「すごい！　コンピュータ持ってるんだ！」とはいわなくなる。

あなたはいまなにを身につけているだろう？　おそらく、最低でも鍵と身分証明書、現金、それに時計。その他、クレジットカード、小切手帳、トラベラーズチェック、住所録、手帳、ノート、読むもの、カメラ、小型テープレコーダー、携帯電話、ポケットベル、コンサートのチケット、地図、コンパス、計算器、電子入場カード、写真、それに、ひょっとしたら助けを呼ぶための大音量の笛。

それらすべてプラスアルファをひとつに集めて持ち歩けるようにしたもうひとつの情報家電が、ウォレットPCだ。札入れ《ウォレット》とほぼおなじサイズのこのパソコンは、札入れとおなじようにポケットに入れて持ち運ぶことができる。メッセージとスケジュールを表示し、電子メールやファックスを読み書きし、天気予報や株式市場をモニターし、単純なゲームでも高度なゲームでもプレイできる。会議の席ではノートをとり、予定をチェックし、退屈したら情報をブラウズ（閲覧）したり、手軽に子どもの写真を表示して眺めることもできる。

紙の通貨を持ち歩くかわりに、新しいウォレットが偽造不可能なデジタルマネーを保管する。現在では、もしあなたがだれかに一ドル紙幣か、小切手か、商品券か、他の流通性のあるものを手わたせば、紙の移動が資金の移動を意味する。しかし、金銭はかならずしも紙のかたちで表現する必要はない。すでに、クレジットカードによる支払いや銀行振り込みは、デジタルな財務情報の交換を実現している。明日には、だれでもウォレットPCを使って簡単にデジタル資金の支払いや受け取りができるようになる。ウォレットPCが店のコンピュータとリンクして、レジで物理的に紙幣を手渡すことなしに金銭を移動できるようになる。デジタルキャッシュは人間同士の取引にも使用される。息子に小遣いがほしいとせがまれたら、自分のウォレットPCから息子のウォレットPCに五ドル分のデジタルデータをすべりこませればいい。

ウォレットPCがどこでも使われるようになれば、空港ターミナルや劇場などで、身分証明やチケットを見せるために列をつくる必要もなくなる。たとえば空港のゲートをくぐるときは、ウォレットPCが空港のコンピュータと接続し、あなたが切符代を支払っていることを確認する。ドアを通過するための鍵や磁気カードキーもいらなくなる。あなたのウォレットPCが錠を制御しているコンピュータに対してあなたの身元を証明する。

現金やクレジットカードが姿を消しはじめると、犯罪者はウォレットPCに狙いを定めるかもしれない。したがって、盗難クレジットカードとおなじように、ウォレットPCの不正使用を防ぐ安全機構が

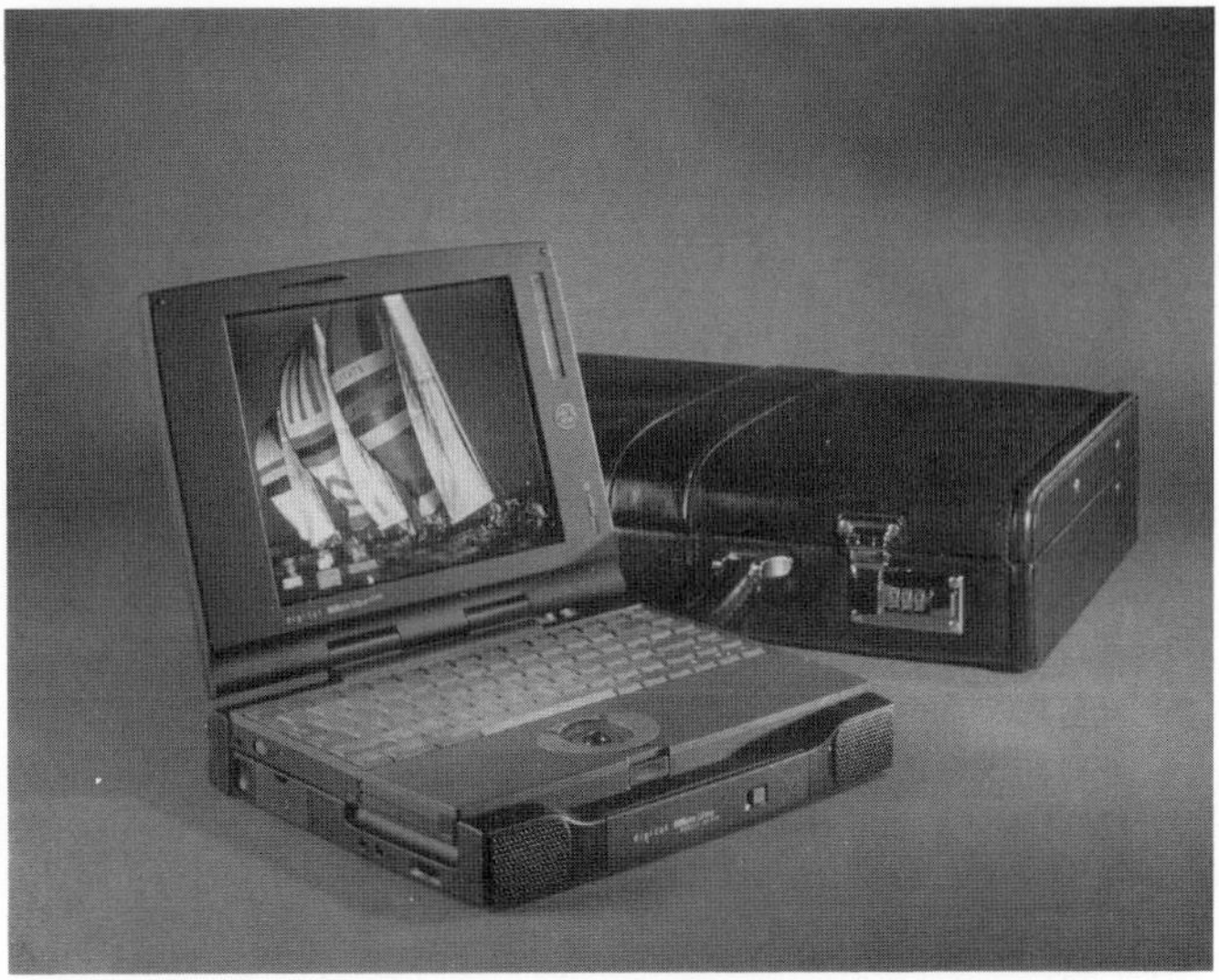

DEC製マルチメディア・ノートパソコン（1995年）

必要になる。ウォレットPCは所有者が身分を証明するのに使う〝キー〟を保管する。自分のキーは簡単に無効にでき、定期的に変更される。それでも、重要な取引の場合は、ウォレットPCにキーを入れておくだけでは不用心だ。解決策のひとつは、パスワードを入力すること。自動出納マシンが個人IDナンバー（非常に短いパスワード）の入力を求める。パスワードの暗記が面倒なら、なんらかの生体測定を利用する手もある。生体測定はパスワードより安全性が高く、将来、ある種のウォレットPCにはほぼまちがいなくそのシステムが組み込まれるだろう。

生体測定セキュリティシステムは、声紋や指紋のような肉体的特徴を記録する。たとえばユーザーが一定以上の金額を移動させようとした場合、ウォレットPCは、ディスプレイ上にランダムに表示した言葉を声に出して読み上げるよう求めるか、親指の腹を装置の側面に押しつけてくださいと指示する。ウォレットはそれが〝聞く〟か〝感じる〟かした入力を、所有者の声または親指のデジタル記録と比較して身元を確認する。

ウォレットPCは、他の適当な機器と組み合わせることで、地球上のどこにいても、その正確な位置を伝えることができる。軌道上のグローバルポジショニングシステム（GPS）衛星は、ジェット旅客機や外洋客船や巡航ミサイルや携帯GPS受信機を持つハイカーが、数十メートルの誤差で正確な位置を知ることを可能にした。GPS受信機はいまでも二、三百ドルで手に入るから、多くのウォレットPCに搭載されることになるだろう。

ウォレットPCは、本物のハイウェイをドライブしているあいだも、情報ハイウェイと接続して現在

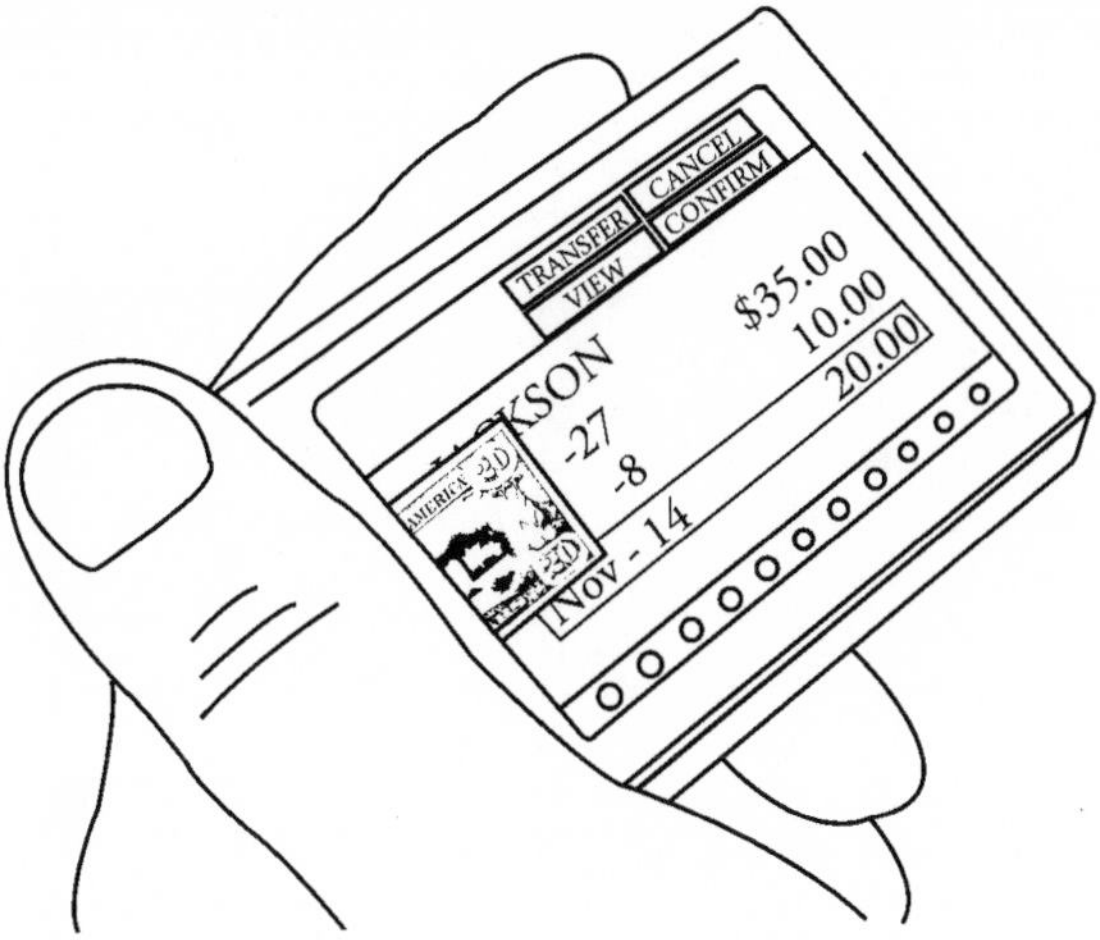

ウォレットパソコンのプロトタイプ

地を教えてくれる。内蔵スピーカーが言葉で方向を指示し、「フリーウェイの出口がもうすぐです」とか「次の交差点は事故多発地点です」などと知らせる。デジタル交通情報をモニターして、空港に向かうなら早めに出発したほうがいいと注意したり、べつのルートを提案したりする。現在地を示すウォレットPCのカラーマップには、なんでも求める情報が表示される——道路状況、気象状況、キャンプ地、観光地、あるいはファーストフード店の所在でも。たとえば、「まだ開いてる中華料理店でいちばん近い店は？」と質問すると、リクエストされた情報が無線ネットワークを通じてウォレットに転送される。道路から離れて森の中を散策するようなときには、ウォレットPCはあなたのコンパスにもなる。まるでスイスアーミーナイフのように重宝な道具だ。

実際わたしは、ウォレットPCを新型のスイスアーミーナイフのようなものとしてイメージしている。子どものころ、わたしもスイスアーミーナイフをひとつ持っていた。刃がふたつだけのいちばんベーシックなタイプでもなければ、工房にふさわしい本格的な器具がついているタイプでもない。白い十字架模様のクラシックなぴかぴか光る赤い柄に、いろんな刃や付属品——ねじまわし、ちっぽけなはさみ、コルク抜き（当時のわたしには使い途のないアクセサリーだった）——がついた、ごくありふれたタイプのもの。ウォレットPCの中には、シンプルかつエレガントなデザインで、基本的な機能だけを提供するものもあるだろう。小型スクリーン、マイク、デジタルマネーで商取引を行なうための安全機構、読書またはごく基本的な情報処理の機能など。またべつのウォレットPCは、ありとあらゆる種類のガジェットを装備する。カメラ、印刷された文字や手書きの文字を読みとるスキャナ、GPS受信装置。

大半の機種には、緊急の救助が必要なときに押すパニックボタンが搭載される。温度計、気圧計、高度計、心拍センサなどを搭載したモデルも登場するだろう。

価格もピンからキリまでとなるが、ウォレットPCの値段は、おおむねいまのカメラとおなじ程度になるはずだ。シンプルな単一用途のデジタル通貨用〝スマートカード〟なら、たぶんいまの使いきりカメラの値段程度。一方、精巧なカメラとおなじように、ハイエンドの多機能ウォレットPCは千ドル以上になるかもしれない。ただしそれは、ほんの十年前の最新鋭コンピュータ以上の性能を持つ。一方、スマートカードはウォレットPCのもっともベーシックなモデルで、見た目はクレジットカードそっくり。マイクロプロセッサがプラスチックの中に埋め込まれているタイプのクレジットカードは、ヨーロッパではすでに使われている。未来のスマートカードは、所有者の身元を確認し、デジタルマネーやチケットや医療記録を保管する。スクリーンもオーディオ機能もなく、高価格ウォレットPCの高機能オプション類はいっさいついていない。しかし旅行に携帯するには便利だし、バックアップ用にも使える。ある種の人々にとっては、それだけでもじゅうぶんかもしれない。

もしウォレットPCを携帯していなくても、情報キオスクに立ち寄れば――ある端末は無料、ある端末は有料で――ハイウェイにアクセスできる。情報キオスクは、ドリンクコーナーや化粧室や公衆電話とおなじような感覚で、オフィスビルやショッピングモールや空港の中に設置されるだろう。実際情報キオスクは公衆電話だけでなく、キャッシュマシンにとってかわるものにもなる。メッセージの送受信、地図の確認、チケット購入など、さまざまなハイウェイアプリケーションを提供するからだ。情報キオスクにアクセスすることは生活の基本となり、いたるところで見かけるようになる。ログインすると、まず最初に特定のサービス広告をディスプレイする情報キオスクもあるだろう——ホテルやレンタカー予約カウンターとホットラインで接続されている空港の電話と似ていなくもない。いまの空港のキャッシュマシンと同様、無骨な機械に見えるかもしれないが、情報キオスクの中身もやはりパーソナルコンピュータだ。

PCがどんなかたちをとろうと、ユーザーはそのアプリケーションを通じてナビゲートできる。見たい番組を選ぶのに使うテレビのリモコンのことを考えてみよう。さらに選択肢が増える未来のシステムでは、使い勝手がもっとよくなっていなければならない。全チャンネルをひとつずつためすという方法では面倒で使いものにならない。何チャンネルなのかを覚えて目当ての番組をさがすのではなく、グラフィカルなメニューからひと目でわかるイメージをポインタで指して番組を選べるようになるだろう。指す必要さえないかもしれない。いずれテレビやパーソナルコンピュータや他の情報家電に話しかけられる日が来る。最初のうちは少数の語彙にかぎられるだろうけれど、最終的にはふつうの会話にかなり近いかたちで話せるようになる。この機能を実現するためには強力なハードとソフトが必要だ。人間が楽々と理解できる会話でも、コンピュータにとってはきわめてハードルが高いものなのだ。音声認識システムは現在でも、あらかじめ定義した少数の命令セット（たとえば「姉に電話しろ」など）に対しては問題なく機能する。不特定のセンテンスを認識させることははるかにむずかしいけれど、今後十年以内にはそれも可能になるだろう。

話しかけたりキーボードにタイプしたりするより、手書きで命令を与えるほうが便利だというユーザーもいるかもしれない。マイクロソフトを含めて多数の会社が、手書き文字を認識できる〝ペン・ベースのコンピュータ〟の開発に数年の歳月を費やしている。わたしは最初のうち、さまざまなタイプの筆跡を認識できるソフトぐらいすぐに開発できるだろうと楽観していた。しかしやがて、問題はきわめて微妙な点にあることがわかってきた。スタッフのあいだでシステムをテストするとうまくいくのに、新しいユーザーは決まってトラブルに直面する。原因を調べてみると、わたしたち関係者は無意識のうちにふだんよりわかりやすい字を書こうとしていたことが明らかになった。機械が人間に合わせるのではなく、人間のほうが機械に合わせていたというお粗末。またあるときは、開発チームが、ちゃんと機能するシステムをついに開発したと自信満々でわたしのところにやってきた。ところがこのデモは無惨な失敗に終わった。プロジェクトのメンバーはたまたま全員右利きで、書き文字の筆づかいを見るようプログラムされていたコンピュータは、左利きのわたしの筆づかいを認識できなかったのだ。コンピュータに手書きの文字を認識させるのは、音声を認識させるのと同程度にむずかしい。しかし、コンピュータの性能が向上すればやがてそれも可能になると、わたしはあいかわらず楽観している。

音声で指示するにしても、書き文字やポインティングデバイスで指示するにしても、ただ観たい映画を一本選ばせる、というだけではなく、もっとさまざまな選択方法が必要になるだろう。ただし、その操作は複雑であってはならない。ユーザーは、混乱したりいらいらしたり時間を無駄にするようなものはけっして使おうとしない。数百という図書館、あらゆるタイプの商品にアクセスできる情報ハイウェイのソフトウェアプラットフォームは、ユーザー自身がなにをさがしているのかはっきりしないような場合にも、簡単に情報をさがせるようにする必要がある。

情報ハイウェイに関してよくいわれる不安のひとつに〝情報過負荷〟がある。光ファイバーケーブルが巨大な配管網となって大量の情報を次々に吐き出すことになる――情報ハイウェイにそんなイメージを抱いている方には、もっともな不安である。

しかし、情報過負荷はハイウェイに特有の現象ではないし、かならずしも問題にはならない。わたしたちはいまでも、情報選択の手助けとして発展してきた広範なインフラストラクチャ（図書館の蔵書目録、映画評、イエローページ、さらには友人の推薦までひっくるめたすべて）に頼ることで、驚くべき量の情報を処理している。情報過負荷が心配なら、読むものをさがすときに自分がどうしているかを考えてみればいい。書店や図書館に行っても、これだけたくさんの本をぜんぶ読めるのかと心配したりはしない。いちいちすべての本の中身を読まずにすませられるのは、自分が興味を持っている情報へと導き、求める本の検索に手を貸してくれる水先案内があるからだ。たとえば街頭のニューススタンドや図書館の十進分類法、地元紙の書評欄……。

情報ハイウェイでは、テクノロジーと編集サービスが融合して、情報検索を支援する数々の手段を提供する。理想のナビゲーションシステムは、無限の情報にアクセスできるパワフルなもので、しかも使い方は簡単そのもの。基本的な機能としては、照会、フィルタ、空間的ナビゲーション、ハイパーリンク、エージェントが考えられる。

これらの検索手段の性質を理解するために、それぞれを譬《たと》えで考えてみよう。あらゆる情報――統計的事実、特ダネのニュース、映画のリスト――が具体的なモノのかたちをとって想像上の倉庫に並んでいるところを想像してほしい。照会は、検索条件に合致するものがないか、倉庫内の全品目をサーチする。フィルタは、倉庫に新しく入ってくるものを逐一チェックして、条件に合うものがないかたしかめる。空間ナビゲーションは、わたしたちが倉庫の中を自由に歩きまわり、置場所を頼りに在庫品を確認できるようにしてくれる。だが、もっとも興味深くいちばん簡単な検索手段は、ハイウェイ上で人間の代理をつとめてくれるパーソナルエージェントだ。実際にはソフトウェアだが、エージェントはユーザーがなんらかの方法で話しかけることができる人格を持つ。エージェントを使うのは、助手を派遣して在庫目録を調査させるようなものだと思えばいい。

各システムは以下のように機能する。〝照会〟は、その名が示すとおり、質問するためのものだ。広範囲にわたる質問をすれば、完全な回答が手に入る。映画の題名は思い出せないけれど、スペンサー・トレーシーとキャサリン・ヘップバーンの主演で、スペンサー・トレーシーがヘップバーンを質問責めにして、ヘップバーンのほうは寒さでぶるぶる震えている場面があったことは覚えている、というような場合、その条件に合った映画をさがしだすための質問を入力する。キーワードは、〝スペンサー・トレーシー〟〝キャサリン・ヘップバーン〟〝寒さ〟〝質問〟。それに答えて、ハイウェイ上のとあるサーバーは、一九五七年製作のロマンティックコメディ『コンピュータとミス・ワトソン』をリストアップする。この映画にはたしかに、真冬のルーフバルコニーでがたがた震えるヘップバーンをトレーシーが質問責めにする場面がある。その場面だけ抜き出して見ることもできるし、最初から通して見ることもできる。脚本を読んだり、この映画についての批評を確認したり、ヘップバーンもしくはトレーシーがこの場面について公けになにか発言していないかチェックしたりするのも思いのまま。非英語圏での公開用に字幕入りもしくは吹き替え版が製作されていれば、海外版を見ることもできる。それがどこの国のサーバーに保管されていようと、瞬間的に届けられる。

照会のシステムでは、「史上はじめての試験管ベビーに関して、全世界に配信された記事をぜんぶ読みたい」とか、「二種類以上のドッグフードの在庫があって、わたしの自宅まで六十分以内に一ケース配達可能な店の一覧」とか、「三カ月以上接触がない親戚は?」などの直接的な照会に対応できるし、もっと複雑な照会も可能だ。たとえば、「ロックビデオを日常的に視聴し、なおかつ国際貿易に関する定期刊行物を購読している人間の人口比率が最も高い大都市は?」とか。照会に回答が返ってくるのにたいして時間はかからない。質問の大半は前例があるもので、あらかじめ回答が保存されている率が高いからだ。

また、〝フィルタ〟を設定することもできる。フィルタの正体は、常設の照会だ。フィルタは一日二十四時間、新しい情報を監視してふるいにかけ、あなたの関心に合致するものだけを残す。地元のサッカーチームの成績とか、ある特定の科学的発見に関するニュースとか、興味を持っている分野についての情報を集めるフィルタをプログラムすることもできる。天気にいちばん関心があるときなら、フィルタはそれをあなた専用の電子新聞のトップに持ってくる。ユーザーの経歴や関心のある分野についての情報をもとに、コンピュータが自動的に生成するフィルタもある。その種のフィルタは、いままでの人生で出会った人物や組織に関連する重要な出来事について、ユーザーの注意を喚起する。わたしの場合なら、たとえば「レイクサイドスクールに隕石落下」のような事件が報じられると、前もって自分でフィルタを設定しておかなくても、コンピュータが自動的に記事を収集してくれる。しごく単純なフィルタを設定しておくこともできる。たとえば、「一九九〇年式ニッサン・マクシマ求む。部品交換用」とか、「前回ワールドカップの資料類を売ってくれる人についての情報希望」とか、「毎週日曜の午後、天候に関係なく自転車でツーリングする相手をさがしている人はいませんか?」とか、これは特定の条件についての現在進行形のリクエストになる。あなたがサーチをキャンセルするまで、フィルタは情報を探索しつづける。日曜のツーリング相手になりそうな人間が見つかった場合、フィルタは自動的に、その人物がネットワーク上で公表している他の情報をチェックする。つまり、「その男はどんなやつなんだ?」という質問——新しい友だちになるかもしれない相手に関して、だれでも真っ先に発する可能性が高い質問——の答えをあらかじめさがしておいてくれるわけだ。

〝空間的ナビゲーション〟は、いまのわたしたちの情報のさがし方をモデルにしたものだ。あるテーマに関する情報をさがしている場合、いちばん一般的なのは、図書館や書店に行って、それに関連する分類セクションをあたることだろう。新聞には、スポーツ面や不動産面、ビジネス面があり、読者は、なにか特定の種類のニュースを求めて、新聞のそのセクションに〝行く〟。新聞では、天気予報は毎日おおむねおなじ場所にある。

空間的ナビゲーション（それを採用しているソフトウェアがすでにいくつかある）は、現実もしくは架空世界の視覚モデルとのやりとりによって、ユーザーを情報のありかに導いてくれる。この種のモデルは地図みたいなものだと思えばいい。あるいは、挿画入りの三次元的な目次をイメージしてもいい。空間的ナビゲーションは、テレビや小型ポータブルパソコン（従来型キーボードがついている可能性は低い）を使う場合、とりわけ重要になってくる。たとえば銀行でお金をおろしたいときには、メインストリートのキャッシュマシンのところへ行き、マウスかリモコンか自分の指を使って、銀行口座からの現金引き出しをポイントする。裁判所をポイントすれば、どんな裁判が進行中で裁判官はだれなのか、これまでの経過はどうなっているか、たちどころにわかる。フェリーターミナルをポイントすれば、時刻表を見て、船が予定通り運行しているかどうかをたしかめられる。ホテルをポイントすれば、そのホテルの現在の予約状況や各フロアの図面が確認できる。そのホテルに情報ハイウェイと接続されたビデオカメラがあれば、ロビーやレストランを自分の目で見て、いまの混み具合までチェックできる。

地図の中にとびこんで、町の通りやビルの各部屋をナビゲートしてもいい。ズームインやズームアウト、よその場所にパンするのも自由自在。たとえば芝刈り機を買う予定があるとしよう。画面には一軒の家の内部が映し出されている。その家の裏口を抜けて外に出ると、いくつかランドマークが見える。そのうちのひとつ、ガレージをクリックすると、芝刈り機をはじめ、いろんな道具が並んでいるのが見える。芝刈り機をクリックすると、さまざまな関連情報——広告、製品レビュー、ユーザーマニュアル、サイバースペース上のショールーム——にアクセスできる。ざっとながめてすぐに芝刈り機を買うこともできるし、各機種のさまざまな情報を好きなだけ比較検討することもできる。ガレージの絵をクリックしてその内部に移動する（ように思える）とき、舞台裏では、ガレージ〝内部〟のオブジェクトに関連する情報が情報ハイウェイの数千マイル彼方のサーバーからとりだされ、あなたの端末の画面に送られてきている。

画面上のあるアイテムをポイントすると、そのアイテムについての情報が呼び出される。これが一種の〝ハイパーリンク〟だ。ハイパーリンクは、ある情報地点から他の情報地点への瞬間的なジャンプを可能にする。SFに登場する宇宙船が、ある空間地点からべつの空間地点へ〝ハイパースペース〟を通じてジャンプするのとおなじことだ。情報ハイウェイのハイパーリンクを使えば、ふと疑問が湧いたり興味を持ったりしたその時点で、質問の答えが得られるようになる。たとえばニュースを見ていて、英国の首相といっしょに歩いている人物の顔に見覚えがなかったとする。この女性はいったいだれだろう？　そこであなたはテレビのリモコンを使って、その女性の映像をポイントする。するとたちまち画面には、その女性の経歴と、最近彼女が登場した他のニュース記事のリストが表示される。リストのどれかをポイントすれば、その記事を読んだり映像を再生したりできる。トピックからトピックへと何回でも好きなだけジャンプして、ビデオ、オーディオ、テキスト情報を全世界から収集できる。

空間的ナビゲーションはツアーにも使える。美術館や画廊で美術品の複製を見たいと思えば、物理的にそこにいるときとおなじように作品のあいだをナビゲートしながら、視覚的に表現された美術館・画廊を〝歩く〟ことができる。絵画や彫刻の詳細な説明は、ハイパーリンクが教えてくれる。人混みにもラッシュにも悩まされることはないし、バカだと思われるんじゃないかという心配抜きでなんでもたずねてみることができる。本物のギャラリーを歩いているときと同様、思いがけない収穫に出会うこともあるだろう。バーチャルギャラリーをナビゲートするのは、本物のアートギャラリーを歩くのとは違う。しかし、ためす価値のある近似物にはなりうる——劇場やスタジアムに足を運ばなくとも、テレビでバレエやバスケットボールの試合を楽しむのとおなじことだ。

おなじ〝美術館〟を訪れている人がほかにもいれば、お好み次第で、彼らの姿を画面に映して話をしてみてもいいし、他人を表示させずにひとりでじっくり楽しんでもいい。バーチャル美術館見学は、共有体験である必要はない。ある場所はサイバースペース社交のためだけに使われる。またべつの場所では、他人の姿はいっさい目に見えない。ある程度まで自分の姿をさらすことが要求される場所もあれば、そうでない場所もある。自分の姿が他のユーザーの目にどんなふうに映るかは、自分の好みとその場所のルールによって決まる。

空間的ナビゲーションを利用する場合、歩きまわる場所が現実の場所である必要はない。想像上の場所を設定しておけば、いつでも好きなときにそこにもどれる。あなた専用の美術館では、壁を動かしたり、新しい展示室を追加したり、絵を並べ替えたりは思いのままだ。たとえば、制作年度にも場所にも関係なく、あらゆる静物画すべてをいっしょに並べてみるのはどうだろう？　自分の美術館でなら、古代ローマ美術室から持ってきたポンペイのフレスコ画のかけらの横に、二〇世紀室に展示されていたピカソのキュビスム絵画を並べることも可能になる。あるいは、ライオンと寄り添うようにして眠る男の絵をなつかしく思い出したのに、作者の名前も、どこで見たのかも覚えていないとしよう。情報ハイウェイを使えば、その情報をさがしに外に出かける必要はない。どんな絵をさがしているのか、条件を設定して照会するだけでいい。その照会がコンピュータや他の情報家電を起動し、蓄積された情報をふるいにかけて、検索条件に合致する情報を届けてくれる。

自分専用の美術館ができたら、友だちをそこに案内することもできる。友人がとなりにすわっていようと世界の反対側で画面をながめていようと関係ない。「ほら、ラファエロとモジリアニのあいだの絵だよ」とあなたは自慢する。「あれはぼくが二歳のときに、絵具を指につけて描いたお気に入りの絵なんだ」

ナビゲーションによる情報検索支援の最後の機能は、〝エージェント〟だ。いろいろな意味で、これがいちばん役に立つだろう。エージェントはフィルタの一種だが、独自の個性を持ち、自ら判断もする。代理人《エージェント》の仕事は依頼主を援助すること——情報化時代にあっては、それはエージェントがユーザーの情報検索に手を貸すことを意味する。

エージェントのさまざまな分野での働きを理解するには、それが現在のパソコンのインターフェイスをどれだけ改善するものかを考えてみればいい。現在のインターフェイスの最先端は、グラフィカルユーザーインターフェイスだ。アップルのマッキントッシュOSやマイクロソフトウィンドウズのようなオペレーティングシステムは、情報をただたんにテキストとして表現するかわりに、画面上にグラフィックで描写する。グラフィカルインターフェイスは、画像を含めた対象物をユーザーがマウスでポイントして、画面上を自由に動かせるようにしてくれる。

　しかし未来のシステムにとっては、グラフィカルインターフェイスでも役不足だ。画面上の選択肢が多くなりすぎると、定期的に使われることがないプログラムや機能がじゃまになってくる。ソフトウェアに習熟した人間にとっては機能が多ければ多いほど便利だが、平均的なユーザーには多機能を快適に使いこなすガイダンスが必要だ。いまのインターフェイスではこのガイダンスが得られない。エージェントはこの欠点を改善する。

　エージェントがユーザーを適切に支援できるのは、コンピュータがユーザーの過去の行動履歴を記憶しているためだ。コンピュータはユーザーの使い方のパターンを見つけ出し、エージェントがより効果的に機能するための助けとする。ソフトウェアの魔術を通じて情報ハイウェイに接続された情報家電は、あなたの操作パターンを学習し、あなたに適宜アドバイスしてくれる（ように見える）。わたしはこれを〝ソフターソフトウェア〟［より柔軟なソフトウェア］と呼んでいる。

　ソフトウェアはハードウェアに無数の機能を実行させる。しかしいったん書き上げられたプログラムは、永遠に変化することがない。それに対してソフターソフトウェアは、使えば使うほど利口になっていくように見える。人間のアシスタントとおなじようにユーザーの要求を学習し、人間のアシスタントとおなじように、ユーザーの性格や仕事について知れば知るほどますます役立つようになる。新しいアシスタントが仕事についた初日に、「この書類を二週間ばかり前に書いた覚書とおなじ書式で整理しておいてくれ」と頼むわけにはいかない。「関係者全員にこれをコピーして送ってくれ」というのも無理な相談だろう。しかし、何カ月あるいは何年かたつにつれて、アシスタントは手順を呑み込んで、どんなやりかたが上司の好みなのかを把握し、しだいにかけがえのない存在になってくる。

現在のコンピュータは、勤務初日のアシスタントのようなものだ。初日のアシスタントに指示するように、まちがえようのない明確な指示を与えてやらなければならない。そして、いつまでも初日のアシスタントのままだ。あなたのもとで働いてきた経験をもとに仕事のやりかたを改善することはない。だからこそマイクロソフトはソフターソフトウェアを完成させるべく開発を進めている。人間だれしも、経験から学ぶことのないアシスタント（この場合はソフトウェア）をいつまでも使いつづけるべきではない。

もしいま、学習能力を持つエージェントを利用できるなら、わたしはそれにいくつかの仕事をまかせてしまうだろう。たとえば、わたしが関係している全プロジェクトのスケジュールを調べて変更をチェックし、注意を払う必要のあるものとないものを区別して提示してくれたら、仕事がとても楽になるだろう。エージェントは、どんな場合に注意を喚起する必要があるのか、その基準を学習する。プロジェクトの規模、他のどんなプロジェクトがそのプロジェクトに依存しているか、遅延の原因とその度合い。二週間程度の遅れなら無視してもいいこともあれば、一週間の遅れが深刻なトラブルを意味し、事態がそれ以上悪くなる前にただちにわたしが介入したほうがいい場合もある。理想的なエージェントは、その違いをきちんと見分けることができなくてはならない。これには時間がかかるだろう。ひとつには、人間のアシスタントと同様、どのていど自主性を発揮するかという判断がむずかしいからだ。あんまりやりすぎるのもよくない。エージェントが利口ぶって先まわりし、頼みもしないおせっかいなサービスを自信たっぷりにやってのけるようになったら、コンピュータを思いのまま操ることに慣れたユーザーには、いらだちの種になるだろう。

エージェントを使うユーザーは、人間のように振る舞うプログラムと対話することになる。このソフトウェア助手を、どこかの名士みたいに振る舞わせることもできるし、アニメのキャラクターさながらに行動するようにもできる。個性を備えたエージェントは、〝ソシアルユーザーインターフェイス〟を提供する。マイクロソフトを含む多数の会社がこの機能を持つエージェントの開発に躍起になっている。ソシアルユーザーインターフェイスはグラフィカルユーザーインターフェイスにとってかわるのではなく、自分で選んだキャラクターに援助させることでインターフェイスを補完する。たとえばあるソフトウェアを使っている場合、ユーザーがよく知っている作業領域にはいったときには、エージェントはどこかに消え失せる。しかし、ユーザーがいきづまったり助けを求めたりしたときにはエージェントがふたたび出現し、操作を助けてくれる。エージェントのことを、ソフトウェアに埋め込まれたアドバイザーと考えるようになるかもしれない。エージェントは、ユーザーが得意なことはどれで、いままでどんなふうにやってきたかを記憶し、問題を予想して解決策を提案しようとする。なにかふつうでないことが起きると、エージェントは注意を喚起する。数分間作業したあと、ファイルに加えた変更をキャンセルしようとした場合、エージェントは、いままでの作業をほんとうに放棄していいのかどうかあなたに確認する。それとおなじことをするソフトウェアはいまでもたくさんある。しかし、二時間にわたって作業したあとで作業結果を消去する命令を出した場合、ソシアルインターフェイスはそれをふつうではないことと認識し、あなたの側のとんでもない操作ミスかもしれないと判断する。エージェントはたとえば、「あなたは二時間にわたってこのファイルで作業してきました。ほんとうに編集結果をキャンセルしていいんですね？　まちがいありませんか？」と念を押す。

ソフターソフトウェアとかソシアルインターフェイスとかの話を聞いて、人間性を与えられたコンピュータなんて気味が悪いと思う人がいるかもしれない。しかしそういう人でも、自分で一度でも使ってみれば気に入ると思う。人間には、動物や無生物を擬人化して考える傾向がある。アニメ映画はこの性質を利用している。『ライオン・キング』のキャラクターデザインはあまりリアルではないし、リアルさをめざしてもいない。幼いシンバと実写フィルムの仔ライオンとの違いはだれにでもわかる。車が故障したりコンピュータがクラッシュしたりすると、わたしたちはそれに向かって叫んだり悪態をついたり、どうしておれをこんな目に遭わせるんだと問いかけたりする。答えが返ってくるわけがないことはもちろんわかっているけれど、それでも無生物に対して、それが自由意志を持つ生き物であるかのように接する傾向がある。大学やソフト会社の研究者たちは、人間のこの傾向を利用して、コンピュータのインターフェイスをもっと効果的なものにする方法を研究している。「マイクロソフト・ボブ」のようなプログラムでは、個性を持つエージェントが相手だと、ユーザーがひどく丁寧になることも実証されている。エージェントの声が男性の声か女性の声かによってユーザーの反応が変化することもわかっている。最近、マイクロソフトでは、被験者にコンピュータを与えてしばらく作業してもらい、そのあとでそのコンピュータの性能を評価させるという実験を実施した。いままで作業していたコンピュータに向かってそのマシンの性能評価を入力させた場合、比較的高い評価が出る傾向があった。しかし、べつのコンピュータを用意して、最初のマシンの性能を尋ねると、今度はかなりきびしい評価になった。最初のコンピュータの〝目の前で〟それを非難することを嫌うというこの傾向は、ただのマシンだとわかっているにもかかわらず、相手を傷つけたくないと無意識に考えていることを示すものだ。ソシアルインターフェイスはすべてのユーザー、すべての状況に適したものではないかもしれないが、コンピュータを〝人間化〟するその性質のおかげで、将来はあちこちでソシアルインターフェイスを目にすることになるだろうとわたしは思っている。

これまで見てきたとおり、ハイウェイ上でどんなナビゲーションが実現するかについては、かなり具体的なビジョンがある。それにくらべて、どんな情報をナビゲートするかという展望についてはまだ漠然としている。しかし、いくつか可能性の高い予測は可能だ。ハイウェイ上で利用できるアプリケーションの多数が、純粋に娯楽のためのものになるだろう。単純な例では、よその町に住んでいる親友たちと集まってブリッジやボードゲームで遊ぶ。スポーツイベントのテレビ中継は、視聴者が自由にカメラアングルを変えたり、決定的な場面をリプレイしたりはもちろん、自分用の解説者を用意することも可能になる。好きなときに好きな場所で好きな曲を、世界最大のレコード店である情報ハイウェイからとりだして流すことができる。即興でつくった短い曲をマイクに向かってちょっとハミングして、それをオーケストラが演奏したらどうなるか、ロックグループだったらどうか、再生して聞いてみることもできる。ヴィヴィアン・リーやクラーク・ゲーブルのかわりに自分の顔と声を入れた『風と共に去りぬ』を観たり、自分の身体に（あるいは、こんなだったらいいのに、と思う身体に）ぴったりフィットする最新のパリコレクションに身を包んでファッションショーのステージに上がったりすることもできる。

好奇心の強いユーザーは、おびただしい情報に圧倒されて夢うつつになってしまうかもしれない。機械式の時計が動く仕組みを知りたい？　どんな角度からでも時計の内部をのぞくことができるし、質問することもできる。バーチャルリアリティ・アプリケーションを利用して時計の内部を這いまわることさえ可能になるかもしれない。情報ハイウェイがホームコンピュータに送り届けるリアルなシミュレーションを利用すれば、心臓外科医の役をつとめるのも、大人気のロックコンサートでドラムをたたくのも自由自在。ハイウェイが提供する選択肢のいくつかは、現在のソフトウェアの機能を拡張したものになるだろう。しかし、グラフィックとアニメーションの機能ははるかに向上しているはずだ。

他のアプリケーションは、純粋に実用的なものになる。たとえば休暇旅行中には、家庭管理アプリケーションが暖房を切り、郵便物は局留めにするよう郵便局に届けを出し、新聞販売店には紙の新聞の配達を止めるよう通知し、外から留守だとさとられないために夜は室内の電気をつけ、月々の請求書の支払いを自動的に代行する。

深刻な問題に役立つアプリケーションも考えられる。わたしの父親が、ある週末に手の指を骨折したことがある。あわてて最寄りの救急病院へ駆け込んだが、たまたまそこはシアトルの小児病院で、患者が成人であるという理由で病院側はいっさい診療してくれなかった。もしそのとき情報ハイウェイがあれば、その病院を訪ねても無駄ですよと告げて、父親の手間をいくらか省くことができただろう。ハイウェイに接続されたアプリケーションが、その時点で診療を受けられる最寄りの救急病院のうち最適な病院を教えてくれたはずだ。

もしいまから数年後に父親がまた指を骨折することがあれば、今度は情報ハイウェイ・アプリケーションを使って適当な病院を見つけ出すだけでなく、病院に向かう車の中で入院手続きを電子的に完了し、昔ながらの書類仕事にわずらわされずにすむかもしれない。病院のコンピュータが負傷についての情報をもとに担当医を選び出し、医師は情報ハイウェイ上のサーバーから父親の医療記録を呼び出す。レントゲン写真の撮影が必要だということになれば、撮影されたレントゲン写真はデジタル化されてサーバーに保存される。おなじ病院内のほかの医師たちはもちろん、世界中の資格を持つ医師や専門家が、いつでもその写真を呼び出して、父親の骨折の具合について評価できるようになる。レントゲン写真についてのコメントは、音声でもテキストでも、すべて親父の医療記録にリンクされる。親父が退院したら、自宅から自分の医療記録を呼び出して、レントゲン写真をながめたり、医師たちのコメントを聞いたりできる。家族といっしょに写真を見物してもいい。「まったくじつにみごとな骨折じゃないか。医者がなんといったか、みんなよく聞くんだぞ」

ピザのメニューのチェックから、医療記録の共有にいたるまで、この種のアプリケーションはパーソナルコンピュータの世界ですでに使われはじめている。インタラクティブな情報共有は、急速に日常生活の一部になろうとしている。しかしそれが全面的に現実になるためには、ハイウェイというパズルの各コマが正しい場所におさまる必要がある。

第五章

ハイウェイへの道

　前章で見てきたようなアプリケーションと情報家電《インフォメーション・アプライアンス》の恩恵にあずかるためには、なによりまず情報ハイウェイそのものが必要となる。じつのところ、情報ハイウェイはまだ存在していない。長距離電話ネットワークからインターネットまで、なんでもかんでも〝情報スーパーハイウェイ〟だと聞かされてきた読者にとっては、これはちょっとした驚きかもしれない。しかし実際には、家庭で完全に情報ハイウェイが利用できるようになるまでに、少なくともあと十年はかかるはずだ。

　パーソナルコンピュータ、マルチメディアCD－ROMソフトウェア、大容量ケーブルTVネットワーク、有線・無線電話ネットワーク、インターネット……、これらはすべて、情報ハイウェイの重要な先駆であり、それぞれが未来を示している。しかしどれひとつとして、現実の情報ハイウェイではない。

　ハイウェイ建設は大仕事になる。光ファイバーケーブルや高速のルーター、サーバーなどの物理的インフラストラクチャだけでなく、ソフトウェアのプラットフォームの発達も必要だ。第三章ではパソコンを生んだハードウェアとソフトウェアの進歩について見てきたけれど、第四章で書いたような情報ハイウェイのためのアプリケーションもやはり、あるプラットフォーム――パソコンとインターネットから進化したプラットフォーム――の上に築かれなければならない。八〇年代のパソコン業界で起きたのとおなじ競争が、いま、情報ハイウェイのプラットフォームを構成する部品をめぐって起こりつつある。ハイウェイを走るソフトウェアは、ナビゲーションとセキュリティ、電子メールと電子掲示板機能、競合するソフトウェアコンポーネントへの接続、そして料金徴収と会計サービスを提供しなければならない。

ハイウェイ用コンポーネントのプロバイダ（提供者）は、ツールやユーザーインターフェイスの基準を定めることになる。それによってソフトハウスがアプリケーションを開発したり、書式を定めたり、システム上で情報データベースを扱ったりするのが楽になる。複数のアプリケーションが協同して連続的に機能するためには、ユーザーの設定情報《プロファイル》が、あるアプリケーションからべつのアプリケーションにわたされる必要がある。そのためには、プラットフォームの側でユーザープロファイルの標準規格を定義してやらなければならない。そうやって情報を共有することにより、複数のアプリケーションがユーザーの利益のために最大限の力を発揮できるようになる。

マイクロソフトを含めて、ハイウェイ用にソフトウェアを供給することで収益の高いビジネスを展開しようとしている多くの会社が、いま、このプラットフォームのコンポーネントを他社に先駆けて開発しようとしのぎを削っている。こうしたコンポーネントは、情報ハイウェイ用アプリケーションを構築するための土台になる。もちろん、ハイウェイ用ソフトのプロバイダとして成功をおさめる会社は一社だけではないだろうし、各社のハイウェイ用ソフトは相互接続されることになるだろう。

ハイウェイのプラットフォームはさらに、サーバーやすべての情報家電を含めた、さまざまなコンピュータをサポートする必要もある。プラットフォームを構成するソフトウェアは、ケーブル会社や電話会社、他のネットワークプロバイダ向けに売られることになるだろうが、どのソフトウェアが成功するかを最終的に決定するのは消費者だ。ネットワークプロバイダ各社は、消費者に最良のアプリケーションと広範囲の情報を提供するソフトウェアに食指を伸ばす。だから、プラットフォームのソフトウェアを開発する会社は、まず、アプリケーション開発者と情報プロバイダのハートをつかむ必要がある。アプリケーションと情報の質が、すべての価値をつくりだすからだ。

アプリケーションが進歩するにつれて、潜在的投資家たちの目にも情報ハイウェイの魅力がわかってくる——ハイウェイ建設に必要な資金の総額を考えると、ここが決定的に重要なステップになるだろう。現時点での見積もりでは、アメリカで一世帯に情報家電を一台（TV一台とかパソコン一台とか）設置するコストは約千二百ドルだ（アーキテクチャと機器の選択によって、プラスマイナス二百ドルの差が出る）。ここには、各地域に光ファイバー網を張り巡らし、サーバー、ルーター、電子機器を設置するコストも含まれている。ごくおおざっぱにアメリカ国内の全世帯数を一億とすれば、これはアメリカ一国だけで千二百億ドルの投資が必要になることを意味している。

このテクノロジーがほんとうに役立つものかどうか、消費者が新しいアプリケーションにこころよく支払うかどうか、それがはっきりしないうちは、そんな大金を負担しようと思う者はいないだろう。ビデオ・オン・デマンドを含めたTVサービスの料金だけでは、ハイウェイの建設費用はまかないきれない。投資家に建設費用を負担する気にさせるには、この新サービスが現在のケーブルTVの収益に匹敵する儲けを生むという裏付けが必要となる。経済的見返りが明確でなければ投資は集まらず、ハイウェイ建設は遅れることになる。それはそれでしかたのないことだ。民間企業が投資の回収の見込みがあると判断しないうちから、ハイウェイ建設を強行するのはばかげている。ただわたしの考えでは、革新的な企業が新しいアイデアを実現していけば、いずれ投資家も自信を持って投資できるようになるはずだ。投資家が新しいアプリケーションとサービスの価値を理解し、投下資本を回収する見込みが出てくれば、さほど問題なく資金は集まるだろう。わたしたちがいまあたりまえのように使っている既成のインフラにくらべて、情報ハイウェイにとくに大きなコストがかかるわけではない。道路や上下水道、各家庭に引かれた電線も、それぞれ同程度のコストがかかっている。

この点はわたしは楽観している。ここ二、三年のインターネットの急成長は、ハイウェイアプリケーションがあっというまに一般的なものとなり、大きな資本投下に見合う利益を上げるだろうということを証明している。〝インターネット〟という言葉は、標準的な〝手順《プロトコル》〟を用いて情報を交換する、相互接続された一群のコンピュータを意味している。そこからハイウェイまではまだまだ長い道のりだが、いまのところインターネットはハイウェイにもっとも近い存在であり、やがてはそれがハイウェイに進化するだろう。

インターネットの爆発的普及は、一九八一年のＩＢＭ－ＰＣの登場以降、コンピューティングの世界におけるもっとも重要な出来事だといっていい。インターネットはいろいろな意味でＩＢＭ－ＰＣと似ている。ＩＢＭ－ＰＣは完璧ではなかった。さまざまな面で必然性を欠き、性能は貧弱でさえあった。

にもかかわらずＩＢＭ―ＰＣは一般的なものとなり、アプリケーション開発の標準ハードウェアにまで成長した。ＰＣ標準《スタンダード》と戦った会社には、挑戦するにたるきちんとした裏づけがある場合も多かった。しかし、その努力が報われることはついになかった。他の多くの企業がＩＢＭ―ＰＣを標準として開発を進めていたからだ。

現在のインターネットは、ユーザーが加入するオンライン情報サービスを含め、相互接続する商用・非商用コンピュータネットワークのゆるやかな集合体から構成されている。サーバーは全世界に広がり、大小さまざまな太さのパイプでインターネットにつながっている。大多数の消費者はパーソナルコンピュータを使い、帯域幅の狭い（つまり、一秒あたりに運べるビット数の小さい）電話回線を通じてシステムに接続している。電話回線とパソコンは〝モデム〟（モジュレーター―デモジュレータの略）によって接続される。モデムは0と1をべつべつのトーンに変換することで、コンピュータ同士が電話回線経由で接続することを可能にする。ＩＢＭ―ＰＣの初期には、データを３００または１２００ビット／秒（ｂｐｓ）で転送するのが標準的だった。電話回線を使ってこの速度で転送されるデータの大部分はテキストだった。一秒間に転送できる情報量がこの程度では、画像の送信には時間がかかりすぎて実用に耐えないからだ。しかし、年を追うごとに速いモデムが手ごろな値段で手に入るようになり、いまではるかに高速になっている。現在パソコン用に使われている新しいモデムの多くは、１４４００（１４・４Ｋ）または２８８００（２８・８Ｋ）ビット／秒でデータを送受信できる。とはいえ、実用的観点からいえば、これでもまだ帯域幅が不足している。一ページのテキストなら一秒で送信できるが、フルカラー・フルスクリーンの写真となると、たとえ圧縮してあっても送信には十秒かかる。スライドに加工できるレベルの解像度を持つカラー写真を送ろうと思えば、数分間かかるだろう。ましてビデオ映像になると、送信に時間がかかりすぎてとても実用にならない。

インターネット上では、すでに、だれもがどんな相手にでも――ビジネス、教育、あるいはたんなる楽しみのために――メッセージを送ることができる。外出できない寝たきりの病人でも、ネット上で友人たちと活発な会話を交わせる。面と向かって話をするのが苦手な人間でも、ネットワーク経由で人間関係の絆を深められる。情報ハイウェイはそこに映像を加えることになる。ただしそのとき、文字による情報交換が許容していた幸福な盲目性――所属する社会、人種、性別の違いは、文字のみのコミュニケーションでは問題にならなかった――にはピリオドが打たれることになる。

インターネットや電話回線を使った他の情報サービスは、情報ハイウェイが将来どんな役割を果たすことになるか、ある程度のヒントを与えてくれる。たとえばいま、インターネットを使ってわたしがあなたにメッセージを送るとする。メッセージはわたしのコンピュータからわたしの〝メールボックス〟があるサーバーへと電話回線経由で送られ、そこから直接または間接に、あなたのメールボックスがあるサーバーへとわたされる。あなたが電話回線もしくは会社のコンピュータネットワークを使って自分のサーバーに接続すれば、わたしのメッセージを含め、メールボックスの中身を読み出す（〝ダウンロード〟する）ことができる。これが電子メールの仕組みだ。メッセージを一度タイプするだけで二十五人の相手に同時に送信できるし、〝電子掲示板〟と呼ばれるものに投稿《ポスト》することもできる。

電子掲示板は、その名が示すとおり、だれにでも読めるようにメッセージが掲示されている場所だ。どのメッセージに対しても不特定の人々が返事を書くことができるため、公開の場で交わされる多人数の会話のようなものになる。この種の意見交換は、ふつう非同期コミュニケーションになる。電子掲示板は、特定の話題や関心を共有するグループ内で利用されることが多い。あるグループに向けて意見を発表するには有効な手段だ。商用オンライン情報サービスは、パイロット用、ジャーナリスト用、教師用、あるいはもっと小さなコミュニティ用に、電子掲示板を提供する。インターネットには〝ユースネット・ニューズグループ〟と呼ばれる電子掲示板があり、カフェインとかロナルド・レーガンとかネクタイとかのごくせまいトピックを専門的に扱う数千のコミュニティに分かれている。ユーザーは、あるトピックに関するすべてのメッセージを一括してダウンロードすることもできるし、なんらかの検索条件に基づいて――最近のメッセージだけというのでもいいし、特定のだれかの全メッセージとか、あるメッセージに対する返信すべてとか、あるいは題名に特定の単語が含まれるメッセージすべてという選択も可能――ダウンロードしてもいい。

電子メールとファイル交換にくわえて、インターネットは、いまやもっとも普及したアプリケーションのひとつでもある〝ウェブ・ブラウジング〟をサポートしている。〝ワールド・ワイド・ウェブ〟(ウェブまたはWWWと略称する)は、グラフィカルな情報ページを提供する、インターネットに接続されたサーバー群の総称だ。WWWサーバーのどれかに接続すると、一画面分の情報がコンピュータのディスプレイにあらわれる。そこにはいくつものハイパーリンクが埋め込まれていて、マウスでハイパーリ

P. Steiner
"On the Internet, nobody knows you're a dog."

「インターネットじゃ、きみが犬だなんてだれにもわかりゃしないさ」

ンクをクリックすれば、新たな情報とハイパーリンクを含むべつのページへと導かれる。この第二のページは、おなじサーバーにある場合もあれば、インターネット上のどこかべつのサーバーにある場合もある。

企業もしくは個人のWWWページの中でいちばん最初に表示されるメインのページは、〝ホーム〟ページと呼ばれる。ホームページをつくってそのアドレス（URL）を登録すると、インターネットのユーザーならだれでもそのアドレスをタイプすることでそのページにジャンプできる。最近、広告の世界では、広告主の住所といっしょにホームページのアドレスが掲載されることも多い。WWWサーバーを設定するためのソフトウェアはきわめて安価で、ほとんどあらゆる機種のコンピュータで利用できる。WWWをブラウズ（閲覧）するためのソフトウェアも事実上すべてのマシンで使えるし、ふつう無料で入手できる。将来的には、オペレーティングシステムの中にワールド・ワイド・ウェブをブラウズする機能が統合されるだろう。

企業や個人がインターネット上で情報を簡単に出版できるようになったことで、〝出版〟という言葉の意味そのものが変わりつつある。コンテンツを出版する場所としてほとんど独力で発展してきたインターネットには、すでにポジティブフィードバックの恩恵を受けるにじゅうぶんな数のユーザーがいる。加入者の数が増えれば増えるほどコンテンツが多くなり、コンテンツが多くなればなるほど加入者が増えるというわけだ。

さまざまな要素が重なりあって、インターネットはこのようなユニークな地位を獲得した。インター

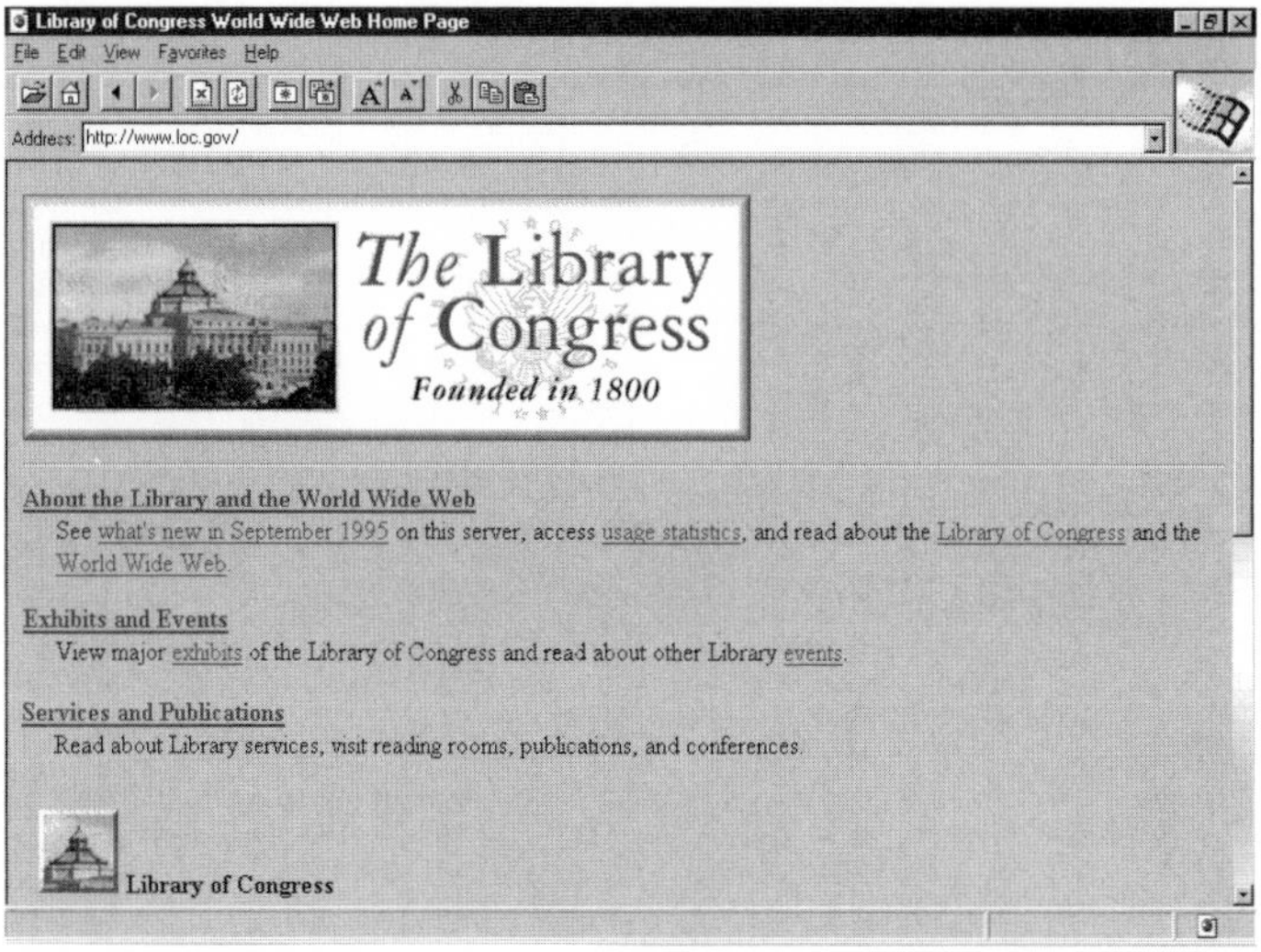

アメリカ議会図書館のWWWホームページから（1995年）

ネットの転送レベルを定義するTCP/IPプロトコルは、分散コンピューティングを容易にし、ネットワークが急速に広がる要因となった。WWWブラウジングを定義するプロトコルはきわめて単純だから、サーバーは膨大な量の通信でもまずまずうまく扱うことができる。インタラクティブな書籍やハイパーリンク(何十年も前に、テッド・ネルソンをはじめとするパイオニアたちによって考案された)が、いまやワールド・ワイド・ウェブ上で現実のものとなりつつある。

現在のインターネットは、わたしが想像する未来の情報ハイウェイとは別物だけれど、これをハイウェイのはじまりと考えることはできる。オレゴン山道の譬《たと》えで考えてみよう。一八四一年から一八六〇年代はじめにかけて、三十万人以上の向こう見ずな人々が大馬車隊を組み、ミズーリ州インディペンデンスから荒野を越えて二千マイルの危険な旅に出発し、オレゴン準州やカリフォルニアの金鉱をめざした。推定でおよそ二万人が襲撃やコレラや飢餓や日射病の犠牲となった。このルートがオレゴン山道と呼ばれている。現在のハイウェイの出発点は、このオレゴン山道だといっていいだろう。オレゴン山道はいくつもの州境を(当時でいえば準州の境を)越え、馬車に乗った旅人に双方向の交通路を提供した。州間高速《インターステート》84号線をはじめとする現代のハイウェイのいくつかは、かなりの距離にわたってオレゴン山道の道筋と重なっている。しかし、オレゴン山道のエピソードを、現代のハイウェイにそのままあてはめるわけにはいかない。コレラや飢餓はインターステート84では問題にならないし、渋滞や酔っぱらい運転は馬車隊にとっての障害ではなかった。

インターネットがたどってきた道のりが、情報ハイウェイにとっての指針となるのはまちがいない。

インターネットはきわめて重要なすばらしい進歩であり、最終的に実現するだろうシステムの直接の先駆だ。しかしそのインターネット自体も、これからの数年で大きく変化するだろう。現在のインターネットは機密保持と料金徴収のシステムを持たない。オレゴン山道の馬車隊と開拓者の物語がいまのわたしたちにとって奇異に思えるのとおなじように、インターネット文化の多くは未来の情報ハイウェイユーザーの目からは風変わりに映るだろう。

実際、今日のインターネットは少し前のインターネットとはまるで別物になっている。進化の速度がはやすぎて、一年前、あるいは六カ月前の説明さえ時代遅れで役に立たない場合もあり、それが混乱に拍車をかけている。これほどダイナミックに動いているものを追いかけるのは容易なことではない。マイクロソフトを含めた多数の会社が、インターネットを拡張しその限界を克服するためのスタンダードを定義すべく、共同戦線を張っている。

インターネットはコミュニケーションの道具としてではなく、コンピュータサイエンスのプロジェクトとして出発したため、むかしからずっとハッカーたち――他人のコンピュータシステムに侵入することで、その才能をいたずらや悪意に費やすプログラマー――を引き寄せてきた。

一九八八年十一月二日、インターネットに接続された数千台のコンピュータがスローダウンしはじめ、やがて一時停止状態に追い込まれた。破壊されたデータはなかったものの、システム管理者たちがマシンのコントロールをとりもどそうと奮闘する過程で、数百万ドル分のコンピュータ利用時間が失われた。このニュースが大々的に報じられたとき、インターネットという名前をはじめて耳にした人が多かったかもしれない。事件の原因は、〝ワーム〟とよばれるいたずら好きなコンピュータプログラムだと判明した。ワームは一台のコンピュータからべつのコンピュータへとネットワークを通じて広がり、その過程で自分自身を複製する（ウイルスではなくワームと呼ばれるのは、他のプログラムに感染しないため）。このワームはシステムソフトウェアの知られざる〝抜け道《バックドア》〟を利用して、攻撃目標のコンピュータのメモリに直接アクセスする。それからメモリ空間に身を隠し、誤った情報を流すことで、検出や対処を困難にしていた。数日後、ニューヨークタイムズ紙がハッカーの正体をつきとめた。犯人はコーネル大学の大学院生で、当時二十三歳のロバート・モリス・ジュニア。のちにモリスが証言したところでは、このワームを作ったのは、それがどのくらいのコンピュータに広がるのかをたしかめるためだったが、プログラミングのミスによりワームの自己複製速度が予想以上に高速になってしまったのだという。モリスは一九八六年に成立したコンピュータ犯罪および濫用法に背いたとして連邦法違反で有罪となり、保護観察三年と罰金一万ドル、公共奉仕四百時間をいいわたされた。

以後もときおりシステムダウンやセキュリティ上の問題が生じたものの、それほど頻繁ではなかったし、数百万の人間にとってインターネットはまずまず信頼できる通信手段となった。インターネットは、サーバー間のワールドワイドな接続を提供し、電子メールや電子掲示板などの情報交換を容易にする。交換される情報は、数十文字の短いメッセージから、数百万バイトの写真転送、ソフトウェアその他のデータまで、多岐にわたる。一マイル先にあるサーバーからデータをとりよせるのも、数千マイル向こうのサーバーからデータをとりよせるのも、コストはまったく変わらない。

インターネットの料金モデルは、時間と距離に応じて料金を支払うという従来の通信料金の概念を変えてしまった。コンピュータの世界でも、かつてそれとおなじことが起きた。昔は大型コンピュータを買う金銭的余裕がないかぎり、一時間いくらの料金を払ってコンピュータの時間を買うしかなかった。パーソナルコンピュータがその状況を一変させた。

インターネットはごく低料金で利用できるため、政府の資金援助を受けていると勘違いされることが多いが、実際はそうではない。たしかに、一九六〇年代の政府プロジェクトから派生したネットワークではあることは事実だ。当時アーパネット（ARPANET）と呼ばれていたこのネットワークは、もともとコンピュータサイエンスとエンジニアリングのプロジェクト専用のネットとして使われていた。アーパネットは広範囲に散らばるプロジェクト参加者相互を接続する重要な通信経路となったが、外部の人間にはまったくといっていいほど知られていなかった。

一九八九年、アメリカ政府はアーパネットに対する資金提供の中止を決定し、アーパネットの後継でその商用版にあたるネットワークが計画されて、それが〝インターネット〟と呼ばれることになった。この名前は、その基盤となるコミュニケーション・プロトコルの名に由来している。商用サービスがはじまったのちも、インターネットのユーザーの大半は大学の研究者とコンピュータ業界各社にかぎられ、もっぱら電子メールのやりとりのために使われていた。

疑いたくなるほど安く設定されている料金体系は、インターネットのもっとも興味深い側面のひとつだといっていい。いまあなたが受話器をとって電話をかけたとすると、その料金は利用時間と距離に基づいて徴収される。遠隔地のどこか一カ所と大量の情報をやりとりする企業は、専用線（二点間の通話のみに用いられる特殊目的の電話線）を引くことによってこの料金を払わずにすませている。専用線についてはトラフィック料金（使用量に基づいて徴収される料金）は存在しない。利用の程度にかかわらず、毎月一定金額が徴収される。

インターネットの基盤は、データ切替装置《スイッチング・システム》［データを目的の送信先へと転送するシステム。一般に「ルーター」と呼ばれる］で接続された専用線の束によって構成されている。アメリカ国内の長距離インターネット接続は、遠距離通信業者から専用線を借り受けている五つの会社が提供している。AT&Tの分割以降、専用線料金は価格競争が激しくなった。インターネットの通信量がきわめて大きいため、この五社はきわめて低い料金でサービスを提供することが可能になる――つまり、巨大な帯域幅を持つ回線をじつに安価に提供できる。

〝帯域幅〟という用語についてはもう少しくわしく説明しておくべきだろう。前述のとおり、帯域幅は、接続された機器に回線が情報を搬送するときの速度を意味している。帯域幅は、ひとつには、情報の送受信に使われるテクノロジーに依存する。電話ネットワークは、狭い帯域幅のプライベートな双方向接続用に設計されている。電話は電流の変動――声の振動の類似物――によって電話会社の装置とコミュニケートするアナログ機器だ。アナログ信号が長距離電話会社によってデジタル化されると、その結果生じたデジタル信号は、一秒あたりおよそ６４０００ビットの情報を持っている。

ケーブルＴＶ放送に使われている同軸ケーブルは、もっと高い周波数の信号を搬送できるため、通常の電話回線よりはるかに広い帯域幅を持つ。しかし、現在のケーブルTVシステムは、デジタルデータを転送していない。ケーブルTVはアナログ技術を使って、三十から七十五のビデオチャンネルを送信している。同軸ケーブルは、毎秒数億から十億ビットのデータを楽々と運ぶことができるが、そのためにはまず、デジタル情報送信を可能にする新しい切替装置を追加する必要がある。長距離光ファイバーケーブルは、あるリピーター（増幅器のようなもの）からべつのリピーターへ毎秒十七億ビットの情報を運ぶことが可能で、電話の会話に換算すれば、同時に二万五千通話ができるだけの帯域幅を持っている。この通話の数は、単語と単語、文と文のあいだの沈黙などの冗長な情報を除去し、各通話のビット数を減らして圧縮すれば、さらに大幅に増やすことができる。

大多数の企業は、インターネットに接続された特殊な電話線を使用している。T―1と呼ばれるこの回線は百五十万ビット／秒のデータ転送が可能で、帯域幅はかなり大きい。加入者は地元の電話会社にT―1回線の月々の使用料を払い（T―1がその会社のデータを最寄りのインターネット接続ポイントまで運ぶ）、インターネットへの接続サービスを提供する会社に年間約二万ドルの固定料金を支払う。回線容量に基づく（あるいは〝オン・ランプ〟の）この年間使用料が、その会社のインターネット使用料すべてをカバーする。四六時中インターネットを使っていても、一年間一度も使っていなくても料金は変わらない。インターネットの通信距離がほんの数マイルでも、地球の反対側までのびていても変わらない。そしてこの支払い総額が、インターネットというネットワーク全体の維持費にあてられる。

このシステムがうまく機能するのは、コストが回線容量に対する支払いに基づいていて、料金体系が単純にそれに従っているからだ。もし回線業者が使用時間と距離に基づいて課金するとすれば、それを記録し料金を計算するために、技術的にも時間的にも大変な労力が必要になる。そんなことをしなくても利益を上げられるというのに、わざわざ無駄な労力を払う必要があるだろうか？　この料金体系では、いったんインターネット接続をすませたら、いくら使っても追加料金はいっさい請求されない。このシステムがさらに利用を促進する。個人ユーザーの多くはT—1回線を自宅に引くだけの経済的余裕がない。そのかわり、インターネットに接続するため、地元のサービスプロバイダと契約する。そのプロバイダは、年間二万ドルを払ってT—1もしくは他の高速回線でインターネットと接続している。個人ユーザーは一般の電話回線を使って地元のサービスプロバイダに電話をかけ、インターネットに接続する。一般的な使用料は月額二十ドル程度。それに月あたり二十時間（平日昼間）までの使用権がついてくるのがふつうだ。

インターネットへのアクセス提供は、これからの二、三年でさらに競争が激しくなってくるだろう。全世界の大手電話会社がこのビジネスに参入してくる。料金は劇的に下がるはずだ。コンピュサーブやアメリカオンラインなどオンライン情報サービス会社は、料金の一部としてインターネットアクセスを組み込むようになる。これからの二、三年で、インターネットはさらに使い勝手が向上するだろう。簡単なアクセス、接続ポイントの広がり、一貫したユーザーインターフェイス、やさしいナビゲーション、他の商用オンライン情報サービスとの統合が可能になる。

インターネットがまだ解決していない技術的な難題のひとつは、〝リアルタイム〟のコンテンツ——

具体的には音声と映像――をどう扱うかだ。インターネットの基盤となっている通信テクノロジーは、データがある場所からべつの場所に移動するさいの転送レートがつねに一定であることを保証してはくれない。データが転送される速度はネットワークの混み具合で決まる。巧妙な方法を使って高品質の双方向音声映像送信が可能になってはいるが、完全なクォリティで音声と映像をサポートするにはネットワークの大きな変革が必要になる。おそらくあと数年間は実現しないだろう。

しかし、この変革が実現した暁には、インターネットは電話会社の音声ネットワークと正面から競合することになる。両者のまったく異なる料金体系がぶつかりあうこの対決は世紀の見物になるだろう。

インターネットがコミュニケーションの料金体系を変革していくにつれて、情報の料金体系も変わっていくかもしれない。人によっては、将来情報が無料になる（もしくは大部分無料になる）ことをインターネットが実証したという。たしかに、NASAの写真から電子掲示板へのユーザーの書き込みにいたるまで、いまも将来も大量の情報が無料で提供されるだろう。しかしわたしは、ハリウッド映画や百科事典データベースといった魅力的な情報は、今後も利益を念頭に置いてつくられるだろうと信じている。

ソフトウェアプログラムは、特別な種類の情報だ。いまでもインターネット上には大量のフリーソフトウェアがあり、中にはじつに役に立つものもある。この種のフリーソフトは、大学院生のプロジェクトだったり公的研究機関の産物だったりする場合が多い。しかし、品質管理、サポート、ツールとしてのわかりやすさ、といった要素も、ソフトウェアそのものとおなじくらい重要であり、これらに対するユーザーの要求が、これからも市販ソフトウェアを成長させていくだろうとわたしは考えている。すでに、大学でフリーソフトを書いている学生や研究機関のメンバーは、自作フリーソフトに機能を追加した製品版の販売会社を立ち上げようと、ビジネスプランの立案に余念がない。いずれにせよ、ソフトウェア開発者は、製品から代価を得ようと考えている人も、無料で配布しようと思っている人も、いま以上に容易にソフトを流通させられるようになるだろう。

これらすべてが未来の情報ハイウェイにとって吉兆となる。しかし、情報ハイウェイが現実のものになるまでには、いくつもの過渡期のテクノロジーが登場し、それを使った新しいアプリケーションが提供されることになる。こうした中間段階の技術は、完全な帯域幅を持つハイウェイが実現するものにはおよばないにしても、現状を一歩先に進める。この漸進的な進歩は、ごく低料金で利用できるものになり、現在すでに人気のあるアプリケーションがそのまま使えるため、そのコストにじゅうぶん見合うだけの価値が生じる。

過渡期のテクノロジーのいくつかは、電話ネットワークに依存したものになる。一九九七年までには、既存の電話回線を使って、最高速モデムによる音声とデータの同時送受信が実現しているだろう。旅行の計画を立てる場合、自宅と旅行代理店の双方にパソコンがあれば、検討中の各ホテルの写真を見せてもらったり、料金比較表を出してもらったりすることができる。友だちに電話をかけて、どうやったらパイ生地をそんなに高く重ねられるのか質問するようなときも、電話線に接続されているパソコンが双方にあれば、こっちで生地を寝かせているあいだにレシピを送信してもらえる。

こういったことを可能にするのは、デジタル・サイマルテイニアス・ボイス・データの頭文字をとって、DSVDと呼ばれる技術だ。DSVDは、いままでの技術では不可能だった、ネットワークを通じて情報を共有する可能性を示した。私見では、今後三年間でDSVDは広く採用されることになるだろう。この技術は既存の電話システムになんら変更を加える必要がないため、低コストで利用できる。電話会社が交換機を改良したり料金を値上げする必要はない。DSVDは回線の両端に適当なモデムとパソコンソフトが用意されていさえすれば機能する。

電話会社のネットワークを使ったもうひとつの過渡期の技術は、特殊な電話回線と交換機を必要とする。この技術はISDNと呼ばれる（インテグレイティド・サービス・デジタル・ネットワークの略称）。ISDNは、音声とデータを、64000または128000ビット／秒で転送する。つまり、DSVDが提供するすべてを、五倍から十倍高速に提供できることになる。中帯域幅が必要なアプリケーションにはうってつけだろう。テキストや静止画は高速送信が可能。動画も送信できるが、画質は並み――映画を見られるほど高画質ではないが、通常のテレビ会議ならまずまずというところだ。完全な情報ハイウェイでは、高画質動画転送が可能となる。

数百人のマイクロソフト社員が、毎日ISDNを使って自宅のコンピュータから会社のネットワークに接続している。ISDNが開発されたのはいまから十年以上前だが、パーソナルコンピュータでの利用がはじまるまえは、ほとんど必要とされなかった。どんなふうに使われるかの見通しもないまま、電話会社がISDNを処理する交換機の開発に莫大な予算を投入してきたというのは驚くべき話だ。電話会社にとっては都合のいいことに、パーソナルコンピュータはＩＳＤＮの爆発的な需要を掘り起こすだろう。ＩＳＤＮを利用するためのパソコン用アドインカードは、一九九五年の段階でおよそ五百ドル。しかし今後二、三年で、価格は二百ドル以下まで下がるだろう。ＩＳＤＮの回線料金は地域によって格差があるが、アメリカ国内では一般的に月額約五十ドル。いずれはこれが二十ドル以下——通常の電話料金と大差ないところまで下がるだろうとわたしは予測している。

ケーブル会社にも過渡期のテクノロジーを利用した独自の戦略がある。既存の同軸ケーブルネットワークを使って電話会社と競争し、地域電話サービスを提供するというものだ。ケーブル会社は、特殊なケーブルモデムを使えば、パーソナルコンピュータをケーブルネットワークに接続できることを実証した。この技術を使えば、ＩＳＤＮよりも大きな帯域幅を提供できる。

ケーブル会社のもうひとつの過渡期戦略は、放送するチャンネルの数を現在の五倍から十倍に増やすというものだ。デジタル圧縮技術の利用で、既存のケーブルにさらに多くのチャンネルを押し込むことが可能になる。

このいわゆる五百チャンネルアプローチ——実際には百五十チャンネルしかない場合が多い——は、ビデオ・オン・デマンドに近いものを可能にする。ただし、視聴できるテレビ番組や映画の数はかぎられている。視聴者はチャンネル番号を選ぶのではなく、画面に表示されたリストから見たいものを選び出す。人気のある映画は二十のチャンネルでくりかえし流され、放送開始時刻はチャンネルによって五分間隔でずれているため、視聴者は見たいと思ったときから五分以内に映画を見はじめることができる。

映画やテレビ番組の開始時刻リストからどれかひとつを選ぶと、セットトップボックスが適当なチャンネルに切り替えてくれる。放送時間三十分の『CNNヘッドラインニュース』は、一チャンネルではなく、たとえば六つのチャンネルで放送され、午後六時の本放送が、六時五分、十分、十五分、二十分、二十五分からそれぞれ放送される。現在と同様、生の本放送は三十分おきに行なわれる。こういう方式をとっていると、五百チャンネルが埋めつくされるのもあっという間だろう。

ケーブルTV会社は、競争に打ち勝つためにチャンネルを増やさざるをえなくなっている。ヒューズ・エレクトロニクスのDIRECTVのような衛星放送では、すでに各家庭に直接数百チャンネルを送信している。ケーブル会社はチャンネル数を増やすことで加入者を維持しようとしている。情報ハイウェイがきまった数の映画を配信するためだけに存在するのだとすれば、五百チャンネルシステムがあればじゅうぶんだろう。

しかし、五百チャンネルシステムでは大多数が同時放送となるため、視聴者の選択範囲は限定される。狭い帯域幅のバックチャンネルひとつを提供するのがせいぜいだろう。〝バックチャンネル〟とは、消費者の情報家電からのリクエストその他の情報をケーブル経由でネットワークに伝えるための専用の情報経路を指す。五百チャンネルシステムのバックチャンネルは、テレビのセットトップボックスを使って加入者が通販商品やプログラムを注文したり、投票やゲーム番組の質問に答えたり、マルチプレーヤーゲームに参加したりすることを可能にする。とはいうものの、帯域幅の狭いバックチャンネルでは、最高のアプリケーションに必要な柔軟な対話能力は提供できない。子どものビデオを祖父母の家に送ったり、文字どおり双方向的なゲームをプレイしたりすることは望むべくもない。

全世界のケーブルTV会社と電話会社は、四つの道を並行して進んでいくことになる。第一に、各陣営は相手陣営のビジネスに参入する。ケーブル会社は電話サービスを提供し、電話会社はテレビを含む映像サービスを提供する。第二に、どちらもパソコンをISDNもしくはケーブルモデムに接続する手だてを提供する。第三に、どちらもテレビチャンネル数を増やし、より高品質の信号を送るため、デジタル技術に転換する。第四に、どちらもテレビとパソコンに接続する広帯域システムの実験運用をはじめる。この四つの戦略のひとつひとつが、デジタルネットワークに対する投資に動機を与えることになる。電話会社とケーブルTV会社のネットワークのあいだで、その地域で最初のネットワークプロバイダになろうと、熾烈な競争が展開されるだろう。

最終的に、インターネットと他の過渡期のテクノロジーは、本物の情報ハイウェイに吸収される。ハイウェイは電話とケーブルのネットワークシステム双方の最上の品質をかねそなえたものになる。電話ネットワークのように、プライベートな接続を提供し、ユーザーはだれでも自分に都合のいいスケジュールで自分の興味を追求することができる。また、電話ネットワークと同様、完全な双方向サービスを提供し、豊かなインタラクションが可能になる。そしてケーブルTVネットワークのようにハイキャパシティで、一軒の家の複数のテレビやパソコンが同時にべつべつのビデオプログラムや情報源に接続できるだけの帯域幅を持つ。

サーバーとサーバーのあいだ、全世界の各地域を結ぶ回線の大部分は、クリアな光ファイバーケーブル（たんに〝ファイバー〟と略称する場合もある）になり、これが情報ハイウェイの〝アスファルト〟の役割を果たす。現在、アメリカ国内で使用されている電話用の長距離基幹回線はすべて光ファイバーになっているが、このデータ大通りと各家庭とを接続する回線にはいまだに銅線が使われている。電話会社は自社のネットワーク内の銅線、マイクロ波、衛星リンクをじょじょに光ファイバーに置き換えて、高画質ビデオを送信できる帯域幅を実現しようとする。ケーブルTV会社は現在使用しているファイバーの比率を上げる。ファイバー網が広がると同時に、電話会社、ケーブルTV会社は新たな切替装置《スイッチ》を自社のネットワークに組み込み、デジタルビデオ信号などの情報が任意の一点から他の一点へとルーティングできるようにする。既存ネットワークをアップグレードすることによってハイウェイの下地がつくられるとすれば、そのコストは、全家庭に新たにケーブルを引きなおすのとくらべて四分の一以下ですむだろう。

上水道網にたとえれば、光ファイバー幹線は、各地域に水道水を運ぶ幅一フィートの給水本管のようなものだ。この本管が各家庭まで直接通じているわけではなく、本管につながったもっと細いパイプを経由して、一軒一軒の家に給水されている。それと同様、光ファイバーケーブルも最初のうちは各地域の分配ポイントまで敷設されることになるだろう。最寄りの地域ファイバーから、ケーブルTVに使われている同軸ケーブルや、電話サービス用の〝ツイステッド・ペア〟の銅線を通じて、信号が家庭に届けられる。しかし最終的に、大量のデータを日常的に利用するようになれば、家庭まで光ファイバーで接続されるようになるだろう。

切替装置《スイッチ》は、データの流れをある道筋からべつの道筋へと切り替える高度なコンピュータで、操車場の役割をはたす。数百万のコミュニケーションの流れが巨大ネットワークの中を同時に運ばれていく。いくつ中間地点を経由しようが、さまざまな情報のビットを、正しい目的地に時間どおりに到着するように導いてやらなければならない。情報ハイウェイの時代に、これがどんなにたいへんな大仕事になるかを理解するには、無数の転轍機からなる巨大鉄道網の中で、十億の機関車を正しい線路に導き、一台残らず時刻表通りに目的地に到着させる仕事を想像してみればいい。機関車のうしろには客車が連結されているから、複数車輛の長い列車の通過待ちで操車場は渋滞してしまう。各車両が独立して運行し、転轍機を操作して自分の進路を自分で見つけ、それから目的地でまた列車として再編成することができれば、渋滞は軽減されるだろう。

それとおなじように、情報ハイウェイを旅する情報は小さなパケットに分割され、各パケットはそれぞれ独立に独自のルートを通ってネットワーク上を運ばれる。個々の自動車が道路を進んでいくのとおなじように、映画をリクエストすると、その映画のデジタル情報は数百万の小断片に分割され、そのかけらひとつひとつがそれぞれ自分で自分の道を見つけてネットワークを移動し、あなたの家のテレビにまでたどりつく。

このパケットのルーティングは、非同期転送モードすなわちATM（銀行の現金自動支払機と混同しないでほしい）と呼ばれる通信プロトコルを使って実現される。これもまた、情報ハイウェイを建設するための礎石のひとつだ。世界中の電話会社は、すでにATMに傾きつつある。ATMを使えば、光ファイバーの驚くべき帯域幅の利点を最大限に引き出せるからだ。ATMの長所のひとつは、情報を確実に時間通りに届けられることである。ATMは各デジタルストリームを分割して均一のパケットをつくる。各パケットは48バイトの情報からなり、そのうち5バイト分に制御情報が含まれているため、ハイウェイのルーターが各パケットをきわめて迅速に目的地へ送り届けることができる。目的地につくと、各パケットはもとどおりに再構成される。

ATMは情報の流れをきわめて高速に転送する――最初は一億五千五百万ビット／秒、やがては六億二千二百万ビット／秒、最終的には二十億ビット／秒になるだろう。このテクノロジーなら、音声通話とおなじように楽々と映像通話ができるようになる。しかもコストはきわめて安い。チップテクノロジーの進歩がコンピューティングのコストを引き下げたのと同様、ATMは、従来の音声通話なら膨大な通話数を同時に運べるため、長距離電話のコストを劇的に引き下げるだろう。

大多数の情報家電は広帯域ケーブル網でハイウェイに接続されるが、中にはワイヤレスで接続される機器もある。わたしたちはいまも、携帯電話、ポケットベル、家電製品のリモコンなど、多数のワイヤレス通信機器を使っている。こうしたワイヤレス機器はユーザーに移動の自由を与えてくれるが、いまのところ帯域幅は狭い。未来のワイヤレスネットワークはもっと高速になるだろうが、大きな技術革新がないかぎり、有線ネットワークの帯域幅にくらべればはるかに低速であることは否めない。モービル機器はメッセージの送受信用に重宝されるだろうけれど、ビデオデータなどを受信するとなるとあまりに料金がかさむから、特別な場合にかぎられることになるだろう。

移動中のコミュニケーションを可能にする無線《ワイヤレス》ネットワークは、現在の携帯電話システムと、PCS〔日本ではPHS〕と呼ばれる新たな無線電話サービスを基盤に成長していくことになる。どこにいようと、自宅やオフィスのコンピュータの情報が必要になれば、切替装置《スイッチ》がハイウェイの無線部分を有線部分に接続し、そこから自宅またはオフィスのコンピュータやサーバーへとつないで、求める情報を携帯ワイヤレス情報家電からとりだすことができる。

企業や家庭の中で利用できる、もっと安価なタイプの域内無線ネットワークも登場するだろう。ある一定の範囲内にいるかぎり、時間単位の料金支払いなしでハイウェイもしくは自分のコンピュータに接続できるようになる。域内無線ネットワークには、広域無線ネットワークで使われているのとは別種のテクノロジーが採用される。しかし、携帯情報家電が、もっとも低料金なネットワークを自動的に選択して接続してくれるから、ユーザーは技術的な違いを意識しなくていい。屋内無線ネットワークを使えば、ウォレットPCをリモコン代わりに使えるようになる。

無線サービスがプライバシーとセキュリティ上の問題を引き起こすことは容易に想像できる。無線信号は第三者が簡単に傍受できる。有線ネットワークでさえ盗聴の被害と無縁ではない。ハイウェイ上のアプリケーションは盗聴を防ぐため、送信を暗号化する必要があるだろう。

政府は、経済的軍事的理由から、情報の機密保持の重要性をはやくから理解していた。個人的、商業的、軍事的、あるいは外交的メッセージの秘密を保つ（あるいはその壁を破る）仕事は、何世代も前から高度な知性をひきつけてきた。一八〇〇年代半ばに暗号破りの技術を劇的に向上させたチャールズ・

バベッジは、こう書いている。「私見では、暗号解読はもっとも魅惑的な技術のひとつであり、わたしは、必要以上の時間を暗号解読に浪費してしまったのではないかと案じている」。わたし自身、子どものころ暗号の魅力にとりつかれたひとりだ。どこの子どももやるように、何人かの仲間で集まって単純な暗号で遊んだものだ。たとえばアルファベットの一文字をべつの文字に置き換えてメッセージを暗号化する。友だちが「ULFW　NZXX」ではじまる暗号を送ってきたとすると、これがたぶん「DEAR BILL」の意味だろうというぐらいはすぐにわかる。UはDで、LはEで……という具合だ。それがわかれば、暗号の残りは比較的楽に解読できる。

過去には暗号解読能力が戦争の勝ち負けを決することもあったが、そのレベルは、暗号に興味を持っているいまの中学生がパソコンを使えば簡単に解読できるようなものだった。かつては地球上のもっとも強力な政府でさえ解けなかった暗号が、いまの中学生には簡単に解ける。いずれ、コンピュータを使って、子どもたちが、どんな政府にも解読不可能な暗号化メッセージを送信できるようになるだろう。これは、強力な計算能力の大衆化がもたらした大きな社会的影響のひとつだといっていい。

情報ハイウェイ上のメッセージはどんなふうに暗号化されるのだろうか。送信されたメッセージは、コンピュータまたは他の情報家電を使って、あなただけが記すことのできるデジタル署名で〝サイン〟され、正しい受取人だけが解読できるように暗号化される。声でも映像でもデジタルマネーでも、あらゆる種類の情報がメッセージとして送信できる。受取人は、メッセージの発信人がまちがいなくあなたで、タイムスタンプきっかりの時刻に送信されたこと、少しも修正されていないこと、他人には解読できないことをほぼ確信できる。

これを可能にするのは、数学の原理に基づいた〝一方通行関数〟および〝パブリックキー暗号化〟と呼ばれる技術だ。かなり高度な概念なので、ここでは軽く触れる程度にとどめておく。システムが技術的にいかに複雑であっても、それを実際に使用するのはごく簡単だ。自分の望みを情報家電に指示するだけで、それが造作もなく実現される（ように見える）。

いったん実行すると簡単にはもとにもどせないような関数を、一方通行関数という。窓ガラスを割るのも一方通行だが、暗号化とは関係ない。暗号化に必要な一方通行関数は、もしプラスアルファの情報を持っていれば簡単にもとにもどすことができるけれど、それを持っていない場合にはもとにもどすのが非常にむずかしいというタイプのものだ。数学の世界には、この種の一方通行関数がたくさんある。ひとつは素数を使うもの。子どもたちが学校で習うとおり、素数とは、1とその数自体をべつにすれば、他のどんな数でも割り切れない整数のことだ。1から12までの数では2、3、5、7、11が素数にあたる。4、6、8、10は2で割り切れるし、9は3で割り切れるから素数ではない。素数は無数に存在し、素数であるということ以外、どんなパターンも知られていない。ふたつの素数を掛け合わせると、そのふたつの素数以外では割り切れない数字になる。たとえば、35を割り切れる数字は5と7だけ。素数を見つけ出す作業は、〝因数分解〟と呼ばれる。

素数の11927と20903を掛け合わせれば、249310081になる。しかし、計算結果の249310081から、その因数であるふたつの素数を見つけ出すことはかなりむずかしい。この一方通行関数、因数分解のむずかしさを利用して、巧妙な暗号化手段が考案された。これが現在使われているもっとも高度な暗号化システムだ。超大型のコンピュータを使っても、きわめて大きな数字を因数分解してもとの素数を見つけ出すためには長い時間がかかる。この原理を応用した暗号化システムには、ふたつの暗号解読キーが使われる。第一のキーはメッセージを暗号化するためのもの。第二のキーはそれを解読するためのもの。暗号化キーしかない場合、メッセージを暗号化するのは簡単だが、その解読は不可能に近い。暗号解読には第二の独立したキーが必要になる。これは、メッセージの本来の受取人——あるいは、受取人のコンピュータ——だけが利用できる。暗号化キーはふたつの巨大な素数の積に基づくもので、解読キーはもとの素数自体に基づいている。コンピュータにとって、ふたつの大きな素数をさがしだしてきてそれを掛け合わせるのは簡単だから、唯一無二のキーの新しいペアを一瞬で生成することができる。こうして生み出されたキーのうち、暗号化キーのほうは公表してもさしつかえない。ただし、解読キーを手に入れるには、それを因数分解しなくてはならず、これはべつのコンピュータを使ってもきわめて困難だ。

この原理を利用したアプリケーションが、情報ハイウェイのセキュリティシステムの核になる。世界は情報ハイウェイに対する依存度を高めていくだろうから、じゅうぶんなセキュリティの確保は不可欠だ。情報ハイウェイは、すべての人間が自分用のメールボックスを持つ郵便ネットワークのようなものだと考えてもいい。メールボックスは他人がいじることができず、けっして破れない錠がついている。各メールボックスの郵便差し入れ口にはだれでも情報をすべりこませることができるが、情報をとりだす鍵はメールボックスの所有者だけが持っている（メールボックスに第二の扉をつけ、政府が管理する鍵でいつでも開けられるようにすべきだと主張する国もあるが、ここでは政治的問題には立ち入らず、ソフトウェアが提供するセキュリティのみに話を絞ることにする）。

各ユーザーのコンピュータや他の情報家電は、公表される暗号化キー、およびそれとセットになった、ユーザーしか知らない解読キーを生成する。具体的にはこんな具合になる。わたしがあなたに送りたい情報があるとしよう。わたしのコンピュータシステムはあなたのパブリックキーを調べ、それを使って情報を暗号化してから送信する。あなたのキーは公表されていても、そのパブリックキーには解読に必要な情報が含まれていないため、だれもわたしのメッセージを読むことはできない。あなたがメッセージを受けとると、あなたのコンピュータが、プライベートキーを使ってそれを解読する。

あなたが返事をする場合には、あなたのコンピュータがわたしのパブリックキーを調べ、それを使って返信を暗号化する。パブリックなキーを使って暗号化されているにもかかわらず、他人はその返信を読むことができない。プライベートな解読キーを持っているのはわたしだけだから、読めるのはわたしひとりだけ。この方式が実用的なのは、前もってキーを交換する必要がないからだ。

一方通行関数を実用的かつ確実なものにするためには、ふたつの素数とその積をどのていど大きな数字にすればいいのだろう？

パブリックキー暗号化は、一九七七年、ホイットフィールド・ディフィとマーティン・ヘルマンによって考案された。その後まもなく、べつのコンピュータ科学者たち、ロン・ライヴェスト、アディ・シヤミール、レナード・アデルマンが、ＲＳＡ暗号体系の名で知られるシステムの一部として、素数因数分解を用いるというアイデアを提起し、ふたつの素数の積である百三十桁の数字を因数分解するにはどんなコンピューティングパワーを投入しても何百万年もかかるだろうと予測した。それを証明するため、彼らは百二十九桁の数字のふたつの因数を見つけ出せと世界に挑戦した。これは、数学畑の人々にはＲＳＡ１２９として知られている。問題の数字は以下のとおり。

114,381,625,757,888,867,669,235,779,976,146,612,010,218,296,721,242,362,562,561,842,935,706,935,245,733,897,830,597,123,563,958,705,058,989,075,147,599,290,026,879,543,541

彼らは、この数字をパブリックキーに使って暗号化したメッセージは、未来永劫にわたって安全だと考えていた。彼らは、コンピュータの驚異的進歩を可能にしたムーアの法則（第二章）の効果も、全世界のコンピュータとコンピュータユーザーの数を劇的に増大させたパーソナルコンピュータの成功も予期していなかったのだ。一九九三年、世界中から集まった六百人を越える学者とホビイストが、この百二十九桁の数字への挑戦を開始した。インターネットを使ってコンピュータの作業を分担し、調整しながら仕事をつづけた結果、一年もたたないうちに、問題の数字をふたつの因数に分解することに成功した。片方は六十四桁、もう片方は六十五桁。ふたつの素数は、

3,490,529,510,847,650,949,147,849,619,903,898,133, 417,764,638,493, 387,843,990,820,577

と、

32,769,132,993,266,709,549,961,988,190,834,461,413,177,642,967,992,942,539,798,288,533

暗号化されていたメッセージは「魔法の言葉は気むずかしいヒゲワシ」だった。

このエピソードの教訓のひとつは、暗号化されている情報がきわめて機密性の高いものである場合、百二十九桁のパブリックキーでも不十分だということ。もうひとつは、暗号化の安全性を盲信してはいけないということだ。

キーの桁数をあと二つ三つ増やすだけで、暗号解読ははるかにむずかしくなる。現代の数学者たちは、ふたつの素数の二百五十桁の積を因数分解するためには、将来どんなにコンピュータの性能が向上したとしても、何百万年も時間がかかると信じている。しかしそれがたしかだとどうしてわかる？　この不確実性――いつかだれかがより大きな数字を因数分解する簡単な方法を思いつくかもしれないというわずかな可能性――は、すなわち、情報ハイウェイのためのソフトウェアプラットフォームにおいては、その暗号化体系をいつでも変更可能なように設計しておく必要があるということを意味している。

ただ、素数が足りなくなってしまうのではないかとか、二台のコンピュータがたまたまおなじ数字をキーに使うのではないかといった心配は無用だ。適当な桁数の素数の数は全宇宙の原子の数を合わせたよりも多く、偶然ぶつかる可能性はゼロに等しい。

また、キー暗号化にはプライバシーの保護以外の利点もある。プライベートキーを使ってメッセージを暗号化し、そのメッセージをパブリックキーによって解読することも可能だから、これを使えば、書類が本物であることを保証できるようになる。たとえば、わたしがあなたに送るメッセージに、送信前にサインしておきたいとする。コンピュータはわたしのプライベートキーを使ってそれを暗号化する。これでメッセージは、わたしのパブリックキー（あなたを含め、だれでも知っている）を使った場合にのみ解読できることになる。このメッセージをこんなふうに暗号化できるプライベートキーを持っている人間はほかにいないから、このメッセージがわたしからのものであることが証明できるというわけだ。

わたしのコンピュータは、この暗号化メッセージを、今度はあなたのパブリックキーを使って再度暗号化し、この二重暗号メッセージを情報ハイウェイ経由であなたに送信する。

メッセージを受けとったあなたのコンピュータはあなたのプライベートキーを使って解読する。これで第二の暗号化は解けるが、わたしのプライベートキーを使った第一の暗号化は残る。そこであなたのコンピュータはわたしのパブリックキーを使ってもう一度メッセージを解読する。メッセージはまちがいなくわたしが送ったものだから、正しく解読され、あなたにはそれが本物であることがわかる。情報が一ビットでも改変されていればメッセージは正しく解読されないから、人為的な干渉もしくは通信エラーがあった場合にはすぐにそれとわかる。この厳重なセキュリティシステムを使えば、未知の人物、あるいはあなたが信用していない相手との商取引さえ可能になる。どんな相手であっても、デジタルマネーが有効で、署名と書類が本物であることを確認できる。

セキュリティは、暗号化されたメッセージにタイムスタンプを組み合わせることでさらに強化できる。書類の作成時刻や送信時刻をだれかが細工した場合でも、すぐチェックできるようになる。これは、オリジナル写真やオリジナルビデオなど、ごく手軽なデジタル修正が可能になったことで危機にさらされているオリジナルの価値を回復するだろう。

ここまで、パブリックキーによる暗号化について、システムの技術的細部をはしょってごく簡単に説明してきた。ただし、この方法では時間がかかるため、ハイウェイでは他の暗号化手段もいっしょに使われる可能性がある。しかしパブリックキー暗号化は、書類にサインし、本物であることを証明し、他の暗号化システムのキーを安全に配布するための手段にはなる。

PC革命の成果は、それが人々に力を与えたことだ。ハイウェイによる低コストのコミュニケーションは、より日常的なレベルで人々に力を与えるだろう。技術志向のユーザーだけの利益にとどまるものではない。広帯域幅のネットワークに接続されるコンピュータが増えれば増えるほど、そしてハイウェイのソフトウェアプラットフォームがすばらしいアプリケーションの基盤を整備するにつれて、すべての人々が世界の情報の大部分にアクセスできるようになる。

第六章
コンテント革命

五百年以上にわたって、人類の知識と情報は紙の文書《ドキュメント》に保存されてきた。いまあなたが目にしているのも（未来のオンライン版を読んでいるのでないかぎり）そのひとつだ。紙が消えてしまうことはないだろうけれど、情報を見つけ、保存し、配布する手段としての紙媒体の重要性は、すでに失われつつある。

〝文書《ドキュメント》〟という言葉でふつうイメージするのは、なにかが印刷された紙だろう。しかしこれは、ごくせまい意味でしかない。情報をおさめたものなら、どんな媒体でも文書と呼びうる。新聞記事は文書だが、幅を広げれば、テレビ番組や歌やインタラクティブなＴＶゲームも文書に含まれる。すべての情報はデジタル形式で保存できるため、ハイウェイ上では、どんなかたちの文書でも簡単に見つけ出し、保存し、送ることができる。紙媒体は送るのが面倒だし、テキストや記号や絵以外の内容《コンテンツ》を入れようとしても、あまり役に立たない。デジタル的に保存された未来の文書には、画像や音声、インタラクティブ性を実現するプログラミング命令、アニメーション、そのすべてを組み合わせたもの、といった要素を盛り込むことができる。

情報ハイウェイでは、表現力豊かな電子文書が、紙媒体では不可能だったことを可能にする。ハイウエイの強力なデータベース技術を使えば、電子文書にインデックスをつけ、対話的に検索することで情報を簡単に見つけられる。電子文書ならば、きわめて安価に流通させられる。さまざまな面で便利に使えるから、いずれは、デジタル文書が印刷された紙にとってかわるだろう。

しかし、それにはかなりの時間がかかる。紙媒体の書籍、雑誌、新聞にはまだ、そのデジタル版にくらべると大きな長所がある。まず、デジタル文書を読むにはパーソナルコンピュータのような情報家電が必要になる。本は小さくて軽くて高解像度で、コンピュータにくらべればはるかに安価だ。画面上で、紙で読むのとおなじように気楽に長い文書を読めるようになるには、少なくともあと十年はかかるだろう。だから、最初に広く普及するデジタル文書は、たんに古いメディアを複製したものではなく、なにか新たな機能を提供するものになるはずだ。テレビも本や雑誌にくらべればはるかに高価だし、サイズは大きく、解像度も低い。しかし、だからといってそれが普及の足枷になることはなかった。テレビはビデオという新しい娯楽を家庭にもたらし、その魅力によって、本や雑誌と並んで家庭に居場所を見つけた。

いずれはコンピュータとディスプレイ技術の向上によって、どこにでも持ち運べる軽量の電子本（Eブック）が登場し、紙の本の便利さにじょじょに近づいていくだろう。いまのハードカバーやペーパーバックとほぼ同サイズ同重量の筐体に、テキストや画像や動画を表示できる高解像度ディスプレイを搭載した読書マシンが開発される。そういうマシンを使えば、指や声の命令でページをめくり、目あての一節をさがしだせるし、ネットワーク上にあるどんな文書でも瞬時に読み出せる。

しかし、電子文書の真の特徴は、たんにそれがコンピュータ上で読まれるということではない。いずれ紙の本は電子本にとってかわられるだろうが、それはいますでにはじまっている移行の最終段階ということでしかない。むしろデジタルドキュメンテーションのほんとうのインパクトは、文書という概念そのものを根本から定義しなおすことにある。

これはさまざまな分野に劇的な影響を与える。〝文書《ドキュメント》〟という言葉の意味だけでなく、〝著者〟〝出版社〟〝オフィス〟〝教室〟〝教科書〟といった言葉も再考しなければならなくなる。

現在、二社間で契約を交わす場合、契約書の第一稿はコンピュータにタイプされてから紙に印刷され、それが相手にファックスされることが多い。受けとった会社では、このプリントアウトに訂正を書き込むか、自社のコンピュータを使って改訂版の契約書を再入力するかして編集・校正し、それをファックスで送り返す。そして最初の会社でおなじ編集プロセスがまたくりかえされる。このやりとりを経たあとで、だれがどんな変更をくわえたかを判別するのはむずかしい。変更と送信の履歴すべてを紙の文書に統合するにはかなりの経費がかかる。電子文書なら、契約書の一バージョンに訂正と注釈をくわえ、だれが作成していつ印刷されたかという説明を原テキストといっしょにやりとりできる。

数年後には、本物であることを証明するデジタル署名付きのデジタル文書が原本となり、紙のプリントアウトは副次的なものになるだろう。すでに多くの企業では、紙とファックスによるやりとりから、電子メールによってコンピュータからコンピュータへと文書をやりとりする方法へと移行しつつある。もし電子メールがなければ、この本の執筆もずっとたいへんになっていただろう。意見を聞きたい人たちに本書の草稿を電子的に送り、だれがいつ出したのか一目でわかる電子メールで修正案を返送してもらったことは、この本を書くのにおおいに役立った。

いまから十年後には、オフィスの文書でさえ、その大部分がそのまま紙に印刷できるものではなくっているだろう。ビジネス文書というより、いまの映画や歌に近いものかもしれない。その中身を二次元的に印刷することは不可能ではないにしても、音楽CDを聴くかわりに楽譜を読むような行為になる。

デジタル形式に向いているため、すでに紙媒体が使われなくなった文書もある。ボーイング社は777ジェット旅客機の設計に際し、ひとつの巨大な電子文書にエンジニアリング情報すべてを保存した。それまでの旅客機開発では、設計チームや製造グループや社外の下請業者の共同作業を円滑に進めるため、青写真を利用し、高価なフルスケールの原寸模型《モックアップ》を製作していた。モックアップは、多数のエンジニアが個別に設計した各部品が実際にきちんと組み立てられるかをたしかめるためにどうしても必要だった。777の開発では、ボーイングは青写真とモックアップを廃止し、すべての部品についてのデジタル3Dモデルとそれがどう組み立てられるかを示す電子文書を使用した。エンジニアはコンピュータ端末の前で設計を確認し、さまざまな角度から部品の各部を見ることができた。どの部品についても作業の履歴を遡って確認し、実験結果を呼び出し、コスト情報に関する注釈を加え、設計のどの段階でも自由に変更を加えることが可能になった。紙の書類では不可能なことだ。おなじデータを使って作業している設計者は、それぞれ自分にとってとくに問題となる情報を検索できる。すべての変更は共有データとなり、その変更をだれがいつどうして加えたのかが全員にわかる。デジタル文書を使うことで、数十万枚の紙資源と、製図や複写にかかる膨大な時間と労力を節約できたのだ。

こうした利点に加えて、デジタル文書は紙より高速な作業を可能にする。情報を瞬間的に送り、瞬間的に読み出せる。デジタル文書を使っている人なら、文書をすばやく検索したり編集するのがどれほど簡単になったか実感できるはずだ。デジタル文書の内容はたやすく操作可能なのだ。

レストランの予約リストは、日時の順に並んでいる。午後九時の予約は午後八時の予約より下に記入される。土曜の夜のディナーは土曜のランチのあとにつづく。予約リストの情報が時系列にしたがって整理されているため、支配人でもだれでも、ある特定の日時にだれが予約しているかはすぐにわかる。しかしべつのやりかたで情報を引き出そうとした場合、単純な時系列的情報整理はなんの役にも立たない。

たとえばわたしがとあるレストランに電話をかけて、「ゲイツという者です。ワイフが来月の何日だかに予約してるはずなんですが、それがいつだったか調べてもらえませんか?」と頼んだとする。給仕長が苦境に追い込まれることは想像にかたくない。

「申し訳ありませんが、予約の日時をご存じありませんか?」と給仕長はたずねるだろう。

「いや。それを知りたいんだよ」

「週末のご予約でしょうか?」と給仕長はたずねる。

予約帳の全ページをチェックしなければならないことがわかっているから、彼はどんな方法でもいいから日付を絞り込んで、その作業を楽にしようとしているわけだ。

レストランが紙の予約帳を使えるのは、予約の総数がそれほど大きくないからだ。航空会社の予約システムは、一冊の本ではなく、一日数百便におよぶ世界各地へのフライトに関する膨大な量の情報――フライト時刻表、航空運賃、予約状況、座席割り当て、割り引き情報――をおさめたデータベースになっている。アメリカン航空のSABRE予約システムは、コンピュータのハードディスクに情報――4・4テラバイト、アルファベットで四兆文字以上に相当する――を保管している。SABREシステムの情報がもし仮に紙の予約帳に移されたとすれば、二十億以上のページが必要になるだろう。

紙の文書を使うかぎり、順番に情報を配列するしかない。そのため紙媒体では、索引、目次、各種相互参照といったべつのナビゲーション手段を提供することになる。多くのオフィスでは、顧客、販売元、プロジェクト等をアルファベット順に分類したファイルキャビネットを使っているが、検索時間を短縮するために、文書をもう一通ずつコピーしてそれを時系列で分類したりもしている。プロの索引作成者は、情報を便利に検索する手段を提供することで本に付加価値を与える。図書館の蔵書目録が電算化される以前は、読者が書名、著者名、件名のどれを使ってもさがしだせるよう、新しい本が入るとその文献情報が数枚のべつべつのカードに書き込まれ、紙の目録に加えられていた。膨大な手間ではあるけれど、この冗長性のおかげで情報の検索が楽になっていたのだ。

わたしは子どものころ、家にあった『一九六〇年度世界書籍百科事典』が大のお気に入りだった。文章と写真だけのずっしり重い書物がひと揃い。エジソンの蓄音機がどんな外見だったかは載っていたけれど、どんな音だったかは教えてくれなかった。芋虫が蝶に変わる写真は載っていても、その変身を鮮やかに再現するビデオはついていなかった。自分が読んだ部分についてクイズが出題されたり、情報がつねに最新のものにアップデートされたりすれば、百科事典はもっと楽しいものになっただろう。当然のことながら、当時のわたしはそんな欠点などまるで意識していなかった。八歳のとき、わたしは百科事典の第一巻を読みはじめた。一巻ごとに最初から最後まで読み通す決意だった。一六世紀に関する項目すべて、あるいは薬品に関係する項目すべてを抜き出して順番に読むことができたら、たぶんもっと夢中になれたはずだ。しかし、Garter Snake（しまへび）について読んだあとはGary, Indiana（インディアナ州ガリー）、その次はGas（気体）というふうに、アルファベット順に読み進むしかなかった。それでもとにかく百科事典読破のために多大な時間を費やし、五年にわたって読みつづけてPの項目まで到達したところで、『エンサイクロペディア・ブリタニカ』を発見した。『ブリタニカ』のほうがもっと高度で詳しい説明が載っていたけれど、もうそれをぜんぶ読破する気にはなれなかった。それに、そのときにはもう、コンピュータに対する情熱が余暇のすべてを食いつくすようになっていた。

いまの紙の百科事典は二ダース近い巻数で構成され、数百万語の文章と数千の絵を収録し、値段は数百ドルから数千ドルだ。情報が急速に古くなることを考えると、これは相当な投資だ。紙媒体の百科事典や他のマルチメディア・エンサイクロペディアを上回る売れ行きを示している『マイクロソフト・エンカルタ百科事典』は、重量一オンスのCD―ROM（コンパクトディスク―読み出し専用メモリ）におさめられ、全二万六千項目、九百万語のテキスト、八時間分のサウンド、七千点の写真および挿画、八百点の地図、二百五十のインタラクティブなチャートと表、百点のアニメーションとビデオクリップを収録している。値段は百ドル以下だ。エジプトの「ウード」（楽器の一種）がどんな音を出すのか知りたい、大英帝国の国王エドワード八世の一九三六年の退位演説を聞きたい、ある機械がどんなふうに動くかアニメで説明してほしい――そう思えば、情報はすべてエンカルタの中にある。紙の百科事典では未来永劫にわたって不可能な芸当だろう。

印刷された百科事典の項目には、関連項目のリストがついていることが多い。それを読むには自分でまたページをめくってさがさなければいけない（もちろん、本棚からほかの巻をとりだすことになる確率が高い）。CD－ROM版百科事典なら、関連項目をクリックするだけで、瞬時にその項目が表示される。情報ハイウェイでは、百科事典の項目には関連するテーマへのリンクが埋め込まれる――その百科事典に含まれる情報だけではなく、他の情報源の参照まで。興味があるテーマについて気がすむまで詳細に調べることができる。そこに限界はない。実際、情報ハイウェイの百科事典は、たんなる一冊の参考書ではない――図書館の蔵書目録とおなじように、世界中のあらゆる知識への入口になる。

印刷された情報は、そのありかをつきとめるのがむずかしい。いまの段階では、ある特定のテーマについての質の高い情報をすべて――書籍、ニュース記事、フィルムクリップを含めて――を見つけ出すのはほとんど不可能だ。見つかった情報を整理してまとめるにもひどく時間がかかる。たとえば最近のノーベル賞受賞者全員の伝記を読みたいと思ったら、それを集めるにはまる一日かかってもおかしくない。しかし電子文書ならインタラクティブ性を持たせることができるから、ある情報をリクエストすれば、文書がそれに答えてくれる。気が変われば、文書がまた反応する。この種のシステムに慣れてしま

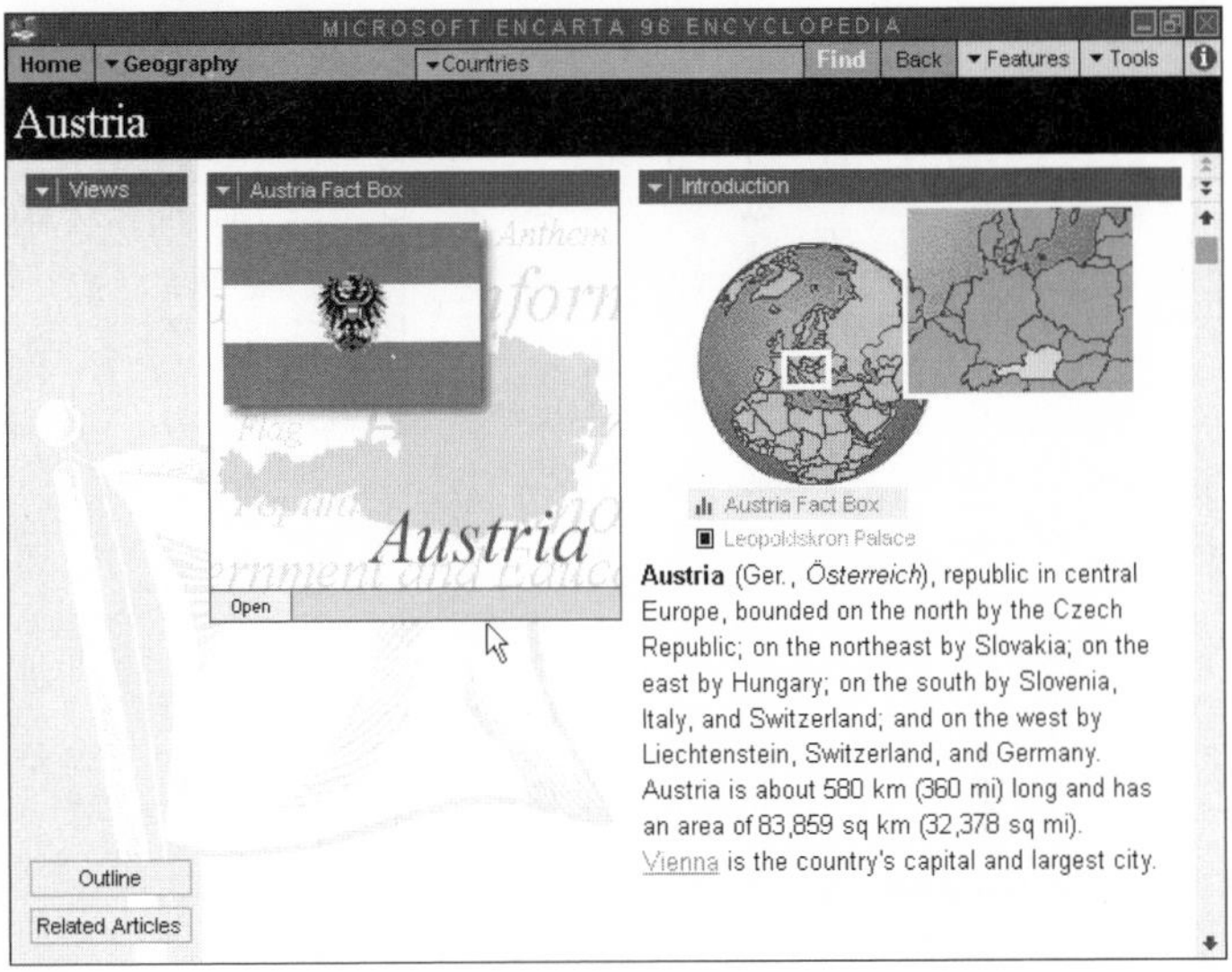

〝マイクロソフト エンカルタ百科事典〟の画面（1995年）

うと、さまざまな角度から情報を眺めることで情報の価値が高まることに気づくはずだ。柔軟性は探索を促し、探索は発見で報いられる。

日々のニュースもおなじようにして入手できる。自分専用のニュース番組をどの程度の長さにするか、具体的に指示することができる。既成の番組単位ではなく、ニュースクリップ単位でひとつずつばらばらに選べるようになるからだ。あなたひとりのために収集され送信されてくるオリジナルニュース番組は、NBCやBBC、CNN、あるいはロサンジェルスタイムズのワールドニューズはもちろん、地元TV局のお気に入りの気象予報官（もしくは自分の天気予報を提供したがっている素人気象学者のだれか）の天気予報まで含まれる。とくに興味があるトピックがあればもっと詳しい情報を要求し、それ以外はダイジェストですませてもいい。ニュース番組を見ていて、送信されてきた以上の情報がほしくなれば、関連情報や詳細を他のニュース放送や情報ファイルからとりだせる。

ごく少数ながら、電子化によるメリットがあまりない文書もある。小説もそのひとつだ。ほとんどの辞典類には索引がついているが、小説には索引がない。小説は順に読むもので、なにかを調べられるようにしておく必要性は低い。小説と同様、映画の場合も、観客は最初から終わりまで順に見つづける。これは技術的な問題ではなく芸術的な問題だ。小説や映画の直線性は、ストーリーテリングに固有のものだといえる。電子世界の利点を活用した新しいインタラクティブ・フィクションがつくられはじめてはいるけれど、旧来の小説や映画の人気がなくなることはないだろう。

情報ハイウェイができれば、どんな形式のデジタル文書でも、低コストで簡単に提供できるようになる。数百万の企業や個人が文書をつくりネットワーク上で出版しはじめる。ある文書は料金を支払う読者向け、ある文書は関心を持つすべての人に無償で提供される。デジタル保存はとてつもなく安価だ。パーソナルコンピュータ用ハードディスクドライブのコストは、情報1メガバイト（百万バイト）あたりおよそ0・15ドルになる。1メガバイトのディスクスペースにはおよそ七百ページ分の文章が保存できるから、一ページあたりのコストは0・00021ドル――近所のコピーショップが一ページあたり0・05ドルの料金を請求するとすれば、デジタル保存コストはその二百五十分の一ということになる。紙にコピーするのと違って、ハードディスクの保存スペースはあとでべつの情報のために再使用することも可能だから、実際には単位時間あたりの保管コストになる――いいかえれば、スペースをレンタルするコストということだ。ハードディスクの平均寿命をごく控えめに三年と見積もっても、一ページあたりの年間保管コストは0・00007ドル。しかもハードディスクの価格はここ数年間、毎年、前年の半値になっているから、この保管コストはどんどん下がってゆくわけだ。

文字情報は、デジタル情報の中でもとりわけコンパクトだから、少ないスペースで保存できる。「一枚の絵は千言に値する」ということわざはデジタルの世界では文字どおりの真実で、絵のデータが千語分以上の情報量を持つことも少なくない。高画質の写真には、テキストよりはるかに大きなスペースが必要だし、ビデオ（一秒ごとに三十枚の新しい画像があらわれる一連の静止画だと考えることができる）になるとさらに大量のスペースを食う。それでも、データの流通コストは、かなり安くてすむ。劇場用長編映画一本の情報量は、圧縮したデジタル形式に変換すると約4ギガバイト（4000メガバイト)。およそ千六百ドル分のハードディスクスペースだ。

映画一本を保存するのに千六百ドルと考えれば、たしかに低コストとはいえないかもしれない。しかし、平均的レンタルビデオ店はふつう、人気の新作映画のビデオを一本約八十ドルで八本購入する。これでも購入価格の合計は六百四十ドルだが、八本のビデオだと一日に八人の客にしか提供できない。ハードディスクとそれを管理するコンピュータがハイウェイに接続されると、すべてのユーザーに対して、用意するデータはひとつだけですむ(ただし、ものすごく人気があるデータの場合、ユーザーからのアクセスが殺到して回線速度が落ちるのを避けるため、いくつかのサーバーに分散してコピーを置く必要がでてくるだろう)。レンタルビデオ店がポピュラーなビデオタイトルひとつに投資するのと同程度の金額で、サーバーは数千人の客に同時にソフトを供給できる。各ユーザーに対する追加コストは、短期間のディスクスペース使用コストと通信料金だけで済む。このコストはどんどん下がりつつあるから、ユーザーひとりあたりの追加コストは最終的にほとんどゼロになるだろう。

だからといって情報が無料になるわけではないけれど、情報の流通コストは非常に小さくなる。紙の本を一冊買った場合、代金の大部分は、作品の著者に対してではなく、製造コストと流通コストにあてられる。木が伐採され、すりつぶされてパルプになり、それが紙になる。その紙に文字を印刷したものを製本してはじめて本ができあがる。大多数の出版社は、すぐに売れると見込んだ部数をもとに資本を投下して初版を印刷する。現在の印刷技術では、一度に大量の本を製作するほうが効率的だからだ。初版の在庫に対する資本投下は、出版社にとって経済的リスクとなる——初版部数が完売しないかもしれないし、もしぜんぶ売れるとしても時間がかかる。それまでのあいだ、出版社は倉庫に本を保管し、取次店を経由して小売り書店に発送しなければならない。取次店も在庫に資本を投下し、そこから経済的見返りを期待する。

消費者が買う本を選んでレジがチリンと鳴るまでの流通段階で、著者が得るはずの利益はどんどんすりへって、最終的にはパイの分け前がかなり小さくなってしまう。材木パルプを処理したものに情報を入れて運ぶという物理的な過程で、著作物の代金の大部分は消えてしまうのだ。わたしはこれを流通の〝摩擦係数〟と呼びたい。この摩擦が、出版されるタイトルの多様性の障害となり、著者にわたるはずの印税を切り詰める。

おおざっぱにいって、情報ハイウェイの摩擦係数はゼロになる（この問題については第八章でもっとくわしく検討する）。情報流通の摩擦が消えることは、はかりしれないほど重要な意味を持つ。流通コストに対して支払われる金額はきわめて小さくなるから、いま以上に多くの著者たちに発言力が与えられる。

グーテンベルクの発明した活版印刷は、流通摩擦に最初の大革命をもたらした。どんな情報も迅速に（相対的には）安価に流通させせられるようになった。活版印刷は摩擦係数の低い複製手段を提供し、それによってマスメディアを生み出した。大量の書物は一般大衆を促して読み書きの能力を身につけさせた。もちろんそれ以前にも、読み書きの能力があればできることはたくさんあった。商売の世界では、在庫品を記録し契約書を交わすことができた。恋人たちは手紙をやりとりできた。個人はメモをとり日記をつけられた。しかし、こうした個々の応用《アプリケーション》には、すべての人々に読み書きを身につけさせるだけの魅力がなかったのだ。読み書き能力を「インストールされた」人々がじゅうぶんな数に達しなくては、書き文字は情報を保存する手段として便利なものとはいえない。印刷された書物の出現によってはじめて、識字率が臨界質量《クリティカル・マス》を越えた。だから、逆説的な見方をすれば、活版印刷が人間に読み書きを教えたということもできる。

活版印刷は文書を大量に複製することを簡単にしたが、少数の読者を対象に書かれたものについてはどうだろう？　小規模出版には新しいテクノロジーが必要だった。一部か二部の複製をつくるだけならカーボン紙でも間に合う。謄写版印刷などの煩雑な機械を利用すれば数十部単位で複製がつくれる。ただし、こうした手段を利用しようと思ったら、最初に文書を作成するときからそれを想定して準備しておく必要がある。

一九三〇年代に、特許出願書類を用意する煩雑さ（図表や文章を手書きで複写する必要があった）に嫌気がさしたチェスター・カールスンは、情報を小量だけ複製するもっといい方法はないかと考えた。カールスンはみずから〝ゼログラフィ〟と名づけたプロセスを考案し、一九四〇年に特許をとった。一九五九年、彼が創業した会社——のちにゼロックスの名で知られるようになる——は、はじめての光学複写機を生産ラインに乗せた。914複写機は、一枚の文書からささやかな枚数の複写を簡単に低コストでつくることを可能にし、少人数のグループに配布される情報の種類と量を爆発的に増大させた。市場調査に基づく予想では、ゼロックスの初代複写機モデルの年間販売台数は最大でも三千台と見積もられていたのに、蓋を開けてみると約二十万台が売れた。複写機が登場した翌年には、毎月五千万枚のコピーがとられるようになっていた。一九八六年の調査では、全世界で毎月つくられるコピーの総枚数は二千億枚に達し、以後も増えつづけている。その大部分は、光学複写技術がこれほど安価で便利でなければ、そもそも複写されることなどなかったはずだ。

光学複写機と、その若い甥にあたるデスクトップレーザープリンタは――パソコン用のデスクトップパブリッシングソフトとともに――小規模の読者に向けたニューズレターやメモ、パーティ会場の地図、ちらしなどの文書の配布を飛躍的に簡単にした。カールスンもまた、情報流通における摩擦の低下に大きな役割をはたしたといっていいだろう。彼のコピー機の大成功は、摩擦係数が下がると驚くべきことが起きるという事実を実証している。

もちろん、文書を複写するのは、文書を作成するよりもはるかにやさしい。もともと、本の年間出版点数に限界などない。ふつうの書店にはおよそ一万タイトルの在庫があり、新しい超大型書店の中には十万タイトルの在庫を誇る店もある。現在流通している書籍のうち、出版社に利益をもたらしているのはほんのわずか、全タイトルの十パーセント以下にすぎないけれど、だれも予想しないほどの大成功をおさめる本もある。

最近のわたしのお気に入りの例は、スティーブン・ホーキングの『ホーキング、宇宙を語る』だ。傑出した科学者であるホーキングは、筋萎縮性側索硬化症（ルー・ゲーリッグ病）のため車椅子生活を強いられ、他人とのコミュニケーションにはたいへんな苦労を要する。もし世の中にひと握りの出版社しか存在せず、各社が年に数点の本しか出版できないとしたら、宇宙の起源についての彼の論文が出版される確率はどのくらいだっただろう？　編集者が持っている出版予定リストに一冊分しか空きがなくて、ホーキングの本かマドンナの『SEX』か、どちらか片方を選ばなくてはならないとしたら？　編集者は当然マドンナのほうを選ぶだろう。マドンナの写真集なら百万部売れてもおかしくない。事実、『SEX』は百万部を売り上げた。しかし『ホーキング、宇宙を語る』は五百五十万部を売り、いまなお売れつづけている。

この種の思いがけないベストセラーがときおり彗星のように登場して、みんなを（おそらくは著者以外の全員を）驚かせることになる。わたしがとても楽しく読んだ本、『マディソン郡の橋』は、ビジネススクールのコミュニケーション論の教師が書いたはじめての長編小説だった。出版社はそれがベストセラーになるとは夢にも思っていなかったが、しかしなにが一般大衆の嗜好にアピールするか、ほんとうのところはだれにもわからない。市場の動向を事前に見きわめようとする計画経済の多くの実例が示すとおり、この種の努力には基本的に成功の見込みがない。『ニューヨーク・タイムズ』紙のベストセラーリストには、ほとんどいつも、どこからともなく出現した思いがけないベストセラーが二、三点は含まれている。こういうことが起こるのは、書籍の出版コストが――他のメディアとくらべて――相対的に低いため、出版社が、あまり売れそうにない本でも出版する余裕があるためだ。

テレビ番組や映画の場合は出版よりはるかにコストが高く、リスクのある作品をためすことはずっとむずかしくなる。テレビ放送の黎明期には各地域ごとに二、三の放送局しかなかったため、番組はどれもできるかぎり広範な視聴者を対象として作られていた。

ケーブルTVは、それが本来の目的ではなかったにせよ、番組の選択肢の数を大幅に増やした。一九四〇年代末に開始されたケーブルTV放送は、遠隔地のTV受信状況を改善することを目的にしていた。TV電波が山にさえぎられてうまく受信できない場所に住む視聴者たちは、地域にひとつ大きなアンテナを立てて、受信した電波をケーブルシステムで各家庭に配信するようにした。その当時は、TV電波を問題なく受信できる人々がわざわざ料金を払ってケーブルTVに加入し、一日二十四時間、音楽ビデオだけ、ニュースだけ、気象情報だけを流しつづけるチャンネルを見ることになるとは、だれも予想していなかった。

放送局の数が、三局、五局から、二十四局、三十六局へと増加した時点で、番組の編成は大きく変化した。たとえば、三十番目に開局したチャンネルの番組編成をまかされたとする。1チャンネルから29チャンネルまでの番組を真似してみたところで、それほど多くの視聴者を獲得することはできない。そのかわり、ケーブルTVの番組編成は、なにか特定の分野に専門化するしかない。専門誌とおなじように、こうした新しいチャンネルは、比較的少数でも熱狂的信者のいる特殊な分野に特化して視聴者をひきつけようとする。これは、視聴者全員に対してなんらかの娯楽を提供しようとする総合局の番組編成とは好対照をなしている。とはいうものの、いまでもまだ、番組の製作コストの高さとチャンネル数の少なさが、TV番組の数を増やす足枷になっている。

TV番組の放送にくらべれば、本の出版コストははるかに安いが、それも電子出版の費用と比較するとずっと高価に見える。一冊の本を出版するためには、出版社は製本、配本、宣伝の費用を前もって負担しなければならない。一方、情報ハイウェイは、過去のどんなメディアよりも参入障壁の低いメディアを生み出すことになる。インターネットはすでに、個人出版にとって過去に例を見ない最高の媒体となっている。摩擦係数の低い情報流通にだれでも自由にアクセスして、メッセージや画像や自作ソフトを個人が発表できるようになったときにどんな変化が生じるか――インターネットはそのいい実例だ。

電子掲示板は、インターネットの人気に大いに貢献してきた。電子掲示板で〝出版〟するには、考えたことをタイプしてそれをどこかに投稿《ポスト》しさえすればいい。結果的に、インターネットには大量のゴミ情報があふれることになるが、中には宝石もある。メッセージはふつう、せいぜいディスプレイの一、二画面におさまる程度の長さしかない。人気のある電子掲示板に投稿されたり、メーリングリストに送信されたりしたメッセージひとつが、数百万の人間に読まれて大きな反響を呼ぶこともあれば、だれにもなんのインパクトも与えないままひっそりと消えていくこともある。後者の運命をたどることが多くても書き込みが増えるのは、情報の流通摩擦がきわめて少ないからだ。ネットワークの帯域幅が大きく、さまざまな関連コストも非常に安いため、メッセージを送るコストのことなどだれも気に留めない。その一方、もしメッセージが評判を呼べば、大勢の人間がそれを読み、友人たちに電子メールで転送したり、コメントを投稿したりすることになる。

電子掲示板上のコミュニケーションは驚くほど高速で、費用もかからない。郵便や電話によるコミュニケーションは、一対一の会話なら問題ないけれど、あるグループのメンバー全員とコミュニケートしようと思うとかなりの費用がかかる。一通の手紙を書いて郵送するには一ドル近いコストがかかるし、長距離電話の費用も平均すればほぼそれと同程度だろう。電話をかけるには相手の電話番号を知っている必要があるし、相手の都合に合わせて時間帯を選ばなければならない。したがって、ごく少人数のグループと接触するにも、相当な時間と労力が必要になってくる。電子掲示板なら一度メッセージを入力するだけで、参加者全員がそのメッセージを読むことができる。

インターネットの電子掲示板は、広い範囲の話題をカバーしている。まじめな投稿ばかりではない。だれかがなにかユーモラスなメッセージをメーリングリストに送るか電子掲示板に投稿したとする。みんながおもしろいと思えば、それは電子メールであちこちに転送されはじめる。一九九四年の終わりに広がった、マイクロソフトのカトリック教会買収を報じたパロディ版のプレスリリースもその一例だ。数千のコピーがマイクロソフトの電子メールシステムの中を行き交った。それをおもしろがった社内外の友人知人や同僚たちから、わたしのところにも二十通を越えるコピーがメールで送られてきた。

もっと真剣な目的で、興味や関心を共有する人々に情報を流通させるためにネットワークが使われている例はいくらでもある。最近のロシアにおける政治闘争のあいだ、両陣営は電子掲示板への投稿を通じて世界中の人々とコンタクトしていた。ネットワークは、会ったこともない相手と連絡をとったり、たまたまおなじ関心を共有している相手の意見を聞くことを可能にする。

電子投稿によって出版された情報は、トピックごとに分類されている。各電子掲示板またはニューズグループにはそれぞれ名前があり、興味を持った人間はだれでもそこに〝出入り〟できる。人気が高いニューズグループのリストもあるし、おもしろそうな名前がついているニューズグループを拾い読みしてもいい。超常現象について他人とコミュニケートしたければ、ニューズグループのalt.paranormalへ。それを信じていない人たちと超常現象について議論したいならsci.skepticへ。それともcopernicus.bbn.comに接続して全国学校ネットワーク研究ボードをのぞき、幼稚園から十二年生までの教師が使っている授業プランをチェックすることもできる。ネット上には、およそどんな話題でも、それに関連したコミュニケーションのグループがある。

グーテンベルクの発明が大量出版に火をつけたことはすでに説明したとおりだが、それによって培われた読み書き能力は、やがて膨大な規模の一対一の通信（手紙のやりとりなど）に広がっていくことになった。電子コミュニケーションはそれとは逆向きに発展してきた。最初は電子メールから出発し、少人数のグループ内での通信手段だったにもかかわらず、いまでは数百万の人間がネットワークの摩擦の少ない流通を活用して、さまざまなかたちの投稿によって大規模にコミュニケートしている。

インターネットには多くの潜在的可能性がある。とはいっても、過大な期待をかけるとあとでがっかりすることになる。インターネットの全ユーザー数と、プロディジー、コンピュサーブ、アメリカオンラインなどの商用オンラインサービスのユーザー数を合計しても、全人口比ではまだまだごく小さい比率にとどまっている。各種調査の結果によれば、アメリカのパソコンユーザーの五十パーセント近くがモデムを所有しているが、なんらかのオンライン情報サービスに加入している率は十パーセント以下。しかも退会率は非常に高い——一年もたたずにやめてしまう加入者が大勢いる。

すばらしいオンライン情報内容《コンテンツ》を用意してパソコンユーザーたちを惹きつけ、加入率を十パーセントから五十パーセントへ、さらには九十パーセント（個人的には、将来的にありえない数字ではないと思っている）へと押し上げるためには、相当な資本投下が必要になる。現時点でそういう投資がなされないのは、ひとつには、著者や出版社がユーザーから料金を徴収したり広告をとるためのシンプルなシステムがまだ開発途上にあるからだ。

商用オンライン情報サービスは収益を上げているが、情報提供会社《プロバイダ》は、加入者が支払う料金のうちわずか十パーセントから三十パーセント程度のロイヤリティしか受けとっていない。顧客やマーケットについては、たぶん情報を提供する側のほうがよく知っているだろう。にもかかわらず、料金体系――加入者からどのように料金を徴収するか――もマーケティングも、オンラインサービス会社がコントロールしている。その結果、オンラインサービスから得られる収入は、情報プロバイダにとって、エキサイティングな新しいオンライン情報をつくるのに見合うほど大きくない。

今後数年間のオンラインサービスの発展がこうした問題を解決し、情報プロバイダが多くの質の高い素材を提供するきっかけになるだろう。情報プロバイダにもっと利益が分配されるような課金システムの選択肢――月間使用料、一時間単位の課金、アクセスされた一アイテムごとの料金、広告料など――も増えてくる。いったんそうなれば、新しいマスメディアが出現する。これには数年の歳月と新たなネットワーク技術（ＩＳＤＮやケーブルモデムなど）が必要かもしれないが、いずれにしてもそういう時代がやって来るだろう。そしてそのとき、著者、編集者、監督など、知的財産の創造者にとっては、すばらしいチャンスが広がることになる。

新しいメディアが誕生するとき、最初のコンテンツは決まって他メディアから移植されてくる。しかし、電子メディアの可能性を最大限にひきだすためには、そのコンテンツは最初から電子メディア用につくられたものでなければならない。いままでのところ、オンラインコンテンツの圧倒的多数は、他の情報源から〝ダンプ〟されたものだ。雑誌社や新聞社は、印刷媒体用に作成されたテキストをそのまま――写真や図表やグラフィックスをカットする場合も少なくない――オンラインにつっこんでいるだけだ。テキストだけの電子掲示板や電子メールもたしかにおもしろいが、わたしたちの生活にあふれているもっと豊かな情報形態とまともに渡り合うのは無理だろう。魅力的なオンラインコンテンツは、大量のグラフィックスや写真、関連情報へのリンクを含むものになるはずだ。コミュニケーションが高速になり商業的可能性が開けてくるにつれて、オンラインコンテンツにもオーディオ・ビジュアルな要素が増えてくるだろう。

ＣＤ－ＲＯＭ――音楽用コンパクトディスクのマルチメディア版――の発達は、オンラインコンテンツの製作にもあてはまるいくつかの教訓を与えてくれる。ＣＤ－ＲＯＭベースのマルチメディアタイトルは、さまざまなタイプの情報――テキスト、グラフィックス、イメージ、アニメーション、音楽、ビデオ――をひとつの文書《ドキュメント》に統合できる。こうしたタイトルの大多数は、〝メディア〟ではなく〝マルチ〟のほうを売りにしている。表現力豊かな未来の文書はいったいどんなものになるか――ＣＤ－ＲＯＭマルチメディア作品は、いまそれにいちばん近い姿を見せてくれる。

ＣＤ－ＲＯＭの音楽と音声はクリアだが、音楽ＣＤ並みの品質を実現していることは少ない。ＣＤ並みの音質をＣＤ－ＲＯＭにおさめることももちろん不可能ではないが、音楽ＣＤのフォーマットではデータ量がきわめて大きくなるため、ＣＤ音質のサウンドを大量にＣＤ－ＲＯＭに入れると、データやグラフィックなど、それ以外の素材を入れるスペースがなくなってしまう。

ＣＤ－ＲＯＭの動画ビデオは、まだかなり進歩の余地がある。ほんの数年前のパソコンが切手サイズのフレームの中でかろうじて再生していたビデオの画質とくらべれば、たしかに驚くべき進歩があった。古手のコンピュータユーザーなら、コンピュータで映せるビデオにはじめて出会ったとき、おおいに興奮したことだろう。とはいえ、現在のＣＤ－ＲＯＭ動画の、粒子の粗い画像とぎくしゃくした動きは、どう見ても一九五〇年代のテレビの画質以下だ。ＣＰＵの高速化と圧縮技術の向上にともない、ビデオ画像のサイズと画質はどんどん向上し、最終的には現在のテレビの画質よりはるかによくなるだろう。

ＣＤ－ＲＯＭ技術はまったく新しい分野のアプリケーションを生み出した。ショッピングカタログ、美術館めぐり、テキストブックなどが、この新しいメディアで続々と出版されている。ＣＤ－ＲＯＭにはいまでもありとあらゆるテーマが網羅されているし、競争と技術革新がＣＤ－ＲＯＭタイトルの質を急速に向上させるだろう。そしてＣＤ－ＲＯＭはやがて、いまのＣＤとおなじ外見で十倍のデータを格納できる新しい大容量ディスクにとってかわられる。この拡張ＣＤの巨大な容量のおかげで、ディスク一枚に二時間以上のデジタルビデオが納められるようになる。つまり、映画一本がまるまるディスク一枚に入るわけだ。画質と音質はいまの家庭用テレビで受信できる最高のＴＶをはるかに上回るものになる。新世代グラフィックチップによって、ユーザーがインタラクティブに操作できるハリウッド並みのSFX満載のマルチメディアタイトル製作も可能になるだろう。

マルチメディアCD−ROMが現在人気を誇っているのは、TVの真似をしているからではなく、ユーザーにインタラクティブ性を提供していることによる。インタラクティブ性を持った商品の可能性は、ブローダーバンド社の『MYST』やバージン・インタラクティブ・エンターテイメント社の『The 7th Guest』の人気が証明している。小説的な物語性と一連のパズルをミックスしたこの種のソフトは、ユーザーが主人公となり、手がかりを集めながら自分で謎を解いていくことを可能にした。

こうしたゲームが成功したおかげで、クリエーターたちはインタラクティブノベルやインタラクティブムービーに挑戦しはじめた。作者は登場人物をつくり、プロットのおおまかなアウトラインを決める。読者すなわちプレーヤーは、ストーリーを選択しながら物語を先に進めていく。すべての本や映画を、読者や観客が物語の進行に介入できるようにするべきだ、というわけではもちろんない。ゆったりした数時間の楽しみを与えてくれる上質の小説は、それだけですばらしいエンターテイメントだ。『華麗なるギャツビー』や『甘い生活』の結末を自分で選びたいとは思わない。スコット・フィツジェラルドとフェデリコ・フェリーニが、わたしにかわって最高の結末を選んでくれている。すばらしい小説を楽しむために不可欠な没入体験は微妙なバランスの上になりたっているから、不用意にインタラクティブ性を導入すると、そのバランスが崩れ、しらけてしまう結果にもなりかねない。プロットを自分でコントロールすることと、想像力を作品に全面的にゆだねてしまうこととは両立しない。詩と演劇が似て非なるものであるように、インタラクティブフィクションと従来の小説は似て非なるものだ。

インタラクティブな物語やゲームはネットワーク上でも楽しめるようになる。そうしたアプリケーションのコンテンツのある部分をCD－ROMと共有することも可能だけれど、速度をうまく調整する必要がある。前にも書いたとおり、CD－ROMからコンピュータにビットが転送される速度（帯域幅）が既存の電話回線の帯域幅よりはるかに大きいからだ。将来的にはネットワークはCD－ROMの速度に追いつき、やがては追いこすだろう。そうなったとき、両メディアのためにつくられるコンテンツは名実ともに同一になる。とはいえCD－ROMテクノロジーもやはり進歩していくはずだから、それにはかなりの年数がかかる。それまでのあいだ、両メディア間のビット転送率は異なり、両者は別々のテクノロジーでありつづける。

CD－ROMの基盤となるテクノロジーも、オンラインサービスの基盤となるテクノロジーも、ずっと進歩しつづけてきた。ただいまのところはまだ、制作に労力がかかりすぎるため、マルチメディア文書を制作しているコンピュータユーザーはごく少数しかいない。ビデオカメラを買って子どもたちのビデオや休暇旅行のビデオを撮っている人は何百万人もいる。しかしビデオを編集しようと思えば、高価な機材を自在に使いこなす必要がある。この状況もいずれ変わっていくだろう。パソコン用ワープロソフトとDTPソフトの進歩は、数百万単位の個人ユーザーが、比較的低コストで、商業出版物並みの品質を持つ紙媒体の文書を作成することを可能にした。DTPソフトの性能が劇的に向上したおかげで、いまや商業誌や新聞の多くは、あなたが近所のパソコンショップで買うのとおなじマシン、あなたが娘の誕生会の招待状をデザインするのに使うのとおなじソフトでつくられている。フィルム編集と特殊効果制作用のソフトも、いずれDTPソフトとおなじくらいありふれたものになるだろう。そうなれば、プロとアマチュアの差は、道具の差ではなく才能の差になってくる。

一八九九年、ジョルジュ・メリエスが映画『魔術師』の中でスクリーンの女性を羽根に変え、史上初の特殊効果をつくりだして以来、映画製作者たちは映画的トリックを磨きつづけてきた。ここ数年、特殊効果技術は、デジタル画像処理を採用することで劇的に向上している。デジタル処理にかけるためには、まず、映画の一コマにあたる写真を、アプリケーションソフトが扱えるような二進数情報に変換する。このデジタル情報にコンピュータ上で手を加え、最後にまた写真にもどし、それが映画の一コマになる。画像処理がうまくいった場合には、手が加えられたのかどうかほとんど見分けがつかないし、すばらしい視覚効果を生み出せる。コンピュータソフトは『ジュラシック・パーク』の恐竜たち、『ライオンキング』の動物の群れ、『マスク』のクレージーなアニメ効果に命を吹き込んだ。ムーアの法則にしたがってハードウェアの処理速度が上がり、ソフトがますます高性能になっていくにつれ、コンピュータでできることには事実上限界がなくなる。ハリウッドは最先端技術をつねに追求し、驚くべき新しい効果を生み出しつづけるだろう。

撮影したものとおなじようにリアルな場面を、コンピュータソフトによってゼロからつくりあげることもできる。『フォレスト・ガンプ』の観客は、ケネディやジョンソンやニクソン大統領の登場場面が合成されたものだと見分けられる。もっともそれは、トム・ハンクスがそこにいたわけがないことを知っているからで、両脚切断手術を受けた男役のためにデジタル処理がゲイリー・シニーズの二本の脚を消去してみせたことにはなかなか気づきにくい。人物の合成とデジタル編集は、映画スタントを安全にするためにも活用されている。複雑な画像をやすやすと操作するパソコンと写真処理ソフトの能力をもってすれば、ドキュメンタリー写真を偽造したり、こっそり改変を加えたりするのは簡単だ。合成技術が安く使えるようになるにつれて、使用頻度もどんどん増えてきている。ティラノザウルス・レックスを甦らせることができるなら、エルヴィスはあと何年で甦えるだろう?

次代のセシル・B・デミルやリナ・ウェルトミュラーとはいわずとも、日々の文書にマルチメディアの要素を使うことはあたりまえになるだろう。たとえば、「公園でランチっていうのはあんまりいいアイデアじゃないかも。この天気だからね」という内容の電子メールを(キーボードで、手書きで、あるいは音声入力で)書いてから、地元テレビ局の天気予報を示すアイコンにカーソルを合わせて画面上をドラッグし、作成中の文書の中に移動させる。メールを受けとった友だちは、自分のディスプレイの画面上で天気予報を見ることができる——いかにもクールなコミュニケーションではないか。

学校の子どもたちは、自分のアルバムや映画をつくり、情報ハイウェイ上で家族や友だちに公開する。時間に余裕があるとき、わたしは特別製のグリーティングカードや招待状をつくるのを趣味にしている。たとえば、妹用のバースデーカードには、去年の楽しかった出来事の写真をつけて彩りを添える。いずれはほんの二、三分の手間で、録画したプライベートムービーをカードに添えられるようになるだろう。分野を問わずあらゆる規模の企業がマルチメディアを使ってコミュニケートしはじめる。恋人たちは、文章と古い映画のビデオクリップとお気に入りの歌をブレンドし、それに特殊効果を加えて、たったひとりのためのバレンタインカードをつくることだろう。

オーディオ・ビジュアルのリアリティが向上するにともない、現実のすべての面がはるかに忠実にシミュレートできるようになる。この〝仮想現実《バーチャルリアリティ》〟（VR）を使えば、現実には不可能な場所へ〝行き〟、現実にはできないことを〝する〟ことが可能になる。

いまでも、飛行機やレーシングカー、宇宙船などのビークルシミュレーターがバーチャルリアリティの感覚を味わわせてくれる。ディズニーランドでいちばん人気のあるアトラクションは、シミュレートされた冒険旅行だ。『マイクロソフト・フライトシミュレータ』をはじめとするビークルシミュレータは、無数のパソコン用ゲームソフトの中でも最高の人気を誇っているけれど、それでもまだプレーヤーは想像力を駆使する必要がある。ボーイング社などで使われている数百万ドルクラスのフライトシミュレータは、それにくらべるとはるかにリアルなフライトを経験させてくれる。外から見ると『スター・ウォーズ』にでも出てきそうな、支柱型の脚がついた角張ったメカ動物という姿だが、内部には本物そっくりのコックピットがあり、ビデオディスプレイが詳細なデータを表示する。フライト機器やメンテナンス機器がコンピュータに接続され、パイロットたちが口をそろえてすばらしいと絶賛する正確さで、フライトのさまざまな特性が——緊急事態まで含めて——シミュレートされる。

わたしは二年ほど前、友人ふたりといっしょに747シミュレータを〝飛ばし〟たことがある。本物の飛行機のそれとまったく同一のコックピットの計器盤の前にすわる。窓の外にはコンピュータが生成するカラーのビデオ映像。シミュレータで〝離陸〟すると、すぐにそれとわかる空港や周囲の景色が見えてくる。たとえばボーイング飛行場のシミュレーションでは、滑走路に燃料トラック一台、遠くにレーニア山が見えるかもしれない。存在しない主翼に吹きつけてくる風の音や、ありもしない着陸装置が格納されるガツンという音も聞こえてくる。シミュレータの下の六基の油圧システムがコックピットを傾けたり揺さぶったりする。おそろしくリアルだ。

こうしたシミュレータの目的は、パイロットに緊急事態への対処を経験させることだ。シミュレータを使っていたとき、友だちふたりがわたしをびっくりさせようとして、すぐそばに小型機を出現させた。パイロット席についていたわたしの目に、あまりにもリアルなセスナ機がいきなり飛び込んできた。〝緊急事態〟に心の準備ができていなかったわたしの747は、みごとにそれと衝突した。

娯楽産業の巨人からちっぽけな新興企業にいたるまで、多くの会社が、ショッピングモールや都会のビルにもっと小規模なシミュレータライドを設置しようと計画している。テクノロジーの価格が下がるにつれて、娯楽シミュレータはいまの映画館とおなじくらいありふれたものになるだろう。そして何年もしないうちに、自宅のリビングルームでハイクォリティのシミュレーションが楽しめるようになるはずだ。

火星の地表を探険したい？　VRで試してみるほうがずっと安全に決まっている。人間ではぜったいに行けない場所を訪ねてみるのは？　心臓病の専門医は患者の心臓の中を泳ぎ、従来の機器では不可能だった方法で心臓を調べられるかもしれない。外科医は、患者にメスをふるう前に、シミュレートされた大失敗まで含めて、難手術を何度もくりかえし練習できる。でなければ、VRを使って自分でデザインした空想世界をさまよってもいい。

VRが機能するためには、二種類のテクノロジーが必要になる——場面をつくりだし、それを変化する状況に反応させるソフトウェアと、人間の五感に情報を伝えるための装置。ソフトウェアでは、人工世界の外観と音と感触を細かなディテールにいたるまで完璧に描写する必要がある。困難な課題に思えるかもしれないけれど、じつはこちらのほうはそうむずかしくない。VR用のソフトはいまでも書ける。ただし、それをほんとうにリアルなものにするには、いまよりはるかに大きいCPUパワーが必要になる。しかしそれも、テクノロジーの発達速度を考えれば、すぐに手が届くものになるだろう。VRでいちばんたいへんなのは、ユーザーの五感に情報を本物らしく伝えることだ。

聴覚はいちばんあざむきやすい。ヘッドフォンをかぶるだけでいい。左右の耳は、位置と向いている方向とが違うため、わずかに違う音を聞いている。人間はこの微妙な違いによって音がどちらの方向から聞こえたかを無意識のうちに判別している。VRソフトは、任意の音が左右の耳にそれぞれどんなふうに聞こえるかを計算によって求め、それを再現する。この仕組みは驚くほどうまく機能する。コンピュータに接続されたヘッドフォンをかぶると、左から囁きかける声や、背後から近づいてくる足音が聞こえてくる。

耳にくらべると目をだますのはむずかしいけれど、それでも視覚をシミュレートすること自体は比較的単純なほうだ。VR機器にはかならずといっていいほど、両眼に小型のコンピュータディスプレイを搭載した特殊なゴーグルがついている。頭の動きを検知するセンサがコンピュータに顔の向きを伝え、コンピュータはユーザーの目に見えるはずの映像を合成する。頭を右に動かすと、ゴーグルには右側の風景が映る。顔を上げると、ゴーグルは天井や空を見せる。いまのVRゴーグルは重すぎるし、値段も高く、それでいて解像度は低い。プログラムを走らせているコンピュータはまだ処理速度が遅すぎるため、頭をすばやく動かすと、画像処理がついていかずに風景の動きが一拍遅れてしまう。このため、しばらくVRゴーグルをかぶっているとたいてい頭痛がしてくる。ただ、サイズ、重量、コストという要素は、ムーアの法則にしたがってテクノロジーがたちまち改善してくれるものだから、そう長く待たされることはないだろう。

他の感覚についてては、あざむくのがはるかにむずかしい。それというのも、鼻や舌や皮膚の表面にコンピュータを接続するうまい方法がないからだ。触覚に関しては、全身を包み込むボディスーツを使うというアイデアがいまのところ一般的だ。このボディスーツの内側には、皮膚の全表面と接触する無数の小さなセンサと圧力フィードバック装置が埋め込まれる。わたし自身はボディスーツが人気の的になるとは思えないけれど、実現可能なアイデアではある。

一般的なコンピュータディスプレイは、一インチあたり七十二個から百二十個の小さな色の点（画素《ピクセル》と呼ばれる）で画面を表示している。ディスプレイ全体のピクセル総数は三十万から百万個。全身ボディスーツの内側には、おそらく小さなタッチセンサポイントが埋め込まれることになる。そのひとつひとつが、皮膚に刺激を与えるわけだ。この小さな触覚要素を〝触素《タクテル》〟と呼ぶことにしよう。

スーツにじゅうぶんな数のタクテルがあり、それをうまく制御することができれば、原理的にはどんな触感もシミュレートできる。正確におなじ深さで多数のタクテルが同時に押されれば、つるつるの金属片が肌に押しつけられたときのような、なめらかな感触になる。タクテルが押し込まれる深さがランダムに分散していると、ざらざらした表面に触れたように感じる。

一個のタクテルがサポートする深さに何段階のレベルがあるかにもよるけれど、VRボディスーツ一着には、百万から一千万タクテルが必要だろう。人間の皮膚の研究結果によれば、全身ボディースーツは一インチあたり百タクテル——指先と唇とあと二カ所の敏感な場所についてはいくらか数が増える——を必要とする。皮膚の大部分は触覚解像度がかなり低い。高品質のシミュレーションを実現するためには、触感段階は256レベルでじゅうぶんだろう。これは、大半のコンピュータディスプレイが各ピクセルに使っている色数とおなじだ。

コンピュータが計算して触覚スーツに出力する情報の総量は、現在のパソコンのカラーディスプレイに要求される情報量の一倍から十倍程度だろう。この程度なら、実際たいしたCPUパワーは必要ない。だれかが触覚スーツをつくるころには、その時代のパソコンはなんの問題もなくそれを動かせるに違いない。

SFのように聞こえるだろうか？　実際、最上のVR描写は、ウィリアム・ギブスンの作品をはじめとする、いわゆるサイバーパンクSFに見ることができる。ギブスンの電脳空間三部作の登場人物は、ボディスーツを着けるかわりに、中枢神経を直接コンピュータケーブルに接続して〝没入《ジャック・イン》〟する。

その方法を科学者が発見するにはまだしばらくかかるだろうし、たとえ発見できたとしても、情報ハイウェイが確立したずっとあとのことになるだろう。このアイデアに恐怖を感じる人もいれば、魅惑される人もいる。この技術はおそらくまず身体的障害のある人に手を貸すために使われるだろう。

当然のことながら、VRの使い途については、なによりもバーチャルセックスについて、さまざまな可能性が（あるいは願望が）語られてきた。性的なコンテンツは、情報そのものとおなじくらい古い起源を持つ。どんな新しいテクノロジーにおいても、この最古の欲望を満たすための利用法がたちまち開発される。バビロン人は粘土板に楔形文字でエロティックな詩を書き残しているし、ポルノグラフィは活版印刷が発明されていちばん最初に印刷されたもののひとつだった。ビデオデッキがあたりまえの家電製品になったとき、アダルトビデオの販売とレンタルは爆発的に増えたし、いまもポルノCD－ROMは人気が高い。インターネットなどのオンライン掲示板やフランスのミニテルには、セックス関連サービス目あての加入者が大勢いる。歴史はくりかえすとすれば、高度なバーチャルリアリティ・ドキュメントの初期の最大の市場は、バーチャルセックスになるだろう。しかし、これまた歴史が教えるとおり、それぞれの市場が成長するにつれて、性的にどぎつい素材が占める比率はどんどん小さくなってゆくものだ。

どんな新しいアプリケーションにとっても、想像力が鍵になる。現実世界を再創造するだけではじゅうぶんではない。すばらしい映画は、現実の出来事をただフィルムに焼きつけた視覚描写をはるかに越えて人間の心に訴えかけてくる。D・W・グリフィスやセルゲイ・エイゼンシュタインのような映画のイノベーターが、ビィタスコープやリュミエール兄弟のシネマトグラフを使いながら、映画にたんなる生活や芝居の記録以上の可能性があることを発見するまで、十年の歳月がかかっている。活動写真は新しいダイナミックな芸術形態であって、それは、舞台が観客を魅了するのとは違ったやりかたで当時の観客を魅了した。彼らパイオニアたちはそのことに気づき、わたしたちが知っているような映画を発明したのである。

これからの十年で、マルチメディアのグリフィスやエイゼンシュタインが登場するだろうか？ いまのテクノロジーにふれながら、それになにができるか、それを使って自分たちになにができるかを実験している人々の中から、そういった才能が生まれてくるのはまちがいないだろう。

マルチメディアの実験はこれからの十年も、そのあとの十年も、無限につづいていく。最初のうち、情報ハイウェイの文書に登場するマルチメディアの要素は、現在のメディアを合成したものになるだろう――コミュニケーションを豊かにする冴えたやりかたというわけだ。しかし時がたつうちに、いまわたしたちが知っているものを大きく越えた新しい形態と形式が生まれてくる。コンピュータの性能の指数関数的増大がツールを改良しつづけ、いずれ途方もない可能性を切り拓くだろう。才能と創造性は、昔からつねに予測不可能なやりかたで進歩をかたちづくってきたのだ。

次代のスティーブン・スピルバーグに、ジェイン・オースティンに、アルバート・アインシュタインになる才能の持ち主が何人いるだろう？ 少なくとも過去にひとりずつはいたことがわかっているが、ひょっとしたら人類に割り当てられた天才の数には決まりがあるのかもしれない。しかし、経済的な事情や道具の欠如のために、熱意と潜在能力を開花できずにいた才能豊かな人間もきっとたくさんいるはずだ。新しいテクノロジーは、自分を表現する新しい手段を人々に与える。情報ハイウェイは新世代の天才たちに、夢にも見なかった芸術的・科学的チャンスを開くだろう。

第七章
ビジネスはどう変わるか

文書《ドキュメント》が紙媒体への依存を弱め、より柔軟で表現力豊かなマルチメディアコンテンツに進化すると、共同作業やコミュニケーションは、地理的な制約から解放され、より豊かなものになっていく。その影響は、人間活動のあらゆる分野——仕事、教育、余暇——にわたる。コンピュータの世界で起きる変革以上の大きな革命が、コミュニケーションの世界で起きることになる。職場では、すでにその革命がはじまっている。

仕事の効率が高まればライバルの企業に差をつけられるから、各企業は生産性を上げるためのテクノロジーを熱心に採用する。電子文書とネットワークは、企業の情報処理、サービス、社内外との共同作業を活発化し、ビジネスチャンスを広げる。パーソナルコンピュータはすでにビジネスの世界に大々的な影響を与えている。しかしそのインパクトが実感されたのは、企業内外のパソコンが相互接続されてからのことだ。

これからの十年で、全世界のビジネスが変化する。ソフトウェアはいま以上にユーザーフレンドリーになり、企業は組織の神経系の基盤をネットワークに置いて、それを通じて全従業員はもとより、部品メーカーやコンサルタントや顧客ともコミュニケートするようになる。その結果、企業の組織は効率化され、よりスリムになる会社も増えるだろう。ただし長期的に見れば、情報ハイウェイの発達とともに、都市に拠点を置くことで都市型サービスを享受するというメリットはしだいに薄れてくる。多数の企業が脱中心化をはかって機能を分散させれば、企業と同様、都市のダウンサイジングも進展するだろう。

ネットワークプロバイダ各社は利用頻度の高いユーザーが多い地域でのサービスをめぐって競争するはずだから、五年後には、都市のビジネス街で利用できる通信帯域幅は現在の百倍になっていてもおかしくない。企業が高速ネットワークの最初のユーザーになる。新たなコンピュータテクノロジーが登場すると、いつもまっさきにビジネスの分野で採用されてきた。企業なら、進んだ情報システムがもたらす経済的メリットをただちに享受できるからだ。

会社の規模の大小に関係なく、企業経営者は情報テクノロジーが持っている可能性に目を奪われる。しかし、乗り遅れまいと投資に走る前に、コンピュータというのはせいぜい特定の問題の解決に手を貸す道具でしかない、という事実をしっかり心に留めておくべきだ。たまに誤解している人がいるけれど、コンピュータはけっして魔法の万能薬ではない。もしだれか企業のトップが「赤字が拡大している。コンピュータを導入したほうがよさそうだ」というのを聞いたら、わたしならば、コンピュータに投資する前に経営戦略を練り直したほうがいいとアドバイスするだろう。そういった企業にとって新たなテクノロジーの導入は、せいぜいのところ、抜本的な改革が必要になる時期をいくらか遅らせるだけだ。企業がテクノロジーを利用する場合、ふたつの原則がある。第一原則は、「効率的な事業に自動化を導入すれば、より効率がよくなる」。第二原則は、「非効率的な事業に自動化を導入すれば、より効率が悪くなる」。

社員ひとりに一台ずつ最新の最高級マシンを導入する前に、経営者はまず一歩引いて、仕事をどんなふうに進めたいのかを考えてみるべきだ。業務のいちばん重要なプロセスはどれで、鍵を握るデータベースはなにか？　情報の理想的な流れとはどんなものか？

たとえば顧客から電話があったとき、いままでの取引に関する全情報——金銭関係の明細、過去の苦情についての記録、その顧客の担当者の履歴——がたちどころに画面に呼び出せるだろうか？　それを実現するためのテクノロジーはきわめて単純なものだし、その程度のサービスは当然と考える顧客はどんどん増えている。自社のシステムが製品の在庫状況や価格表をただちに用意できないとすると、テクノロジーをもっとうまく活用しているライバル会社に顧客を奪われる危険がある。たとえば自動車メーカーでは、アフターサービス情報を中央に集中させることで、ディーラーのこれまでの保守点検の履歴を簡単にチェックし、問題の再発を防止できるシステムをつくっている。

また、社員の勤務評定、事業計画、セールス分析、製品開発などの社内処理すべてを点検しなおして、ネットワークや他の電子情報ツールによってそれをより効率的にするためにはどうすればいいか、あらかじめ考えておく必要がある。

ビジネスの道具《ツール》としてのコンピュータのイメージ、その使い方は大きく変化してきた。わたしが子どものころイメージしていたコンピュータは、とても大きくて強力なマシンだった。銀行はコンピュータの大群を擁し、大手航空会社ではコンピュータが予約業務の処理を担当していた。コンピュータは大企業の道具《ツール》であり、鉛筆やタイプライターに頼る中小企業に対して大会社が持っている強みのひとつだった。

しかし、いまのパーソナルコンピュータは、その呼び名が示すとおり、大企業の中でさえ個人の道具《ツール》になっている。わたしたちはパーソナルコンピュータのことを、自分の仕事を手助けしてくれるきわめて個人的《パーソナル》なものとして考えている。

ひとりで仕事をしている人間は、パーソナルコンピュータを使ってものを書き、ニューズレターをつくり、新しいアイデアを探求する。機械化反対論者は、「チャーチルがワープロを使っていたら、彼の書くものはもっとよくなっていたか？　キケロは元老院でもっといい演説ができたか？」と反論するかもしれない。現代の道具を使わなくても人間は偉大なことをなしとげてきたのだから、道具がよくなるだけで人間の潜在能力をもっと引き出せるなどという考え方は不遜きわまりない――というのが彼らの言い分だ。芸術家の創作活動にとってどんな利益があるのかは推測するしかないけれど、パーソナルコンピュータがビジネスの効率と正確さの向上に役立つことははっきりしている。歴史を通じて偉大なジャーナリストは何人もいたが、いまではどんな新聞記者でも、事実関係を確認したり、現場からニュースを送ったり、情報提供者や編集者や読者と電子的に接触を保つことがはるかに簡単になっている。パーソナルコンピュータを使えば、記事に高品質な図表や写真を入れるのも簡単だ。科学関連の記事がその好例だろう。二、三十年前、質の高い科学イラストが載っているのは、科学の専門書か、『サイエンティフィック・アメリカン』のような高級専門誌にかぎられていた。いまでは一般誌でも上質の科学記事を読むことができる。その理由のひとつは、パーソナルコンピュータのソフトウェアを利用して細かい図やイラストをすばやく作成できるようになったためだ。

会社の規模にかかわらずあらゆる企業がパーソナルコンピュータからさまざまな利益を得てきたが、中でも中小企業が最大の受益者だったことはまちがいないだろう。低コストのソフトとハードのおかげで、少人数の会社でも巨大多国籍企業と張り合えるようになった。大組織は各部門が専門化する傾向がある。ある部署はパンフレットを製作し、べつの部署は会計処理を担当し、またべつの部署は顧客サービスを、という具合だ。大企業に電話をかけてこちらの取引口座について質問すれば、専門の担当者が即座に対応してくれるのを当たり前だと思っている。

しかし専任をおく余裕のない小さな会社が相手では、昔はそんなことは期待できなかった。個人でレストランや店を開けば、自分ひとりでパンフレットをつくり、帳簿をつけ、客の相手をしなければならない。小さな会社のオーナーがどれだけ多くの分野の仕事をマスターしなければならないかを考えると気が遠くなるほどだ。しかしいまは、小企業の経営者でも、パソコン一台と市販ソフト数本を買うだけで、さまざまな仕事についての電子的な助けを得ることができる。その結果、零細企業でも大会社ともっと効率的に競争できるようになる。

一方、大企業にとってのパーソナルコンピュータの最大の利点は、情報の共有にある。パソコンは会議や事業方針や内部処理を通じて各部署の協力関係を維持するために必要な莫大な間接費を省いてくれる。電子メールのメリットは、零細企業より大企業のほうが活用できる。

マイクロソフトが社内で情報ツールを使いはじめたのは、紙に印刷された報告書を段階的に除去していくためだった。多くの会社では、トップエグゼクティブのオフィスに入ると、毎月の決算報告をまとめたプリントアウトがぶあついバインダーに綴じられて整然と壁を埋めつくしている。マイクロソフトでは、その種の数字はコンピュータ画面でしか呼び出せない。もっとくわしい数字が知りたいと思えば、期間でも地域でも、好きな方法でそれを調べることができる。財務報告書システムをオンラインに統一した結果、社員の数字の見方が変わってきた。たとえば、ある地域における自社のシェアが、なぜべつの地域と違うのか分析しはじめた。全員がこの情報を使って仕事をしはじめた結果、わたしたちは数字のミスを発見した。データ処理グループはまちがいを認めて「申し訳ありません」と謝罪した。「しかし、うちのセクションはもう五年も前からこの数字を表にまとめて毎月配布してきたんですよ。その最初からおなじ問題があったのに、指摘されたのはこれがはじめてです」。それまではみんな、印刷された情報をまともに使いこなしていなかったため、ミスが発見できなかったのだ。

情報を電子的に利用することで生じる柔軟性を、使ったことのない人に伝えるのはむずかしい。わたしはもう財務報告書を紙の上で見ることはほとんどない。電子的にながめるほうがはるかに便利だからだ。

最初の電子スプレッドシートが一九七八年に登場したとき、それは、紙と鉛筆にくらべてまさに画期的な進歩だった。電子スプレッドシートは、表の各要素の背後に数式を置くことを可能にした。この数式は、表に含まれている他の要素と関連づけることができる。ひとつの数値に変更を加えるとただちにそれが他のセルにも波及する。したがって、売り上げ、成長、利率変化などの見積りを行なって、「もしこうなったら」のシナリオを検討すれば、あらゆる変化が即座に目に見えるかたちに反映される。

現在のスプレッドシート・ソフトの中には、さまざまな形式で表を見せる機能を持つものがある。単純なコマンドで、データのフィルタリングやソーティングが可能になる。わたしがいちばんよく知っているスプレッドシートのマイクロソフトエクセルには、ピボットテーブルと呼ばれる機能があり、ありとあらゆる方法でサマリーした情報を見ることができ、数字の消化を簡単にしてくれる。セレクタ上でマウスをクリックするか、行のヘッダを表の端から端までマウスを使ってドラッグするだけで簡単にサマリーが得られる。このサマリーから、任意のデータについての分析や、各ディテールについての考察を簡単に導くことができる。

マイクロソフトでは、今会計年度と前会計年度分について、支社や製品や販売チャンネルごとの売り上げデータをおさめたピボットテーブルが、管理職全員に毎月電子的に配布されている。各管理職は、必要に応じて、自分なりのデータの見方をすぐにまとめることができる。セールスマネージャーは自分の担当地域の売り上げを、予算や前年の数値と比較する。プロダクトマネージャーは製品販売数を、国ごとに、販売チャンネルごとに整理する。クリックとドラッグだけで、数千の見方が生まれる。

CPU速度の向上によって、まもなくパソコンはハイクォリティの三次元グラフィックスを表示できるようになる。それによって、現在の二次元グラフィックスよりもっと効率的にデータを見られるようになる。また、「売れ行きが最高の製品は？」といった口頭の質問によるデータベースの検索も可能に

	A	B	C	D	E	F
1	Year	1995 ±				
2	Salesperson	(All) ±				
3						
4	Sum of Sales	Region				
5	Product	East	North	South	West	Grand Total
6	Gasoline	1,722	8,019	53,160	71,935	134,836
7	Heating Oil	27,498	11,098	4,891	36,670	80,157
8	Lubricants	2,294	1,531	993	3,527	8,345
9	Grand Total	31,514	20,648	59,044	112,132	223,338

	A	B	C	D	E	F
1	Year	1995 ±				
2	Salesperson	Adams ±				
3						
4	Sum of Sales	Region				
5	Product	East	North	South	West	Grand Total
6	Gasoline	1,722	8,019	2,420	15,154	27,315
7	Heating Oil	6,955	11,098	2,516	9,886	30,455
8	Lubricants	-	1,531	436	1,512	3,479
9	Grand Total	8,677	20,648	5,372	26,552	61,249

	A	B	C	E	F	H	I	K
1								
2								
3	Region	(All) ±						
4								
5	Sum of Sales	Product	Year					
6		Gasoline		Heating Oil		Lubricants		Grand Total
7	Salesperson	1994	1995	1994	1995	1994	1995	
8	Adams	40,251	27,315	28,804	30,455	3,435	3,479	133,739
9	Barnes	31,135	56,781	45,045	26,784	622	2,015	162,382
10	Cooper	40,936	50,740	28,770	22,918	1,475	2,851	147,690

上：1995年の売り上げデータを示すピボットテーブル。製品種別と地域でサマリーしたもの
中：おなじデータから、販売員セレクタのクリックによって、ある販売員の製品別・地域別の売り上げをサマリーしたもの
下：おなじデータから、製品と年を列のヘッダに、販売員を行のヘッダにドラッグし、1994年と1995年の売り上げデータを販売員別・製品別にサマリーしたもの

なるだろう。

こうした技術革新はまず、ワードプロセッサ、スプレッドシート、プレゼンテーションソフト、データベース、電子メールなど、オフィス用高機能市販ソフトの主流をなすアプリケーションに登場するだろう。ユーザーの中には、この種のツールはいまでもじゅうぶん高性能だから、新しいバージョンなど必要ないと主張する人もいるかもしれない。しかし、いまから五年、十年前のソフトについてもおなじことを主張した人たちがいたことを忘れないでほしい。これからの数年で、音声認識、ソシアルユーザーインターフェイス、そして情報ハイウェイへの接続機能などが中核となるアプリケーションに統合されてくれれば、個人ユーザーも企業ユーザーも、ソフトの新機能がもたらす生産性向上の魅力に気づくはずだ。

生産性の向上と仕事の習慣の変化の多くは、ネットワークによってもたらされる。パーソナルコンピュータが出現した当初、その使用目的は文書作成を容易にすることだった。文書は紙に印刷され、その紙を回覧することで情報が共有された。最初のパソコンネットワークは、プリンタを共有し、中央のサーバーにファイルを保存することを可能にした。こうした初期のネットワークの大半は、二十台以下のコンピュータを接続するだけのものだった。ネットワークが拡大するにつれて、小規模ネットワークが相互につながれ、さらにはインターネットに接続して、すべてのユーザーが他のすべてのユーザーとコミュニケートできるようになった。いまのところコミュニケーションの大半は短いテキストファイルだけれど、やがては第六章で見てきたような表現力豊かなマルチメディア文書もそこに含まれるようになるだろう。文書共有の利点を全社員に享受させたいと考える企業が、大規模なネットワークを構築する例も多くなっている。ただし、これには高額の費用がかかる場合が少なくない。たとえばマイクロソフトのギリシャの子会社は、全世界にまたがるマイクロソフトのネットワークに接続するために、全従業員の給与の合計を上回る金額を支払っている。

いま、電子メール（Eメール）はメッセージ交換の主要ツールになりつつある。独特の習慣も発達してきた。ユーモラスな意図で書かれたものだということを示すために文末を笑顔で締めくくりたいときは、コロン、ダッシュ、括弧を最後につける。それで :-) という笑い顔のシンボルになる。たとえば、「名案とは思えないけどね :-)」と書けば、最後の笑顔マークで、悪気のないメッセージだということを示せる。反対向きの括弧を使うと、しかめっ面の :-(になり、これは不満の気持ちをあらわす。びっくりマークのまたいとこのような、こうした「文字絵《エモティコン》」は、電子メールが音声や映像をサポートするメディアに移行してしまえば消え失せる運命だろう。

企業は昔から、書類をやりとりしたり内線電話をかけたり、会議テーブルやホワイトボードのまわりに集まったりして、社内で情報を共有してきた。この方法では意思決定までに大量の時間と大量の会議が必要になる。ひどく非効率だし、こういうやりかただけに頼っている企業は、より小さい労力と、より単純な管理構造で、より迅速に結論を出せるライバル会社に追い抜かれてしまうだろう。

テクノロジーを専門とするマイクロソフトでは、はやい段階から電子コミュニケーションを使いはじめた。電子メールシステムをはじめて導入したのは一九八〇年代のはじめだ。わずか一ダースの社員しかいなかったその当時でさえ、変化は一目瞭然だった。電子メールはたちまち社内連絡の中心手段になり、紙のメモ、技術的な会議、出張報告、電話連絡にとってかわって、わたしたちの小さな会社の効率化に大きく貢献してくれた。社員が数千人を数えるいま、電子メールシステムは必要不可欠なものになっている。

電子メールは簡単に使える。メッセージを書いて送信するとき、わたしは「作成」というラベルがついた大きなボタンをクリックする。すると画面にシンプルな書式が出てくる。まず、メッセージを送る相手の名前をタイプするか、電子アドレス帳から名前を選ぶ。個人ではなくグループ単位で受信人を指定することもできる。たとえばわたしは、マイクロソフトＯｆｆｉｃｅ開発プロジェクトの中心メンバーに頻繁にメールを出しているから、アドレスリストの中に「Ｏｆｆｉｃｅ」という送信先をつくってある。これを指定すると、メッセージは関係者全員に自動的に送信されるわけだ（そのさい「発信人」の欄には自動的にわたしの名前がはいる）。宛先の入力がすんだら、受取人がどういう内容のメールなのかすぐわかるようにメッセージの表題をつけ、それから本文を書く。

電子メッセージは、あいさつ抜きの一文か二文の文章だけのことが多い。たとえばわたしが、「月曜午前十一時の会議はキャンセルして、その時間はそれぞれ火曜のプレゼンテーションの準備にあてることにしよう。反対は？」とだけ書いたメッセージを三、四人の人間に送ったとする。それに対する返信は「了解」というような簡潔なものでかまわない。

ぶっきらぼうで愛想のないやりとりだと思うかもしれないが、マイクロソフトの平均的な社員が一日に受けとる電子メールの数が数十通に達することを忘れないでほしい。一通の電子メールは、会議でのひと言や一回の質問のようなもの——進行中のコミュニケーションについて自分の考えを述べたり疑問点をたずねたりするものなのだ。マイクロソフトはビジネス目的で電子メールシステムを用意しているけれど、内線電話とおなじように、社交的な目的や個人的な目的などさまざまな他の用途に使用されることもある。たとえば山登りの同行者をさがしているハイカーなら、マイクロソフトハイキングクラブの全メンバーに電子メールで接触できる。それにもちろん、電子メールの恩恵を受けてきた社内恋愛もひとつやふたつではないだろう。いまのワイフのメリンダとはじめてデートに出かけたとき、わたしたちも電子メールを利用した。人間はどういうわけか、電話や面と向かってのコミュニケーションより、電子メールのほうが大胆になれるらしい。これは利点にもなるし問題にもなる。

わたしは一日数時間かけて、全世界に散らばる社員、顧客、パートナーたちからの電子メールを読み、返事を書く。会社の人間はだれでもわたしにメールを出せるし、わたしあての電子メールを読めるのはわたしだけだから、形式にこだわる心配なしにメッセージを書ける。

わたしの電子メールアドレスが半ばパブリックな情報でなかったら、こんなに長い時間を割く羽目になることもなかっただろう。これは冗談ではなく、『リッチ&フェイマス　Eメールアドレスブック』という本が現実に出ていて、ラッシュ・リンボーやテッド・ケネディ上院議員の電子メールアドレスといっしょにわたしのアドレスも載っている。ジョン・シーブルックがわたしについての記事をニューヨーカー誌に書いたとき［日本版月刊プレイボーイ一九九五年一一月号（集英社）に部分的な翻訳が掲載された］、彼はもっぱら電子メールを使ってわたしにインタビューした。電子メールの対話はとても効率的で、記事が出たときは楽しく読んだが、その記事にはわたしの電子メールアドレスが掲載されていた。その結果は、メールの大洪水——宿題をかわりにやってくれないかという学生から、金を無心する人、どういうわけかわたしの名前をリストに加えた、鯨に興味がある人たちのグループまで。わたしのアドレスは、見知らぬ人たちからの不躾なあるいは愛想のいいメール、マスコミ関係の人間からの挑発メール(「明日まで返事がないと、例のトップレスのウェイトレスとの一件を記事にさせてもらいますよ」)の標的にもなっている。

マイクロソフトには、求職、製品に対する感想など、会社としてのコミュニケーション用の電子メールアドレスが用意してあるのだが、それでもはやり、その手のメールがわたしの個人アドレス宛てにも山ほど届くから、それを転送しなければならない。それに、何度も何度もくりかえしまわってくる電子メール版不幸の手紙《チェーンレター》も三種類ある。ひとつは、だれかに転送しないと全般的な不幸がふりかかるぞと脅迫するおなじみのパターン。もうひとつはもっと具体的に、性生活における被害というかたちで罰が与えられるというもの。三番めは、もう六年も前から流通しているのだけれど、クッキーのレシピと、ある会社がある女性にそのレシピの代金として法外な金額を請求したいきさつが記されていて、だからその女性のためにこのレシピを無料で流通させてほしいというもの。バージョンによって問題の会社の名前にはいろんなバリエーションがある。どうやら会社(どこの会社でもかまわない)に仕返しするというアイデアが電子メールユーザーに気に入られて、かくも長きにわたって生き延びているらしい。ともあれ、わたし宛ての重要なメッセージが、そういう種々雑多なメールの山の中に埋もれてしまうことも少なくない。さいわいなことに、電子メールソフトの機能は着実に向上していて、いまは自分で発信人リストに優先順位をつけることができる。

旅行中は、毎晩ポータブルコンピュータでマイクロソフトの電子メールシステムに接続して新しいメッセージを読み出し、昼のうちに書いておいた会社の人間宛てのメールを送信する。受信人の大半はわたしがオフィスを離れていることにさえ気づかない。外から会社のネットワークに接続しているときも、アイコンひとつクリックするだけで、セールスがどうなっているかを確認したり、開発プロジェクトの進行状況をチェックしたり、必要に応じてどんな管理データベースにもアクセスできる。会社の数千マイル彼方からでも電子受信箱をチェックできるということは、安心感を与えてくれる。悪いニュースはまず電子メールで届く場合がほとんどだから、受信箱になにもなければ心配しなくてすむわけだ。

わたしたちはいま、予想もしていなかった用途にまで電子メールを使っている。たとえば、各方面から寄付金を募る毎年恒例のマイクロソフト募金キャンペーンでは、募金への参加を求める電子メールを全社員が受けとる。電子メールには電子寄付プログラムがついていて、本文中のアイコンをクリックすると画面に寄付カードがあらわれ、それを使って現金を寄付したり、給与から一定金額を差し引いて寄付にまわしたりできる。後者を選択すると、その情報はマイクロソフトの給与データベースに送られて、その金額が自動的に寄付にまわされる。この電子書式を使えば、募金を自分の地元のユナイテッドウェイに送ることも、べつの非営利団体に送ることもできる。ユナイテッドウェイが支援している慈善団体のいずれかに寄付金をまわしてもいいし、サーバーにアクセスしてその組織についての情報や、地域のボランティア活動についての情報を得ることもできる。最初から最後まで、そのすべてが電子的に処理される。会社のリーダーとして、わたしは日ごとの概況情報を分析し、今年は募金の集まりがいいとか、全社員にもう一回電子メールを出してマイクロソフトがこの募金活動をどんなに重要視しているかを周知徹底させたほうがいいといった判断を下す。

いまでは、マイクロソフトが採用しているような、会社で業務用に利用されるテキストベースの電子メールシステム以外にも、MCIメールやB・T・ゴールド（ブリティッシュ・テレコムが運営している）のような商用サービスがある。また、コンピュサーブやプロディジーやマイクロソフトネットワークなどの商用オンラインサービス各社も電子メールサービスを提供している。こうしたサービスは、電報やのちにはテレックスがはたしていたような機能をある程度まで肩代わりしてくれる。この手の電子メールシステムに接続したユーザーは、標準的なインターネットのメールアドレスを持っている相手なら事実上だれにでもメールを出せる。企業内のものでも商用サービスのものでも、メールシステムには〝ゲイトウェイ〟と呼ばれる転送機能があり、あるメールシステムのユーザーからべつのメールシステムのユーザーへとメッセージを転送することができるし、パソコンとモデムを持っている相手ならほとんどだれからでもメッセージが受け取れる（もっともインターネット経由の送信はセキュリティが厳重とはいえないから、信書の秘密はある程度まで犠牲になる可能性があることを覚悟しておかなくてはいけない）。MCIのような商用サービスでは、受信人が電子メールボックスを持っていない場合、ファックスやテレックスや郵便でもメッセージを届けてくれる。

電子メールの進歩は今後、いまとくに非効率だとは思っていない活動までどんどん合理化してゆくだろう。たとえば、請求書の支払いのことを考えてみよう。会社は紙切れに請求書を印刷して封筒に入れ、それがあなたの家まで物理的に運ばれてくる。あなたは封筒を開けて明細をチェックし、金額と細目がまちがっていないかどうかたしかめ、小切手を書き、いつまでに投函したら支払期限直前に先方に届くか時間を計算する。このプロセスにすっかり慣れてしまっているため、わたしたちはそれがどんなに時間と労力を浪費しているかに気づかない。たとえば請求書の金額に疑問があったとしよう。あなたは会社に電話をかけ、ちょっと待たされて、それから責任者に文句をいおうとする——が、その相手は責任者でもなんでもないかもしれない。その場合は、だれかべつの人間が電話をかけなおしてくるまで待たなければならない。

もうすぐ、パソコンやウォレットPCやテレビで——なんでもお好みの情報家電《インフォメーション・アプライアンス》で——請求書を含めた電子メールすべてをチェックできるようになる。請求書が届いたら、情報家電が過去の支払記録一覧を表示する。請求書に疑問があれば、電子メールを使って非同期的に——自分の都合に合わせて——質問すればいい。「ちょっと、なんで今月はこんなに料金が高いの?」とか。

アメリカ国内の数万の会社が、電子文書交換《エレクトロニック・ドキュメント・インターチエンジ》、略称EDIと呼ばれる電子システムを通じて情報を交換している。EDIを使えば、会社間で、必要な取引を自動的に実行するように契約しておくこともできる。取引専用にシステム化されているから——製品の再発注や出荷状況の確認まで——

EDI文書はふつうのコミュニケーションには向かないけれど、多数の会社がEDIの利点と電子メールの利点をひとつのシステムに統合しようとやっきになっている。

電子メールやEDIでは非同期性が長所になるが、同期コミュニケーションにもそれなりのメリットがある。メッセージを残して返事を待つのではなく、だれかを呼び出してじかに話し、ただちに返答がほしいと思うときもあるはずだ。

数年後には、同期通信と非同期通信の要素を兼ね備えたハイブリッドコミュニケーションが実用化されるだろう。このシステムはDSVD（のちにはISDN）電話接続を利用することで、完全な情報ハイウェイがまだ実現しないうちから、音声とデータの同時送受信を可能にする。

ハイブリッド通信は、こんな感じになる。メーカーは、自社製品についての情報をインターネットに投稿《ポスト》するとき、音声データ接続によってユーザーの質問に答える販売担当者への連絡手段もいっしょに書いておく。たとえば、エディ・バウアーのホームページ（電子カタログのWWWページ）でブーツを選んでいて、気に入ったブーツがフロリダの大湿地帯《エバグレーズ》や氷河の上でも使えるかどうか知りたくなると、ボタンをクリックして販売担当者を呼び出し、話をすることができる。担当者には、あなたがさがしているのがブーツだということが瞬時にわかるし、さらにはあなたが自分でネット上に公表している他の情報を呼び出すこともできる。そこにはあなたの服や靴のサイズ、デザインや色の好みだけでなく、スポーツに対する関心や他社製品の購入記録、はては買物の平均価格まで含まれているかもしれない（自分自身についての情報はいっさい公表したくないという人も当然いるだろうし、公表しなければならないわけではもちろんない)。エディ・バウアーのコンピュータは、あなたの問い合わせを前回あなたと話をした担当者にまわすこともできるし、あなたの画面に表示されている製品(この場合はブーツ)を専門とする担当者にまわすようにでもできる。いずれにしても、あなたは前口上抜きで、「このブーツ、エバグレーズなんかの湿地でもだいじょうぶ?」というように、なんでもききたいことをきくことができる。担当者はオフィスで待機している必要はない。パソコンがあって、連絡がつく場所なら、物理的にはどこにいてもかまわない。まともな言語能力とまともな商品知識があれば、担当者はどこにいようが顧客の助けになれる。

あるいは、遺言状を書き換えたいと思って弁護士に電話したときのことを考えてみよう。弁護士が、「じゃあちょっと見てみましょうか」といって、あなたの遺言状を自分のパソコンに呼び出すと、あなたのディスプレイにもそれが——DSVDかISDNか、それと同様のテクノロジーのおかげで——表示される。彼女が文書をスクロールさせ、あなたが変更したいと思う箇所についてふたりで討議する。さらに、彼女が遺言書をてきぱき編集していくところをリアルタイムで見ることもできる。弁護士のコンピュータ上で修正が加えられていくのをじっと見守るだけでなく、自分でも手を加えたかったら、共同で作業してもいい。弁護士と話し合うだけでなく、自分のコンピュータ画面に彼女の映像を出すこともできる。

あなたのコンピュータに、弁護士が使っているのとおなじソフトウェアを入れておく必要はない。アプリケーションは回線の片側で(この場合は弁護士の側で)起動してあるだけでいい。あなたの側で必要なのは、適当な速度のモデムとDSVDソフトだけだ。

音声／データ接続のもうひとつの便利な使用法として、ユーザーサポート体制の強化が考えられる。マイクロソフトには、製品サポート窓口でユーザーの質問に答えるのを仕事にしている社員が大勢いる。実際、ソフトを開発する技術者の数に匹敵する数の社員を製品サポートにあてているくらいだ。それによって、ユーザーからのフィードバックをすべて記録し、製品の改善のために利用するわけだ。電子メールによる質問も大量に寄せられるが、大半のユーザーはまだ電話をかけてくる。電話での問い合わせは非効率的だ。ユーザーは電話してきて、自分のコンピュータはこれこれの機種でこういうシステム構成になっていて、かくかくしかじかのエラーメッセージが出た、と説明する。製品サポート担当者はその説明に耳を傾け、それからなにかアドバイスする。ユーザーは数分かけてその指示を実行し、そのあとまた会話が再開される。サポート電話一件にかかる時間は平均して十五分。ときには一時間におよぶこともある。しかしみんながDSVDを使うようになれば、ユーザーサポート担当者は、電話の主のコンピュータ画面を（もちろんユーザー側から許可をとったうえで）自分の端末に表示して、説明の言葉だけを頼りにするのではなく、直接ユーザーのコンピュータをチェックすることができる。プライバシーが侵害されることのないよう、慎重にシステムを考える必要があるけれど、この方式を採用すれば、平均通話時間を三十パーセントから四十パーセント削減できるだろう。顧客にとってもそのほうがはるかにありがたいだろうし、メーカー側からすればコストが下がり、そのぶん製品の価格を下げることができる。

DSVD(またはISDN)電話接続では、文書の画像以外も送信できる。通話中の片方または双方が、自分自身の映像を送信してもいい。ある製品を買おうと思って電話すれば、メーカーのサービス担当者が笑顔で応対してくれるのを見ることもできる、もちろん、客の側は音声だけしか送信しなくても一向にさしつかえない。どんな服を着ていようが気にしないですむように、あらかじめ状況に合わせた服を着ている映像を作っておくこともできる。それとも、にっこりしている顔、げらげら笑っている顔、考え込んでいる顔、怒っている顔と、自分の顔のパターンを何種類か用意して、会話のなりゆきしだいでそのときの気分に合わせて画像を切り替える手もある。

電子メールと共有画面を使えば、会議の多くは不必要になる。参加者が耳を傾け情報を得ることを主目的とするプレゼンテーション会議は、添付書類としてスプレッドシートなどの文書を同封した電子メールで代用できる。顔を合わせて会議を開く場合も、あらかじめ背景となる情報を電子メールで交換しておけば、ずっと効率的に進められるだろう。

ソフトウェアに処理をまかせれば、ミーティングのスケジュール調整も楽になる。たとえば弁護士と顔を合わせて相談したい場合、あなたのスケジューリングプログラムが彼女のスケジューリングプログラムとネットワーク経由で——電話ネットワークでもかまわない——連絡をとりあい、両者が空いている日時を選び出す。そのあとで、双方の電子スケジュールカレンダーに予約が表示される。

レストランや劇場の予約にも使える方法だが、新しい問題が生じる可能性もある。たとえば、繁盛していないレストラン、売れ行きが思わしくないチケット、なにも予定のない弁護士なら、逆にそれをあなたに知られないように、スケジュールのチェックはできないようにしてミーティングの要求のみに答えるようにするかもしれない。そうなると、あなたのスケジューリングプログラムは、弁護士のスケジュールをチェックできなくなり、特定の日時にミーティングを申し込んだときだけ、「承知しました。火曜の午前十一時の予約をお受けします」というような答えが返ってくることになる。

顧客は、弁護士や歯科医や会計士といった専門家が、電子的に予約を受け付けたり文書を交換できるのを当然だと思うようになる。たとえば、市販品の薬を服用してもかまわないかどうか、かかりつけの医師に聞きたいとしよう。診療中に割り込んで電話に答えてもらうのはむずかしいとしても、手があいたとき電子メールで返事をしてもらえれば助かるだろう。顧客はつきあいのある専門家たちとの電子メール交換を望むようになる。こうしたコミュニケーションツールをどのように取り入れ、どの程度連絡をつきやすくし、仕事を効率的にすすめるか、専門家のあいだで競争がはじまるだろう。きっと、PCコミュニケーションの分野での先進性を誇らしげに謳う広告をあちこちで見かけるようになるはずだ。

情報ハイウェイが実用化されれば、高画質ビデオの送受信も実現するから、音声や静止画に限定されることもなくなる。共有画面によるビデオ会議システムを使って電子的に行なわれる会議がますます多くなる。会議の参加者が見ているのは、それぞれ違うモニター装置——ビデオホワイトボード、テレビ、パソコンのディスプレイなど——だが、画面にはおおむね似たような映像が映し出されている。スクリーンの一部にはだれかの顔、べつの場所には文書。だれかがその文書に修正を加えたら、編集結果はほとんど瞬時に全員の画面に反映される。地理的に離れた場所にいる人間もそのハンディを意識せずに会議に参加できる。これは同期あるいはリアルタイムの情報共有の例で、コンピュータ画面はそれを使っている人間に同調している。

あるグループがプレスリリースの席で共同発表する場合、各メンバーは自分のデスクトップまたはノートパソコンを使って、自由に写真やビデオを挿入できる。他のメンバーは自分用のディスプレイで他の参加者の作業を見ることができる。

わたしたちはすでにビデオ会議を見るのに慣れっこになっている。テレビのニュース番組、たとえば『ナイトライン』にチャンネルを合わせると、売り物の長距離討論を放送している。これがビデオ会議だ。番組のホストとゲストはそれぞれべつの大陸にいるかもしれない。それでも彼らはおなじひとつの部屋にいるかのように議論し、視聴者の目にもおおむねそう見える。

現段階では、ビデオ会議を実現するためには、特殊な電話回線と特殊な設備が必要になる。マイクロソフトでは、全世界に散らばる販売拠点のオフィスに最低でもひとつは専用のビデオ会議室を置いている（頻繁に使われているものの、会議の雰囲気はかなり堅苦しい）。この種の設備は出張の手間とコストを大幅に減らしてくれる。よそのオフィスにいる社員はスタッフ会議の〝席〟につき、顧客や相手企業は、シアトルの本社まで出向かずともマイクロソフトを〝訪問〟できる。こうした会議は、音声のみの電話会議や、直接顔を合わせてのミーティングとくらべ、時間と費用の節約になるばかりか、生産性でも上回るため（どうやら人間というのは、カメラに映っているときはふだんより注意深くなるらしい）、たちまち一般化するだろう。

もっともわたしの経験からいうと、ビデオ会議に慣れるには多少時間がかかる。だれかひとりだけがビデオ会議の画面に出ている場合、物理的におなじ場所にいる他のメンバーとくらべて、その人物に関心が集中する傾向がある。はじめてそれに気づいたのは、わたしたちがシアトルの会議室に集まり、ヨーロッパ出張中のスティーブ・バルマーとビデオ会議を開いたときのことだった。その会議はまるで、わたしたち全員が、スティーブ・バルマー・ショウに釘づけになっているみたいだった。スティーブが靴を脱ぐと、シアトルのわたしたちはみんな目を見交わしてたがいの反応をたしかめる。会議が終わったあと、いっしょに会議室にすわっていたほかのメンバーについては名前も思い出せないのに、スティーブについては彼のヘアスタイルまでことこまかに覚えている、という具合だ。もっとも、ビデオ会議がありふれたものになってくれれば、こういうひずみも消えてゆくだろう。

いまのところ、ビデオ会議室を設置するには相当なコスト——最低でも四万ドル——がかかる。しかし、パソコンに接続するデスクトップビデオ会議システムも登場しはじめているから、それがコストを——それにビデオ会議の堅苦しさも——劇的に引き下げるだろう。マイクロソフトが使っているビデオ会議システムの場合、おおむね38400ビット／秒のISDN回線で接続され、米国内なら一時間二十ドルから三十五ドル、海外と接続した場合には一時間二百ドルから三百ドルのコストで、まずまずの画質と音質が得られる。

ビデオ会議にかかるコストは、他のコンピュータ関連サービスと同様、テクノロジーとコミュニケーションのコストが下がるにつれて、どんどん下がっていくだろう。パーソナルコンピュータやテレビにカメラをつなぐ小型ビデオ機器を使って情報ハイウェイ経由で接続すれば、はるかに高画質・低コストでビデオ会議が開けるようになる。ISDN回線とパソコンの接続が一般化したら、ビデオ会議は、コピー機を使って複製した書類を配るのとおなじくらいあたりまえの手順になるだろう。

ビデオ会議の共有画面では、人間同士が顔を合わせたミーティングでの微妙な力関係が欠落してしまい、会社の会議が、一族全員で集まって記念撮影するときのように気まずいものになってしまうのではないか、と心配する人もいる。となりの席の人間とひそひそ話をしたり、退屈な長広舌をふるっている人間に向かって目を白黒させてみせたり、メモをまわしたり――会議につきもののそういう習慣はどうなってしまうのだろう？ 現実には、ビデオ会議の最中にネットワーク経由で個人同士がコミュニケートするのは簡単だから、内緒話は物理的なミーティングの場合よりむしろ楽になる。昔から会議には暗黙のルールがあった。ネットワーク上でのビデオ会議では、こういった不文律を明文化する必要があるかもしれない。退屈したとき、参加者がその合図を送ることができるようにするべきか？ 自分の映像もしくは音声を他人から見えないようにしてもかまわないか？ 二台のパソコン間で内緒話を交わすことは認めていいか？ こういうシステムを使っていく過程で、新しい会議のエチケットがじょじょに生まれてくるだろう。

家庭でのビデオ会議はいささか様子が違うものになる。ふたりの参加者のあいだだけで開かれるビデオ会議は、つまりテレビ電話だ。出張先から子どもたちにやあ元気かいと声をかけたり、ペットの犬や猫が脚をひきずっている様子を獣医に見せたりできれば便利だろう。しかし自宅にいるときは、大半の通話、とくに知らない相手からの電話の場合には、カメラをオフにしておく可能性のほうが高い。リアルタイムの映像のかわりに、前もって撮影してある自分自身や家族の写真や、自分の個性を発揮できてなおかつ視覚的プライバシーは保てるような映像を送信することもできる。留守番電話に吹き込むメッセージを自由に選ぶようなものかもしれない。親しい友人からの電話や、仕事上の必要があるときは、生の映像をオンにする。

これまでは、現実に存在するなにかを記録した同期、非同期の画像──写真、ビデオ、文書──について検討してきた。しかしコンピュータの性能が進歩するにともない、ふつうのパソコンでもリアルな合成映像をつくれるようになる。電話やコンピュータがあなたの顔そっくりの映像を生成し、あなたが聞いてる顔やしゃべっている顔までつくってくれる。言葉をしゃべっているのは本物のあなた自身だが、自宅でシャワーを浴びていたところにかかってきて、まだ全身からぽたぽたしずくが落ちているところかもしれない。話しているあいだ、電話がいかにもビジネスライクなスーツに身をかためたあなたの姿を合成し、相手の画面に表示する。顔の表情は言葉にぴったり合っている(小型コンピュータがおそろしく高性能になることをお忘れなく)。それとおなじように、だれかべつの人間、あるいはあなたの顔を理想化した顔がしゃべっている映像をつくることもできる。はじめての相手と話をしているときは、ほくろや二重あごを見られたくないかもしれない。相手のほうでは、あなたがほんとうにケーリー・グラント(あるいはメグ・ライアン)そっくりなのか、コンピュータからささやかな助けを借りているのか、区別がつかない。

こうした電子的技術革新のすべて――電子メール、共有画面、ビデオ会議、テレビ電話――は物理的な距離を克服するために使われる。これらがあたりまえになるころには、共同作業の方式だけでなく、仕事場と他の場所とのあいだの区別にも変化が生じる。

一九九四年、アメリカ国内で七百万以上の〝データ通勤者《テレコミューター》〟が、オフィスに出勤するかわりに、ファックスや電話や電子メールを使って毎日〝通勤《コミュート》〟している。作家、エンジニア、弁護士など、比較的自立性の高い仕事をしている人々は、勤務時間の相当程度を自宅で過ごすようになってもいる。営業マンは結果で判断される。販売実績を上げているかぎり、仕事中オフィスにいようが自宅にいようがクルマの中にいようが大した問題ではない。テレコミュートしている人間の多くは自由を満喫し、自分の都合で仕事ができると歓迎しているけれど、中には四六時中自宅に閉じこもっていると息が詰まるという人間もいる。また、在宅勤務で能率を上げるには克己心が足りない、とあらためて自覚する人々も少なくない。しかし今後、さらに数百万の人々が情報ハイウェイを利用し(少なくともパートタイムでは)テレコミュートしはじめるだろう。

仕事中ほとんどの時間電話をかけているような職種の人は、着信電話を自宅に転送できるようになるから、テレコミューティングの有力候補になる。テレフォンアポインター、顧客サービス担当者、予約受付係、ユーザーサポート係は、オフィスの画面で引き出すのとおなじだけの情報を自宅の画面から引き出せる。いまから十年後の求人広告では、一週間の勤務時間が何時間で、そのうち何時間が(もしあるとすれば)オフィスなどの指定勤務場所で過ごす〝拘束〟時間になるかを明示するようになるだろう。

職種によっては自宅にパソコンがあって在宅勤務できることが採用条件になるかもしれない。サービス会社はパートタイム労働力をきわめて楽に使えるようになるだろう。

社員と管理職が物理的に離れた場所にいると、いまとは違った労務管理方式を導入しなければならない。各社員も、ひとりで仕事をしていても生産性を維持できるようなコツを学ぶ必要がある。雇用者と被雇用者の双方が仕事のクォリティを判定できるよう、新たな人事考課方式を開発しなければならないだろう。

会社にいれば、そのあいだは働いているとみなされるが、おなじ従業員が自宅にいるときは、実際に仕事をしている時間だけしか（おそらく会社にいるときとは違うレートで）勤務時間と認められなくなるかもしれない。赤ん坊が泣きはじめると、パパかママは「ただいま席をはずしております」ボタンをクリックして数分間仕事を離れ、その間の給与はカットされる。また仕事をはじめる準備ができると、パパまたはママは「勤務中」ボタンをクリックし、ネットワークがふたたび仕事を届けはじめる。パートタイム仕事とジョブシェアリング〔正規労働者一人分の仕事を複数で分担する労働形態〕には新しい意味が加わるだろう。

オフィスの数は減るかもしれない。ひとつのオフィスまたは個人用執務室《キュービクル》を、内勤時間がずれたり不規則だったりする数人の人間で共有するようになるだろう。大手会計事務所のアーサー・アンダーセンやアーンスト&ヤングなどでは、維持費のかさむ多数のプライベートオフィスを、外回りからもどってきた会計士が使える少数の汎用オフィスに転用している。近い将来、その日の従業員が、共有オフィスコンピュータや電話やデジタルホワイトボードを自分用にカスタマイズして使うようになる。従業員がどこでログオンしても、デジタルホワイトボードと情報ハイウェイのおかげで、自分の慣れ親しんだオフィス環境が再現される。

情報テクノロジーは、物理的な勤務地や労務管理よりはるかに大きな影響を与える。いわば、会社組織の本質が問い直されることになる。企業の組織構造や、内勤のフルタイムスタッフと社外コンサルタント間のバランスも見直すことになる。

企業《コーポレート》再構築《リエンジニアリング》運動《ムーブメント》は、会社を組織するもっとよい方法があるという前提から出発する。現在までのところ、大半のリエンジニアリング手法が注目しているのは、社内の情報を新たな方法で流通させることだ。次のムーヴメントは、顧客や供給元との関係を再定義することになる。顧客が製品情報を得るには？　顧客が注文するには？　地理的ハンディが減ることで出現する競争相手は？　顧客に不満を抱かせないアフターサービスとは？　こういった問いの解決が鍵となる。

企業構造は進化する。電子メールは大企業に共通して見られる固定的な上下関係を均すための強力な武器になる。コミュニケーションシステムが優秀なら、管理レベルを何層も重ねる必要はない。命令系統の上と下に情報を伝えるのが仕事だった中間管理職は、昔ほど重要な役職ではなくなってくる。情報化時代の会社として誕生したマイクロソフトでは、最初から上下関係がフラットだった。いまでも、わたしと平社員のあいだの管理レベルは最大でも六層に抑えられている。電子メールのおかげで、ある意味では、わたしと任意の社員とのあいだに管理階層の差は存在しなくなっている。

テクノロジーによって外部の専門家を見つけ出し協力を仰ぐことが簡単になるにつれて、競争の激しいコンサルタントの市場ができてくるだろう。ダイレクトメール広告の企画に協力してくれる人間が必要になれば、情報ハイウェイを走るアプリケーションに顧問料や契約期間などの条件を指示して、特定の資格のあるコンサルタントをリストアップさせればいい。ソフトウェアが各種の情報を調べて予備調査を行ない、条件に合わない人間をふるいおとすのに手を貸してくれる。「この候補者の中で、いままでうちと仕事をしたことがあって、8ポイント以上の評価を与えられた者は？」とたずねてみることもできる。こういう求人システムはいずれきわめて低コストで利用できるようになり、やがてはベビーシッターや芝刈りのアルバイトをさがすときにもこのシステムを使うようになるだろう。働き口や受注契約をさがしている場合には、システムが条件に合った雇用主を見つけ、クリックひとつでこちらの履歴書を先方へ電子的に送付してくれる。

企業は、組織内に専門家を抱えるメリットと社外に外注するメリットを天秤にかけ、社内の法律部門や会計部門をどの程度の規模にするかを判断したり、総合的な雇用状況を再評価したりすることになる。忙しい時期には、従業員の数やそれにともなうオフィススペースを増やすことなく、新たな労働力を簡単に確保できる。

情報ハイウェイによって社外の人材発掘や共同作業がやりやすくなるため、多くの会社は最終的にいまよりずっとスリムになるだろう。ビジネスに関するかぎり、大きいことは必ずしもいいことではない。ハリウッドの映画会社が、従業員の数からするとびっくりするほど小規模なのは、映画一本単位での契約――俳優や、しばしば施設まで含めて――を導入しているからだ。ソフト会社の中には、必要なときだけプログラマを雇い入れるというふうにして、それと似たような方式をとっているところもある。もちろん、すべてを外注に頼り、なにか必要が生じるたびに外部の専門家の時間を競り落とさなければならないとしたら、外部コンサルタントが仕事に慣れる時間を考えると、かえって非効率かもしれない。いずれにせよ会社の機能は、構造的にも地理的にも分散されることになる。

地理的分散は、企業構造の改革よりはるかに大きな影響を与えるだろう。現在の社会問題の多くは、都市への人口一極集中によって生じている。交通渋滞、高い生活費、犯罪、そしてなによりも自然に親しむ機会が少ないこと――都市生活の欠点は明白だ。利点としては、職場や学校、娯楽、友人へのアクセスが楽なことが挙げられる。この百年間で、工業社会の人口の大多数が、意識的にであれ無意識にであれ、こうしたプラスとマイナスを秤にかけ、その結果、都市部に住むことを選んできた。

情報ハイウェイがこの秤のバランスを変える。ハイウェイは大都市の外に住む欠点を大幅に減らす。サービス関連分野に従事するコンサルタントや被雇用者なら、事実上どこに住んでいても問題なく仕事ができる。消費者のほうは、家を出ることなくアドバイスを――経済、法律、医療などの面で――得ることができる。仕事と家庭生活のバランスを考える人々にとっては、自由度がますます重要になってくる。友だちや家族に会うために、あるいはなにかイベントに参加するために、つねに旅行に出かける必要はなくなる。文化的アトラクションは情報ハイウェイ経由で手に入る。ブロードウェイやウェストエンドのミュージカルを、自宅のリビングルームで見ても、ニューヨークやロンドンの劇場で見てもおなじ、というつもりは毛頭ないけれど、画面サイズと解像度の向上は、映画も含めて家庭で見るビデオ映像の質を飛躍的に高めるだろう。情報ハイウェイが提供する教育プログラムも広範囲をカバーするようになる。そういったすべてが、都市生活へのしがらみから人々を解放するはずだ。

州間高速道路《インターステートハイウェイ》システムの登場は、アメリカ国民がどこに居を定めるかに大きな影響を与えた。新しく誕生した郊外を通勤圏内に変え、自動車文化の形成に貢献した。情報ハイウェイの登場が都市中枢部からの人口移動の引き金を引くとしたら、都市プランナーや不動産開発業者や学区は大きな影響を受けることになる。一カ所に集中していた才能が分散してしまえば、企業は、会社活動の拠点から離れた場所にいるコンサルタントや従業員とうまく仕事を進める方法を考えなくてはならなくなる。

都市人口が十パーセントでも減れば、地価は下落し、交通をはじめとする都市機能の負担は大幅に減少する。大都市の平均的オフィス労働者がウィークデイの一日か二日を自宅で過ごすようになるだけで、ガソリン消費量、大気汚染、交通渋滞は目に見えて低下するだろう。しかし、最終的にどんな効果があるかを予見するのはむずかしい。都市を出ていく人間の大多数が富裕な頭脳労働者だったとしたら、都市の課税基盤は打撃を受ける。税収入の減少は都市が抱えている悩みを悪化させ、富裕層の都市脱出にさらに拍車がかかる。しかしそれと同時に、都会のインフラストラクチャに対する負荷も低くなる。家賃が下がり、都市に残る人間は生活水準を向上させるチャンスができる。

すべての変化が完了するには数十年かかるだろう。大多数の人々は、人生のはやい時期に慣れ親しんだ生活に満足して、おなじみのやりかたを変えることを望まないものだ。しかし、新しい世代が新しいライフスタイルを持ち込んでくる。子どもたちは、距離を超えて情報ツールで仕事をする方法に親しみ、その快適さを味わいながら成長する。わたしたちにとっての電話やボールペンのように、子どもたちには情報ツールがあたりまえのものになる。今後十年以内に、仕事のやりかたや働く場所、わたしたちが働いて支えている会社、住む場所について、大変動を目のあたりにすることになるだろう。わたしのアドバイスは、今後登場するテクノロジーについてできるだけ多くを知る、ということだ。テクノロジーについて知れば知るほど、それにまごつかされることも少なくなる。テクノロジーの役割は柔軟性と効率性を提供することにある。未来を見据える企業経営者にとって、これからの年月は、よりすぐれた経営を展開するチャンスとなるはずだ。

第八章
摩擦ゼロの資本主義

一七七六年、『国富論』の中で、市場という概念をはじめて提起したアダム・スミスは、もしすべての買い手がすべての売り手の売り値を知り、すべての売り手がすべての買い手の買い値を知っていたら、〝市場〟の全員が完全な情報に基づいて決断することが可能になり、社会資本は効率的に分配されるはずだ、という理論を構築した。しかし、いまにいたるまでスミスの理想は実現していない。潜在的買い手と潜在的売り手がおたがいについて完全な情報を持っていることはめったにないからだ。

カーステレオを買おうとする消費者でも、すべてのディーラーを調べてまわる時間と忍耐を持っている人は多くない。どうしても、かぎられた情報をもとに行動することになる。ある製品を五百ドルで購入し、一週間か二週間後の新聞広告でおなじ製品が三百ドルで売られているのを見たら、高い買い物をしたとバカを見た気分になるだろう。しかし、事前調査を怠ったばかりにまちがった職についてしまったら、被害はその程度ではすまない。

すでにスミスの理想に近いレベルで機能している市場もないではない。通貨や特定のモノを売り買いする投資家たちは、世界的な需要と供給と価格について完璧に近い情報が瞬間的に得られる効率的な電子市場に参加している。あらゆる付け値、競り高、商取引のニュースが電話回線経由で瞬時に全世界のトレーディングデスクに届けられるため、全員がほぼおなじような取引を行なうことになる。しかしこういう例はごく少数で、ほとんどの市場はきわめて効率が悪い。たとえば、医者や弁護士、会計士などの専門家をさがしていたり、家を買おうと思っていたりした場合、情報は不完全で比較検討することがむずかしい。

情報ハイウェイは電子市場を拡張し、究極の仲買人、遍在する媒介者になる。取引に関係する人間が買い手と売り手のふたりだけということも珍しくなくなるだろう。世界中の売りに出ている品物すべてが、比較、検討、そしてしばしばカスタマイズの対象になる。なにか買いたいものがあれば、きちんとした販売元から売り出されているものならなんでもいいからベストプライスの商品をさがしてこい、とコンピュータに命じるだけでいい。あるいは、多種多様な売り手のコンピュータと交渉して〝値切って〟こいと命じることもできる。ベンダーとその製品およびサービスについての情報は、ハイウェイに接続されたあらゆるコンピュータからとりだせる。全世界に散らばるサーバーがオファーを受け、それをもとに取引を完了し、認証《オーセンテイケーション》と保安《セキュリテイ》をコントロールし、代金決済まで含めて市場のあらゆる機能を代行する。これによって摩擦係数が低く間接費のかからない、資本主義の新世界が誕生する。市場情報はじゅうぶんで、取引コストは低い。買い物天国になるだろう。

路上のバザールから情報ハイウェイにいたるまで、あらゆる市場は、価格競争を促進し、品物が売り手から買い手へとなるべく低い摩擦で円滑に移動することを目的にしている。その立役者は、売り手と買い手を引き合わせることを仕事とするマーケットメーカーだ。情報ハイウェイがマーケットメーカー役となる分野が広がるにつれて、従来の仲買人は取引の仲介料をとるのがむずかしくなるだろう。たとえば、これまでの商店や施設はただたんにそこに〝ある〟というだけの理由で利益を得てきた。今後は、商品に付加価値をつけられる者が生き延び、そして利益を手にすることになる。情報ハイウェイのおかげで世界中の顧客にサービスを提供できるようになるからだ。

この考えは多くの人を脅えさせる。変化というものはおおむね、多少はおそろしく思えるものだし、実際、ハイウェイ上の商業流通によって小売業界は激変するだろう。しかし、それだけ大きな変化でも、いったん慣れてしまえば、いままでそれなしでどうしてやってこられたんだろうと不思議に思うようになる。消費者にとっては、コスト競争によってお金を節約できるだけでなく、製品とサービスの選択肢が飛躍的に増える。店の数は少なくなるかもしれないが、いまの延長でショッピングを楽しむ人がなくならないかぎり、需要に見合うだけの店は残るだろう。ハイウェイがショッピングを単純化し標準化するから、時間の節約にもなる。恋人にプレゼントを買うつもりなら、選択の幅はいま以上に広がるし、いままでより洒落たものだって見つかるようになる。買い物で節約した時間を使って、プレゼントの楽しいラッピング方法を考えたり、凝ったカードだってつくることができる。もちろん、節約した時間をその恋人といっしょにすごしてもいい。

保険、服、投資、宝石、カメラ、家具、不動産……どんな買い物をする場合も、知識の豊富な販売員には大きな価値がある。しかし販売員はいまある在庫品を売りさばこうとすることも多いから、そのアドバイスには多少のバイアスがかかることになる。

情報ハイウェイでは、製品情報の多くがメーカーから直接とりだせるようになる。ベンダーはいまとおなじように、刺激的で魅力あるあの手この手を使って客を惹きつけようとする。広告は、いまのTVコマーシャルと雑誌広告と詳細な販促パンフレットの要素を兼ね備えたハイブリッドなものになるだろう。広告に魅力を感じたら、その場で、もっとくわしい情報を直接リクエストできる。映像、音声、文章からなる製品マニュアルまで含め、無数のリンクによって、広告主が提供するあらゆる情報をナビゲートできる。ベンダーは、ユーザーが製品情報をできるかぎり手軽に入手できるよう、知恵を絞ることになるだろう。

マイクロソフトは、ハイウェイを使って製品情報を提供できる日が来るのを首を長くして待っている。いまはまだ、数百万部もの製品パンフレットや機能概要を印刷し、必要な人たちに郵送している。だが、機能概要にどの程度くわしい情報を盛り込んだらいいのか誰にもわからない。軽い気持ちでリクエストしてきた人が目を回すような専門的なものにはしたくないけれど、詳細な製品スペックを知りたい人もいる。それに、情報はかなりのスピードで変化するため、パンフレットが何万部も刷り上がったと思ったら新しいバージョンの発売が決まり、そっくり廃棄処分にしなければならないというようなこともままある。コンピュータユーザーを相手にしているという事情もあって、マイクロソフトが配布する情報の多くはいずれ電子的なものにシフトしていくだろう。現在すでに、季刊の製品情報CD－ROMの郵送と、得意先の数社を含む多数のソフトハウスにオンラインで情報を送ることで、数百万ページの印刷の手間を省いている。

しかしユーザーからみれば、マイクロソフトをはじめとするメーカーの宣伝文句だけを頼りにすることはできない。もっと客観的な情報が必要なら製品レビューをチェックすることもできる。広告、製品レビュー、マルチメディアマニュアル、そしてさらに、その製品と関連する政府規制のデータをみることもできる。ベンダーがユーザー調査をしているかどうかもチェックしよう。とくに関心のある特徴について——たとえば耐久性を——もっと深く調べてみてもいい。あるいは、日曜大工のドリルからバレエのトウシューズまで、あらゆる製品について専門的なレビューを書き、それをネットワーク上で発表しているセールスコンサルタントのアドバイスを検索してみてもいい。もちろん、知り合いに意見を聞いてみることだってできる——ただしそれも、電子メールで質問するほうが効率的だろう。

どこかの会社と仕事をしようとか、なにか製品を買おうと思っているなら、それについてほかの人がどういっているかをチェックできる。冷蔵庫を買う場合は、その冷蔵庫やメーカー、小売店についての公式／非公式の記事が投稿されている電子掲示板をのぞいてみる。まとまった金額の買い物をする前にはこういう電子掲示板をチェックするのが習慣になるだろう。あるレコードクラブや医師やコンピュータチップについて、他人にも教えたい賛辞や苦情があれば、その会社または製品についての議論がかわされている場所をネットワーク上で見つけて自分の意見をそこに加えるのは簡単だ。最終的には、消費者を大切にしない会社は評判を落として売上げが落ちる。よくやっている会社は、この新しいタイプの〝口コミ〟を通じて相当数の客をひき寄せる。

とはいえ、ネットワークに投稿された意見には、注意深くなる必要もある。役に立つ情報をみんなと共有したいという欲求からではなく、狂信的な動機につき動かされていることもあるからだ。

たとえば、ある会社が出しているエアコンが九九・九パーセントの顧客をたいへん満足させていたとしても、残り〇・一パーセントに属する怒れる消費者が、そのエアコンのブランド、それを製造したメーカー、その会社の特定の個人などに対して口汚い罵倒を浴びせ、くりかえしくりかえしそうしたメッセージをあちこちに送りつづける場合がある。それがどんな影響をもたらすかは、たとえばこんな会議を想像してみればいい。出席者全員が、0から1000までに音量を調節できる装置を持っている。通常の会話レベルが3だとしよう。そこへ突然、二、三人の出席者がボリューウムを1000までまわして叫びはじめる……。つまり、たまたまわたしがエアコンを買う予定でその電子掲示板をのぞいていたとしても、読んでも読んでも罵倒の嵐で時間を無駄にするだけもしれないということだ。これはわたしにとってもエアコンのメーカーにとってもフェアではない。

いまもすでに、ネットワークエチケット、略して〝ネチケット〟と呼ばれるものが磨かれつつある。情報ハイウェイが世界の社交場になるにつれて、わたしたちはそこにこれまでの文化的慣習を持ち込むようにもなる。世界には大きな文化的差異があるから、ハイウェイもさまざまなパートに分割されるだろう。あるパートはさまざまな文化のために保存され、べつのパートはグローバルな場として使用される。いままでのところはフロンティア精神が勝り、電子フォーラムの参加者たちは、反社会的な、ときには非合法でさえあるような行動に傾きがちだ。記事、書籍、アプリケーションソフトなど、著作権のある知的財産の非合法コピーが大手をふって流通している。てっとりばやく金を稼ごうとする詐欺師たちもネットワークのあちこちに顔を出す。子どもたちに簡単に手の届く場所でポルノが花盛り。視野のせまい人間が、嫌いだと決めつけた製品や会社や人間について、ひっきりなしにどなりちらす。フォーラムの参加者は、なにげない一言のためにひどい罵倒の言葉を投げつけられる。個人が――あらゆる個人が――巨大な電子コミュニティのメンバー全員と意見を共有できるというのは先例のない事態なのだ。どなりちらす連中は、電子コミュニティならではの機能を利用して、同時に二十もの電子掲示板に激怒のメールを投稿できる。参加者がヒステリックになったおかげで理性を失い、愚劣なメッセージの応酬になってしまう電子掲示板を、わたしはいくつも見てきた。議論に加わっていた他の参加者たちはどうしていいかわらない。だれかがどなり返す。二、三人が理性的な発言でおさめようとする。しかしヒステリックなコメントがつづき、それがコミュニティの良識を破壊する。

インターネットは、学術共同研究組織として発展してきたこともあって、秩序の維持に関しては参加者自身の民主的圧力に頼ってきた。たとえば、ある討論グループのだれかが本題と無関係の的はずれなコメントを投稿したり、非商用が前提の電子フォーラム内でなにかを売ろうとしたりした場合などは、侮辱の集中砲火を浴びせられることになりかねない。いままでのところ、インターネットの秩序は主として、一線を踏み越えた反社会的行動を〝罵倒《フレイム》〟する自発的な検閲官によって維持されてきた。

商用オンラインサービスはボランティアまたはプロの管理者《モデレーター》を雇って電子掲示板の活動を監視させている。モデレーターがいるフォーラムは、あからさまな中傷や著作権侵害にあたる発言を削除することで、反社会的行動をある程度まで締め出すことができる。しかしインターネット上のフォーラムはほとんど、管理者がいないまま自由にまかされている。どんな発言も許されるし、メッセージや情報を匿名で投稿できるため、責任の所在もはっきりしない。かといって、中傷メッセージを読んで消費者苦情センターに駆け込むわけにもいかない。メンバーの合意を得るためのもう少し高度な手続きが必要だろう。情報ハイウェイを誹謗や中傷や不満の増幅装置にしないために、なんとか彼らのボリュームを下げる方法を考え出さなければならない。

インターネット接続サービスを提供するプロバイダの多くが、性的にあからさまなものを含むニューズグループなどへのアクセスを制限しはじめているし、ネットワーク上での著作物の違法取引が厳しく罰せられたこともある。大学では、学生やスタッフに対して、他人に不快感を与える投稿の削除を求めているところもある。一方では、こうしたやりかたは問題だと苛立つ人々もいる。サイバースペースではなんでも許されるべきだ、というのが規制反対派の主張だ。商用サービスもおなじような問題を抱えている。昔から、言論の自由の制約については不満が絶えない。親たちは、十一歳の息子がモデレーターに対して暴言を吐いたという理由でファミリーアカウントが停止されたと激怒する。各企業はインターネット上に特殊なコミュニティをつくり、こうした問題への対処方法を明確にすることで〝競争〟するようになるだろう。

政治家たちは、オンラインサービスをどんな場合に一般通信事業者として扱い、どんな場合に出版社として扱うのか、という難題にとりくみはじめている。電話会社は、法律的には一般通信事業者にあたる。電話会社は、その内容についていっさいの責任を負うことなくメッセージを運ぶ。猥褻ないたずら電話に悩まされているという訴えがあれば警察に協力することもあるだろうが、どこかの変態が電話してきて汚い言葉を耳もとでささやいたからといって、それが電話会社の責任だと考える人間はいない。その一方、雑誌や新聞の発行元は出版社だ。したがって掲載内容《コンテンツ》に対して法的に責任があり、名誉毀損で告訴される可能性もある。出版社は、できるかぎり編集の公正を保とうとする。彼らのビジネスにとっては、それが重要な意味を持つからだ。責任ある新聞社はどこでも、特定の個人に対する論評を掲載する前にはきわめて慎重にチェックする——名誉毀損で訴えられたくないというだけではなく、不正確な記事は新聞社の看板に傷をつけることになるからだ。

ところが、オンラインサービスは一般通信事業者であると同時に出版社としても機能する。問題はそこにある。オンラインサービスが出版社としてふるまい、自社で入手し、製作し、編集したコンテンツについては、名誉毀損と、編集上の公平さを保つための原則が適用されることになる。と同時に、個人の電子メールについては、オンラインサービスが中身を点検したりその内容について責任を負ったりすることなく、一般通信事業者とおなじように配達してもらわなくては困る。また、チャットや電子掲示板やフォーラムは、新しいコミュニケーション手段であって、オンラインサービス上で出版される素材と同列に扱うべきではない。しかし最近、ニューヨーク州のある判事が、事件に関係したオンラインサービス会社について、たんなる情報流通業者ではなく出版社であると裁定し、名誉毀損裁判への道を開いた。本書が出版されるころには、この問題についてはっきりした結論が出ているかもしれない。この問題の帰趨《きすう》には重大な意味がある。もしネットワークプロバイダが百パーセント出版社として扱われることになれば、彼らは自分たちが送信するすべての情報のコンテンツを監視し、あらかじめ承認を与えなければならなくなる。これによって嫌な検閲の雰囲気が生まれ、電子世界でもっとも重要な自発的な意見交換に水を差すことにもなりかねない。

ひとつの考え方は、業界全体でなんらかの基準を定め、ある電子掲示板なり記事《アーティクル》なりを読むさいには、そのコンテンツに対して〝出版社〟としての責任を負うのか（その場合には、出版社が事前にチェックし、編集することになる）、そうでないのかを明示することだろう。問題は、その基準をどうやって決め、だれが監督するか、だ。レズビアンのための電子掲示板は、反レズビアン的コメントを受け入れることを強制されるべきではないし、ある製品についての電子掲示板はライバル会社からの大量のメッセージで埋めつくされるべきではない。子どもたちを電子掲示板から遠ざけておくというのもいただけない話だ。責任者にすべての電子掲示板の全内容をチェックさせるというのも現実的ではない。最終的には、映画のレーティング［十八歳未満禁止のX指定や十三歳以下保護者同伴のPG13指定などの等級］的なカテゴリーを設け、〝編集者〟がそのグループの方針に基づいて一線を越えたメッセージを削除する、といった方法に落ち着くだろう。

ここまでは公的な無料の電子掲示板について考えてきた。一方で、プロフェッショナルな情報とアドバイスが有料で提供される電子掲示板も登場するだろう。これだけ大量の情報が無料で手に入るのに、どうして専門家が必要なのかと思うかもしれないが、逆に、これだけ大量の情報があふれているからこそ専門家が必要になるときもある。たしかに、いまではあらゆる種類の消費者データが手に入る。『コンシューマー・リポート』は大量の製品について客観的評価を与えてくれる。しかしその評価は広い読者層に向けたもので、必ずしもあなた個人の必要に応じて製品を評価してくれているわけではない。自分にぴったりのアドバイスが見つからなかったら、ビデオ会議を利用して、五分間だけでも午後いっぱいでも、好きなだけ知識豊富なセールスコンサルタントを雇うことができる。専門家といっしょに買う製品を決めれば、コンピュータが信頼できるベンダーのいちばん安い商品をさがしてきてくれる。

店員の助言と商品の販売は、これまで伝統的に一体のものだった。だが、将来的には両者はべつのものになっていくだろう。店員の助言は無料に見えるが、費用は店側が負担し、そのコストは商品の値段に加えられている。助言するからといって価格を上げたところで、情報ハイウェイ上のディスカウントストアとの競争にはたちうちできないだろう。情報ハイウェイ上でも販売元によって多少の価格差は残るだろうが、これは返品への対応や、配送時間、顧客サービスといった方針の違いを反映したものとなる。

小売店は販売価格の一部として〝コンサルタント〟を提供する。しかし高価な買い物をするときは、だれだって公平なアドバイザーがほしくなる。コンサルタントのアドバイスをもとに選んだ販売元から安い値段で商品を購入すれば、コンサルタントへの相談料はある程度まで相殺される。コンサルタント料の価格競争も激しくなるだろう。ある高級車をいちばん安く買えるのはどこかという情報を得るために、ハイウェイ上のコンサルティングサービスを利用してその車を買ったとする。サービス（取引の仲介者の役割を果たす）の利用料は時間いくらの低料金で課金されるか、でなければ購入価格にごく低いパーセンテージを掛けたものになる。料金はサービスの需給関係に左右される。電子競争が料金を決定する。

いずれは、客の要求を分析し適切な助言を与えるコンサルティングソフトも増えてくるだろう。大手銀行ではすでに、ローンやクレジットの定型業務を処理するための〝エキスパート〟コンピュータシステムを開発し、大成功をおさめている。ソフトウェアエージェントが一般化し、音声合成・認識ソフトの性能が向上すれば、相談相手が個性を持ったマルチメディア文書だとしても、本物の人間に助言してもらっているように感じるかもしれない。ソフトウェアが相手でも、人間相手のときとおなじように、相手の話を途中でさえぎったり、もっとくわしい情報を要求したり、いまの説明をもう一度くりかえすよう頼むことはできる。愛想のいい専門家とおしゃべりしているのとおなじことだ。買い物に必要な情報さえ手にはいるなら、相手が人間だろうとよくできたシミュレーションだろうと関係なくなるだろう。

最近人気の高いTV通販ネットワークは、ハイウェイのディスカウント電子通商の先駆けと見なすこともできる。テレビが同期コミュニケーションに基づくメディアであるにもかかわらず（つまり、買いたい商品が登場するまで、無用な売り文句を聞きつづける必要があるにもかかわらず）、TVショッピング業界の一九九四年の米国内での総売り上げは三十億ドルを記録した。情報ハイウェイでは、そこからさらに進んで、無限の商品とサービスの中を自分のペースでグローバルにぶらつくことができる。セーターをさがしているなら、好みのスタイルをどれかひとつ選んで、あらゆる価格帯のあらゆるバリエーションを好きなだけたくさん見てまわる。ファッションショーや製品発表会をのぞいてみるのもいい。

それは、インタラクティブ性と、娯楽をともなった便利さをかねそなえたサービスになるはずだ。

最近の映画やテレビ番組には、しばしば商品名が登場する。昔なら「ビール」と注文していた登場人物が、いまは「バドワイザー」と注文する。一九九三年の映画『デモリション・マン』では、メキシカンファーストフードチェーンのタコベルが、未来のファーストフード業界で唯一生き残ったチェーンのように見えた。タコベルの親会社ペプシコは、このためのスポンサー料を支払っている。マイクロソフトも、映画『トゥルー・ライズ』で、アーノルド・シュワルツェネッガーにコンピュータ画面のアラビア版ウィンドウズを見つけてもらうためのスポンサー料を払っている。企業は自社製品をスクリーンに登場させるために金を出すだけでなく、消費者が商品をより見つけやすくするためにも大金を投じている。情報ハイウェイでは、画面上で目にする画像についての問い合わせが可能になる。たとえば『トップガン』を見ていて、トム・クルーズのパイロットサングラスが気に入ったら、映画をポーズしておいて、(映画に商品情報がついていれば) そのサングラスについてのくわしい情報をリクエストし、場合によってはその場で注文できる。あるいは、サングラスが出てくる場面をマークしておいて、見終わってからそこにもどってもいい。映画の中にリゾートホテルでロケした場面が出てくれば、そのホテルの所在地がどこで、室料がいくらなのかをたしかめ、その場で予約することができる。映画スターがしゃれた革製ブリーフケースやハンドバッグを持っていたら、情報ハイウェイを使ってそのメーカーの革製品ラインナップをチェックし、気に入った商品を直接注文したり、最寄りの小売店にとりよせることもできる。

情報ハイウェイではビデオ画像も送れるため、注文した商品を画面で見る機会も増えてくる。そうなれば、昔わたしの祖母がやったような失敗も避けられるだろう（わたしがサマーキャンプに行ったとき、祖母は孫のわたしにレモンドロップを送ってやろうと考えた。祖母はドロップを百個注文したのだけれど、わたしのところに届いたのはレモンドロップ百袋。わたしはそれをみんなに配ってキャンプの人気者になった。もっとも、おかげでキャンプの全員が口内炎に悩まされることになったけれど）。情報ハイウェイなら、ホテルに予約を入れる前に、そのホテルをビデオツアーで見学できる。母親にプレゼントしようと電話で注文した花束が、期待どおりのものかどうか心配する必要はない。花屋が花束をつくるところを自分の目でたしかめ、必要なら注文を変更して、しおれかけたバラをみずみずしいアネモネと交換できる。服を買うときは、自分のサイズに合わせた服が表示される。さらには、べつの店で買おうと思っているべつのアイテムとコーディネートしたところを画面に映してたしかめることもできる。

どんなものがほしいのか具体的に決まっていれば、それにぴったりのものを手に入れることができる。いまは大量生産されている商品も、コンピュータの力を借りることで、大量生産品でありながら特定の客のための誂え品《カスタムメイド》にもなる。メーカーにとっては、客の求めに応じて商品を誂えることが商品価値を高める重要な手段になるだろう。靴から椅子まで、新聞雑誌から音楽アルバムまで、特定の人間の特定の要望に応じてその場で製造される製品が増えてくる。しかも、値段はほとんど大量生産品と変わらない。いまから数世代前、大量生産が注文生産にとってかわったように、多くの製品分野で大量誂え《マスカスタマイゼーション》が大量生産《マスプロダクション》にとってかわるだろう。

大量生産以前は、すべての製品が、労働集約型の作業で、一度にひとつずつつくられていた。最初の実用的ミシンが開発されるまで、すべてのシャツは針と糸を使って手で縫製されていた。シャツは高価だったから、ひとりで何枚も持っている人間は少なかった。一八六〇年代、大量生産技術が衣料品に導入されると、機械が同一規格のシャツを大量に製造しはじめ、価格は下がり、庶民でさえ多数のシャツを所有できるようになった。

近い将来、シャツ一枚一枚で違う注文に対応できる、コンピュータ化されたシャツ製造マシンが登場するだろう。注文するときは、体のサイズはもちろん、繊維、縫製、襟のかたちなどあらゆる要素について希望を伝える。この情報がハイウェイを通じて製造工場に伝わり、それにしたがって製造された衣料品がただちに配送される。注文品の配送はビッグビジネスになるだろう。激烈な価格競争がはじまり、運搬量が莫大になれば、配送は低価格かつ迅速になる。

リーバイスはすでに、女性用カスタムメイドジーンズの実験をはじめている。販路の拡大にともない、顧客は十ドル余分に支払うだけで、自分の要求にぴったりのジーンズを誂える――ヒップ、ウェスト、股下、裾の寸法の八千四百四十八種類の組み合わせから任意のひとつを選び、スタイルを決める――ことができるようになっている。ジーンズの仕様情報は販売店のパソコンからテネシー州にあるリーバイスの工場に送られる。工場ではコンピュータ搭載のマシンがデニムを裁断し、バーコードのタグをつけ、洗濯してから縫製する。ジーンズの完成品は注文を受けた販売店に送られるか、客の自宅に直送される。

数年後にはだれもが自分のサイズを電子的に登録しているというのはじゅうぶんありうる話だ。そうなれば、既製品が体に合うかどうか確認したり、カスタムオーダーを出したりするのが楽になる。この情報にアクセスできる親戚や友人なら、プレゼントに服を選ぶのもいまよりずっと簡単だ。

各ユーザー向けに情報をカスタマイズすることは、ハイウェイの個人コンサルティング機能の拡張だといっていい。有名な人間なら、自分の意見や推薦の弁や、場合によっては世界観まで出版できる。成功した投資家が投資ニューズレターを出版するのと似たようなものだろう。アーノルド・パーマーやナンシー・ロペスは、役に立つと思ったゴルフ関連アイテムについての情報をゴルファーたちに提供するかもしれない。『エコノミスト』誌編集部につとめていた記者が、翌日には自前のサービスを開始して、多様な情報源のニュース記事やビデオへのリンクを埋め込んだニュースダイジェストを出版しはじめるかもしれない。こうしたサービスを利用するユーザーは、毎日一部六十セントを払って新聞を買う習慣も考え直すことになるだろう。かわりに、その日のニュースを集める情報仲介サービスと契約し、一日あたり数セントのクリッピング料金を支払う。出版社に対しても、雑誌一冊まるごと買うのではなく、自分が読んだ記事ひとつひとつについて少額の料金を支払うだけでよくなる。読者は、いくつ記事を読みたいか、いくらまでなら払ってもいいか、自分で決定する。自分専用の毎日のニュースダイジェストのため、数種類の記事サービスに加入し、ソフトウェアエージェントもしくは人間のアシスタントを使って、集められてきた情報から取捨選択し、自分用に誂えられた《カスタマイズド》〝新聞〟をつくらせる。

購読サービスは、人間の場合でもソフトウェアの場合でも、契約者個人個人の考えかたと関心に応じて情報を収集する。各サービス会社は、その才覚と評価で競争することになる。いまは雑誌がそれとおなじような役割を果たしている。多くの雑誌は特定の分野に的を絞り、ある種、カスタマイズされた現実をつくっている。政治に関心のある読者なら、『ナショナル・レビュー』誌に掲載されている記事が〝ニュース〟ではないことを知っている。『ナショナル・レビュー』は、保守政治の世界の速報であって、読者の信条に反する記事が載ることはめったにない。一方、政治的に対極に位置する『ザ・ネイション』誌は、リベラルな視点と傾向を持つ読者に支えられているから、彼らの考えかたを是認し、おだてあげる。

映画会社が劇場で予告を流したり、ポスターをつくったりといったさまざまな宣伝活動を展開して新作映画に観客を呼ぼうとするのとおなじように、情報プロバイダはあらゆる手を使って自分の商品を手にとらせようとする。そういった情報は地域に密着したものになるだろう——近所の学校や病院や小売店、さらにはピザチェーンまでが情報を提供する。ビジネスをハイウェイに展開するのにさほどの出費は必要なくなる。インフラが整備され、一定数以上のユーザーがつけば、どこの会社もハイウェイを通じて客と接触しようとするだろう。

情報ハイウェイを使って買い物をしたりニュースを見たりするようになったら、新聞をめくっていて意外なおもしろい記事に出くわす喜びや、ショッピングモールを歩いていて思いがけない掘り出し物を発見する楽しみがなくなってしまうのではないか、と心配する人もいるかもしれない。当然のことながら、この種の〝うれしい驚き〟はただ偶然だけによるのではない。新聞は、長年の経験から読者の興味を知りつくしている編集者によってつくられている。『ニューヨーク・タイムズ』紙はときおり、数学の世界での発見に関する記事を一面に持ってくることがある。いささか専門的な情報が、数学になど関心のない読者まで含めて、多くの読者に興味深く読めるような視点で記事に加工される。それと同様、小売店の仕入れ担当者は、どんなものが目新しくて、自分の店の客層にアピールするかを考える。店のショーウィンドウに並んでいる品物は、客の目をひきつけて店内に呼び込むようにディスプレイされている。

情報ハイウェイでも、この種の計算された驚きを演出することができる。まず、ソフトウェアエージェントが、定期的にあなたの好みをチェックするため、アンケートへの回答を求めてくる。このアンケートは、あらゆる種類のイメージを動員してあなたの微妙な嗜好をさぐる。うまいフィードバックを返すことで、アンケートに答えるのが退屈にならないように工夫されてもいる。その結果得られた情報を使って、あなたの嗜好の特性表《プロファイル》がつくられ、エージェントはそれをもとに仕事をする。ハイウェイ上でニュースを読んだり買い物をしたりすれば、エージェントはその情報をあなたのプロファイルに加える。なんに興味があるのかという固定した情報だけではなく、あなたが〝たまたま出くわし〟て興味を持ったものについての情報も記録される。エージェントはそれを使って、あなたの注意をひくようなさまざまな驚きを用意する。いつもと違うなにか新鮮なものがほしくなったときには、エージェントが準備万端整えて待ちかまえているというわけだ。いうまでもなく、あなたのプロファイル情報にアクセスできるのはだれなのか、という点については、おおいに議論と交渉の余地がある。しかし肝心なのは、その情報にあなたがアクセスできるということだ。

どうしてわざわざそんなプロファイルが必要なのか？　もちろんわたしは、自分についての情報を一般に公開したいとは思わない。しかし、わたしがレクサスのニューモデルに新たな安全機構が追加されたかどうかを知りたがっていた、ということをエージェントが知っていて、それを教えてくれたとしたら便利だと思う。フィリップ・ロス、ジョン・アーヴィング、アーネスト・J・ゲインズ、ドナルド・クヌーズ、デイヴィッド・ハルバースタムなど、わたしが昔からのお気に入りの作家たちの新作が出たことを教えてくれれば、見逃さずにすむ。それに、関心を持っている分野についてなにか新しい本が出たときにも教えてもらえたらありがたい。経済学とテクノロジー、学習理論、フランクリン・D・ルーズベルト、バイオテクノロジーなど、思いつくままに挙げてもわたしの興味は多岐にわたる。MITの教授、スティーブン・ピンカーが書いた『言語本能』という本にはおおいに刺激を受けたから、この分野についても新しい本や記事が出たら知りたい。

他人が埋め込んだリンクをたどっていくことでも驚きに出会える。いまインターネットのワールド・ワイド・ウェブを見てまわるのが大流行だが、ウェブの人気ページには他のページへのリンクがついている。企業のページなら、その企業についての情報が載っているべつのページに飛ぶリンクがあったり、他の企業が運営するページへのリンクがあったりする。写真やボタンで示されるホットスポットマウスでクリックすると、リクエストされたページが画面に呼び出される仕組みだ。

個人で自分のホームページをつくっている人たちもいる。個人ホームページにはおもしろい可能性がある。あなたなら全世界に向けて、どんな考えやデータを発信するだろう？　自分のページにリンクを設けるとしたら、どんなページにリンクさせるだろう？　あなたのホームページを見てくれるのはどんな人だろう？

電子世界では、企業が消費者に向かって直接ものを売ることが可能になる。会社という会社は当然、自社の製品情報へのアクセスを簡単にするためにホームページをつくるだろう。いまの流通戦略――マイクロソフトの場合には、ソフトウェア小売店網――が成功している会社では、この現在の利点を活用すべきかどうか選択を迫られることになる。企業が消費者に直接ものを売ることもできるが、小売店保護も重要な問題だ。自前の流通システムを持つロールスロイス社でさえ、いずれ、最新モデルの写真とその販売店の情報をホームページで提供するようになるだろう。

もちろん、マイクロソフトも小売店にはたいへんお世話になっている。ユーザーは店に行けば、マイクロソフトの製品を自分の目でたしかめ、販売員からアドバイスを受けられる。このシステムはすばらしい。いまのマイクロソフトの計画では、小売店経由の販売をつづける一方、その一部を電子化することになるだろう。

代理店を通じて営業成績を上げている保険会社があるとしよう。保険会社は、顧客が本社から直接保険を買えるようにすべきだろうか？　逆に、これまで地元地域だけを担当していた代理店に、電子的な全国販売を展開させるべきだろうか？　販売に最適な条件を見いだすのは至難の技だ。各社それぞれに、自社にとってなにがいちばん重要かを決断することになるだろう。自由競争がやがて最適な方法を明らかにしてくれる。

ホームページは電子版の広告になる。企業は、情報ハイウェイを使ってどう情報を提示するかについて、全面的な決定権を得る。なんでも好きなものを好きなときに見ることに慣れた視聴者を惹きつけるためには、情報ハイウェイの広告主はかなりの創造性を発揮しなくてはならないだろう。

現在、テレビ番組や雑誌記事の制作費は、ほとんど広告料金でまかなわれている。スポンサーは、ターゲットとする視聴者や読者が関心を持つような広告を掲載する。企業はいまでも、自社の広告戦略が成功しているかどうかを調査するために大金を使っているが、ハイウェイではますます、自社のメッセージがターゲットとする視聴者に届いているかどうかをたしかめたくなるはずだ。だれもかれもが広告を無視するようになったら、宣伝費が無駄になる。この問題の解決策として、次のような方法が考えられる。ひとつは、広告以外のすべてを早送りにするソフトウェアを作ることだ（広告だけはノーマルスピードで再生される）。また、ハイウェイには、コマーシャルだけを見る選択肢も用意されるだろう。フランスでは、コマーシャルをひとまとめにして五分間のブロックをつくったら、それがいちばん人気のある番組のひとつになってしまったという例もある。

現在、テレビ視聴者はひとつの集団として広告のターゲットになっている。広告主には、ニュース番組があるタイプの視聴者を惹きつけ、プロレス番組がべつのタイプの視聴者を惹きつけるということがわかっている。企業は視聴率と視聴者層を念頭に置いてTVコマーシャル枠を購入する。子どもを対象とする広告なら子ども番組の枠を買うし、主婦を対象とする広告なら昼間のメロドラマ枠を買う。車とビールのコマーシャルならスポーツ枠という具合だ。統計をもとにした番組視聴者全体の情報をもとに番組が選択されるから、製品にまったく関心のない人間も大勢CMを見ることになる。

雑誌は編集しだいで読者層を限定することができるし、実際に限定している雑誌が多いため、テレビよりはターゲットとする読者に広告を見せやすい。自動車マニア、ミュージシャン、フィットネスに関心がある主婦から、「テディベア愛好者」のようなきわめてせまいグループまで、無数の読者層に向けた雑誌がある。テディベア雑誌を買う人たちは、テディベアやテディベア用アクセサリーの広告を見たがっている。実際、専門誌の場合には、記事を読むためというより広告を見るために買っている読者も少なくない。たとえば、売れているファッション誌は、全ページの半分以上が広告で占められている。出歩かずにウィンドウショッピングする機会を読者に与えているわけだ。広告主は、雑誌読者の個々の具体的な身元は知らないものの、全体的な読者の傾向についてはある程度まで把握している。

情報ハイウェイは、もっときめ細かな個々の特徴によって消費者を分類し、それぞれ異なる広告の流れ《ストリーム》を届けることができる。これは、だれにとっても利益になる。視聴者は、自分の関心をもとにカスタマイズされた広告を受けとることになるから、他の媒体の場合より興味が持てる。プロデューサーやオンライン出版社にとっては、視聴者や読者を絞り込んで、より有効な広告スペースを広告主に販売できることになる。広告主は、宣伝費をいままでより効率的に使えるようになる。消費者の嗜好データは、だれのプライバシーも侵害することなく行き渡らせることが可能だ。双方向ネットワークなら、消費者の嗜好の特性表《プロファイル》を利用して各家庭に広告を届けても、具体的にどの家庭がその広告を受けとるのかは明かさずにすませられる。広告主のレストランチェーンは、小さな子どもたちがいる中流家庭の一定数が自社の広告を受けとった、という事実だけを知らされることになる。

中年のエグゼクティブの夫婦が見る画面では、『ホーム・インプルーブメント』の冒頭で、退職後の住宅についてのCMが流れる。一方、若いカップルは、おなじ番組の冒頭で家族旅行のCMを見る。両者がその番組をおなじ時間に見ていようとべつの時間に見ていようと関係ない。対象を絞りこんだこの種の広告ならば、数は少なくとも広告主にとっては大きな価値があるから、視聴者が見るCMの数はいまよりずっと減り、あとはテレビの前でゆったり過ごせるだろう。

あらゆる視聴者に広告を見せたいと考えるスポンサー——たとえばコカコーラ社——もあるだろう。しかしコカコーラでも、ダイエットコークの広告は、ダイエットに関心がある家庭に向けて出したいはずだ。フォードならば、富裕層にはリンカーンコンチネンタルの広告を、若者にはフォードエスコートの広告を、田舎住まいの人にはフルサイズのピックアップの広告を、それ以外の人々にはトーラスの広告を見せたいと考えるかもしれない。あるいは、あらゆる人々に向けて広告したいが、消費者の性別や人種や年齢によってCMの出演俳優を変えようと考える会社もあるだろう。広告の価値を最大限に引き出すために、特定の購買者層に合わせて広告内容を変化させたいと思うのは当然のことだ。それには、各視聴者ごとに広告の内容を変えるという複雑な手続きが必要になる。かなりの労力が必要だが、それで広告がより効果的になるのだから悪くない投資だ。

角の雑貨屋や町内のドライクリーニング店も、これまでにない方法で広告できるようになる。個別にターゲットを絞った広告のストリームを一日二十四時間流すことができるのだから、小規模な広告主にとっても費用対効果が高くなる。一軒の店の広告がほんの二、三ブロックの範囲内だけをターゲットにして、その地域に住む人々の関心に訴える、というケースも出てくるだろう。

いまのところ、限定された読者にもっとも効率的に広告する方法は、新聞の分類広告《クラシファイド・アド》［日本の地方紙やミニコミの三行広告に近い、「売ります」「買います」などの地域向けの新聞広告］だろう。広告スペースは、分野別に分類されている。たとえば、一枚のラグを売りたい人や買いたい人は、分類に基づいて広告を出す。近い将来、分類広告は新聞の中だけのものではなくなるし、ただ文章だけのものでもなくなる。中古車をさがしているなら、希望価格帯、車種、その他とくに関心のある特徴を具体的に示した問い合わせを出せば、売りに出ている車の中で条件にマッチしたもののリストが表示される。あるいは、適当な車が市場に出たら通知するようソフトウェアエージェントに命じておいてもいい。中古車販売業者の広告には、その車の写真やビデオ映像や保守点検記録へのリンクがあり、どういう状態なのかが正確に把握できる。走行距離数やエンジン交換歴の有無、エアバッグ搭載モデルかどうかなども、おなじようにしてチェックできる。ついでに一般に公開されている警察の記録も調べて、事故車ではないことを確認しておいたほうがいいかもしれない。

自宅を売りに出すとしたら、写真、ビデオ、間取り、課税記録、公共料金や修理代の明細、それにムード音楽少々まで加えて、完全な資料をつくることができる。情報ハイウェイを使えばだれでも気軽に参照できるから、家を買いたいと思っている相手がこの広告を見る確率は新聞の分類広告よりずっと高くなる。こういった情報に当事者が直接アクセスできるようになれば、不動産業者や仲介手数料までひつくるめた不動産売買システム全体が変わることになるかもしれない。

ユーザー数がそれほど多くない最初のうちは、オンライン分類広告もたいして魅力的ではないだろう。しかし、口コミ情報によって、ますます多くの人々がこのサービスを利用しはじめる。売り主の数が増えれば買い主の数が増え、買い主の数が増えれば売り主の数が増える。こうしてポジティブフィードバックのループが完成し、ユーザー数がある臨界点に達したとき――サービスが開始されてからほんの一年か二年でそうなるかもしれない――情報ハイウェイの分類広告サービスは物珍しい新商売から、個人間売買の第一の手段になるだろう。

ダイレクトメール広告（またの名をジャンクメール商売）は、さらに大きな変化の波をかぶる運命にある。現在のダイレクトメールは、そのほとんどが文字通り紙くず《ジャンク》だ。大量の樹木を伐採し紙資源を浪費して製作され、郵便料金を払って郵送されたパンフレットは、その大半が封も切られないまま捨てられてしまう。情報ハイウェイのダイレクトメール広告は、紙ではなく、インタラクティブ・マルチメディア文書のかたちをとる。これなら天然資源を浪費しないことは確実だが、ほとんど無料の情報が毎日何千も舞い込む事態を避けるために、なんらかの対策を講じておく必要があるだろう。

メールソフトを活用すれば、どうでもいい情報の洪水に呑み込まれる心配はない。広告や見知らぬ他人からのメッセージはソフトを使ってふるいにかけ、貴重な時間を費やして読むのは興味のあるメッセージだけにすればいい。大半の人々は、よほど関心のある分野の製品でもないかぎり、広告電子メールはいっさい無視するだろう。広告主が消費者の関心をひくために、広告を見た人間に少額――五セントでも一ドルでも――を提供するという方法が考えられる。電子メール広告を見たり読んだりすると、広告主の電子口座からあなたの電子口座へ一定金額が移動する。実質的にいえば、いまメディア広告料金やダイレクトメールの印刷郵送経費に使われている年間数十億ドル単位の資金が、広告を見たり読んだりすることに同意した消費者に分配されることになるわけだ。

この種の報奨金つき広告をメールで提供すれば、ターゲットを慎重に絞り込めるだけに、きわめて効率的な広告になりうる。報奨金をつけて広告を送りつけるとなれば、広告主の側でも、買ってくれる可能性が高い消費者層だけに絞り込むだろう。たとえばフェラーリやポルシェのような会社は、新車を見てエンジン音が聞ければ購買意欲をかきたてられるともくろんで、車マニアに一ドルの報奨金つき宣伝メールを送る。この広告を見て車を買う人が千人に一人でもいれば、企業にとってはじゅうぶん引き合う計算になる。顧客プロファイルのデータを利用して、提供する報奨金の額を案配することもできる。報奨金額を引き下げて、広告主の有望顧客リストに載っていない相手にも宣伝のメールを送れる。たとえば十六歳のカーマニアがフェラーリのニューモデルを体験してみたくて、一銭ももらわなくても喜んで広告を見るというなら、その子も宣伝メールを送ってもらえる。

いささか奇妙な話に聞こえるかもしれないが、これもまた、摩擦ゼロの資本主義社会における市場機能の利用法のひとつだ。つまり、広告主はあなたの時間にいくらの値をつけるかを決め、あなたは自分の時間にいくらの値打ちがあるかを決める。

他の着信メールと同様、宣伝メールもさまざまなフォルダの中に保管される。それをどんなふうに分類するかはコンピュータに指示しておくだけでいい。あるフォルダには、友人や家族からの未読メール。個人的に関心があることや、仕事上必要な分野に関係するメールはそれぞれべつのフォルダ。宣伝メールや未知の人物からのメールは、添付されている報奨金額にしたがって分類してもいい。まず一セントのメッセージのフォルダ、それから二十セントのメッセージのフォルダ……という具合。一銭もついていない宣伝メールは受けとりを拒否することもできる。それぞれのメールの表題をざっと調べて、興味がないものは読まずに削除する。宣伝メールフォルダの中のメールは何日も読まれないままになるかもしれない。でもだれかが十ドルメールを送ってきたら、たぶん開けてみるだろう——金銭のためでなくても、メールを読むだけで自分に十ドルの値打ちがあると考えたのはどこのだれなのかをたしかめるために。

もちろん、メールにつけられた報奨金を必ず受けとらなければならない、というわけではない。メールを受信し中身を読んだあとも、支払いはキャンセルできる。したがって、実際に相手に報奨金を支払わなくても、金額を提示するだけでだれかの注意をひくこともできるわけだ。払えもしない報奨金をつけたメールを防止するために、送り主の口座は前もってチェックされる。もしある人物が百ドルつきのメールを送ってきて、読んでみると、自分は長いあいだ行方不明だった兄だと書いてあったとする。彼が正真正銘あなたのお兄さんだったと判明すれば、百ドルは受けとらずにすませればいい。もしどこかの馬の骨がなにか売りつける魂胆ででっちあげたことだったら、その百ドルはありがたくいただいて、あとは忘れてしまえばいい。

米国では、最近の統計によれば、広告主が地上波テレビとケーブルテレビのスポンサー料に費やしている金は、一世帯について一カ月あたり二十ドルに達する。コマーシャルはすっかりおなじみのものになっているから、テレビを見たりラジオを聴いたりしているときにCMが流れてもたいして気にならない。番組が〝無料〟なのはコマーシャルのおかげだとわたしたちは理解しているが、消費者はその費用をまかなうために間接的に金を払っていることになる。コーンフレークやシャンプーやダイヤモンドの代金には、あらかじめ広告コストが組み込まれているからだ。一方、本を買ったり、映画館で映画を見たり、ペイ・パー・ビュー［pay per view　視聴のたびごとに料金をとる有料TV］の映画をリクエストしたりすれば、娯楽に対して直接お金を払うことになる。アメリカでは一世帯あたり、映画の切符、新聞・雑誌・書籍の購読料、ケーブルテレビの契約料、音楽CDやテープ、レンタルビデオなどに対して、一カ月あたり平均百ドルを支出している。

いまテープやCDを買った場合は、消費者がそれを再使用したり転売したりする権利は制限されている。ビートルズの『アビーロード』を買うと、実際には物理的なCDまたはテープの実体と、その中に保存されている音楽を非商業目的で何回でも好きなだけ再生する権利を買ったことになる。ペーパーバックの本を買うとき、実際に消費者が購入するのは、紙とインクと、その特定の紙にその特定のインクで印刷された言葉を読む権利と、他人に読ませる権利だ。言葉自体の所有権を買ったわけではないから、ごく限定された状況をべつにすれば、それを再配布することはできない。テレビ番組を見ている場合も、あなたはそれを所有しているわけではない。実際、アメリカ国民には個人の使用に供する目的で合法的にテレビ番組をビデオテープに録画する権利がある、ということをはっきりさせるためには、アメリカ合衆国最高裁判所の判例が必要だったくらいだ。

情報ハイウェイは、音楽やソフトウェアなどの知的財産のライセンス方法も革新する。レコード会社は、あるいは個々のレコーディングアーティストは、音楽を新しい方法で販売しようとするかもしれない。消費者はCDやテープその他の物理的な容れ物を必要としなくなる。音楽はハイウェイ上のサーバーに情報として保存され、曲やアルバムを〝買う〟ということは、特定の情報にアクセスする権利を買うことを意味するようになる。CDケースを持ち歩かなくても、なんでも好きな曲を自宅や仕事場や旅先で聞くことができる。ハイウェイに接続されたオーディオスピーカーがあるところならどこでも、自分の身元を示して権利を活用できる。コンサートホールを借りてその音楽情報を再生したり、それを含む広告を作成したりすることは認められない。しかし、非商業目的なら、どこへ行っても、一度購入した曲については、著作権者への追加支払いなしに再生できる。それと同様、あなたが読む権利を買った本や見る権利を買った映画を情報ハイウェイが記録しているから、どこの情報家電からでも、いつでも好きなときにそれを呼び出すことができる。

個人で使用する目的で、一生分の使用権を買い切るという方式は、物理的な媒体《メディア》が介在しないことをべつにすれば、いまわたしたちが音楽CDや本を買うときのやりかたに似ている。おなじみの方式だから、安心感があるかもしれない。しかし、音楽その他の娯楽情報の販売には、ほかにもたくさんの方式が考えられる。

たとえば、ペイ・パー・ビューで映画を見るのとおなじように、ペイ・パー・ヒアリング方式で音楽を聴くこともできるだろう。一度聴くたびに、一曲あたりたとえば五セント程度の少額の料金が、消費者の口座から引き落とされる。この料金なら、全十二曲の〝アルバム〟を通して聴くと六十セントかかる。アルバム全曲を二十五回聴いてようやく十五ドル――いまのCDの値段にほぼ匹敵する額になる。音楽がデジタルな情報として保存されているから、たとえあとで音質が向上したデータに変わっても、個人コレクションのLPをCDに買い換えたときのように、おなじ曲にまた金を払う羽目になることはない。

あらゆる販売方法が試されるだろう。有効期限つきのデジタルエンターテイメントや、一定回数の再生しか認められない音楽が出てくるかもしれない。曲を超低価格で売り出すかわりに、十回か二十回しか再生できず、その回数を超えるともう一度料金を支払わなければならないようにしておく。あるいは、お金を出して買う前に、ある曲を――または中毒性のあるゲームを――十回までは無料でプレイできるようになるかもしれない。この種の〝デモ〟用途は、いまラジオ局が果たしている役割の一部をかわりに引き受けることになる。著作権者が、友だちに新曲をメールすることを認めるようになるかもしれない。ただし、その友だちが二、三回聴いたあとは料金がかかってくる。ある音楽バンドは、そのバンドの全作品を買いたいという消費者に対しては、アルバムを一枚ずつ買うよりはるかに安い特別価格で提供する。

今日でさえ、娯楽情報に対する支払いにはそれぞれ微妙な違いがある。一定期間だけ一定の価値を持つという娯楽情報の特性は、出版社や映画会社のマーケティング手法に大きな影響を与えている。出版社はしばしば二種類の販売手段、ハードカバーとペーパーバックを使い分けてそれに対処している。もしある客が一冊の本を買いたいと思い、二十五ドルから三十ドルの代金を気前よく払えるなら、ハードカバー版を購入する。半年から二年待ってもいいと思うなら、おなじ本を、おなじように長もちする形態でもっと安い、五ドルから十ドルの値段のペーパーバックで買うことができる。

　ヒットした映画は、まずロードショー館で、それから二番館で、ホテルの客室で、ペイ・パー・ビューTVで、飛行機の機内で上映される。それからレンタルビデオで、HBOのような付加料金《プレミアム》チャンネルで、そして最後にはネットワークTVで提供される。さらにそのあと、地方テレビ局や基本料金のケーブルチャンネルに登場する。新しい形式で映画を流すたびに、それ以前の上映を（偶然あるいは意図的に）見逃していた観客がその新しいチャンスを利用し、映画は新しい観客を獲得する。

　情報ハイウェイで、さまざまなリリース手段が試されるのはまずまちがいない。ホットな映画やマルチメディアタイトルや電子本がリリースされると、リリース直後の新作期間中はプレミアム価格になる。ロードショー館で封切られるのと同時に自宅で映画を見るためなら三十ドル払ってもいいという人もいるだろう。一週間、一カ月、一シーズンを経過すると、価格は三ドルか四ドルまで下がり、いまのペイ・パー・ビュー映画の料金と変わらなくなる。大胆なマーケティング担当者なら、べつのやりかたを試してみるかもしれない。たとえばリリース直後の一カ月間は、ハイウェイ上の電子オークションに参加して上位千人以内に入る値をつけないかぎり、その映画を見ることができないようにする。逆の例では、映画ポスターやキャラクター商品をいくつか買って点数を集めれば、無料で（せいぜい二、三度コマーシャルが入る程度で）特定の映画が見られるようにする、といった方法も考えられる。『リトル・マーメイド』と『アラジン』のビデオテープや関連商品を買うだけで、世界中の子どもは好きなディズニー映画を一本無料で見られるようになるかもしれない。

情報が簡単に転送できることも、価格設定上の大問題になる。情報ハイウェイは、知的財産をユーザーからユーザーへ光速でわたすことを可能にする。音楽や文章などほとんどすべての知的財産は、たいていの時間は使用されないまま、ディスクや本の中に保管されている。『スリラー』や『虚栄の篝火』がどれだけ売れたとしても、ある時点にかぎればそれを観たり聴いたりしているのは全体のごく一部の人だけだ。出版社はそれを計算に入れて価格を設定している。もし平均的な購入者が自分のアルバムや本を頻繁に他人に貸し出すとしたら、売れ行きが落ちて価格が高騰する。一枚のアルバムが実際に使用されている時間が、たとえば〇・一パーセントだとしたら、〝光速〟の貸与はそのアルバムの販売数を千分の一にまで減らしてしまうかもしれない。ユーザーが自分のコピーを他人に貸し出せるのは年間十回までというように制限されることになるだろう。

公共図書館は、情報ハイウェイにアクセスできる高品質の機材を地域住民に開放する場所となるだろう。図書館委員会は、いま書籍やアルバムや映画や雑誌の購入に使っている予算を、教育目的で電子素材を使用するためのロイヤリティ支払いに充当するだろう。著作権者は、図書館内で作品が使用される場合にはロイヤリティの一部または全部を放棄するかもしれない。

さまざまなシステムのもとでの購入者のコンテンツに対する権利を明確にするために、新しい著作権法が必要になる。情報ハイウェイでは、知的財産についてユーザーがどんな権利を持つのか、いままで以上に明確にする必要がでてくる。

一度しか見ないことの多いビデオでは、やはりレンタルという方式が継続する。ただしレンタル店で借りるのではなく、情報ハイウェイから見たい映画や番組をさがし、注文に応じて《オン・デマンド》回線経由で配信してもらうことになり、近所のレンタルビデオ店やレコード店はいまのような集客力をなくすかもしれない。書店は将来的にも長いあいだ印刷された本を売りつづけるだろうが、ノンフィクションや、とりわけ辞典類に関しては、紙媒体より電子媒体での使用のほうが一般的になる。

効率的な電子マーケットは、娯楽のレンタルや購入だけにとどまらず、もっと大きな変化をもたらすことになる。いま仲介者として働いている人間や会社は、ほとんど全員が、電子競争の渦に呑み込まれるだろう。

ネットワーク経由のビデオ会議を法律業務で利用できるようになると、小さな町の弁護士は新しい競争に直面する。土地の購入を考えている人間は、なんでも屋の地元の弁護士より、アメリカの反対側にいる優秀な不動産専門弁護士に相談しようと思うかもしれない。もちろん、地元の弁護士がハイウェイの情報資源を利用して再教育を受け、必要な分野の専門家になるということもある。間接経費が低下するため、この新しい専門分野でも競争力を獲得できる。クライアントも恩恵を被るだろう。遺言書の作成など、お決まりの法律業務に対する料金は、電子市場の効率性と専門化によって大きく引き下げられる。情報ハイウェイは、医療や財政その他の複雑なビデオ相談サービスも提供できる。短時間で終わる用件の場合はとくに便利だから、この種のサービスが一般的になるだろう。車でどこかに出かけていって、駐車場に車をとめ、待合室で待たされ、十五分で終わる相談をすませ、それからまた車を運転して自宅やオフィスにもどることを思えば、予約をとってからテレビやコンピュータ画面のスイッチを入れるほうがはるかに楽だ。

車や飛行機に乗って出かける会合にかわって、ビデオ会議が増えていく。わざわざ出向いていくのは、どうしても顔を合わせる必要がある重要な会合か、肉体的にその場にいることが必要な楽しみのためだけになる。仕事で出張する機会は減るだろうけれど、逆に、情報ハイウェイを通じてオフィスや自宅とつねに接続していられるようになるため、余暇の旅行はかえって増えるだろう。

たとえ旅行の総量が変わらないとしても、旅行業界もまた変化に直面する。旅行代理店は、専門的な情報の提供を業務としてきた他の職種と同様に、新しいやりかたで付加価値を生み出さなければならなくなる。いまの旅行代理店は、お客にはアクセスできないデータベースや参考資料を使って旅行の手配を代行している。情報ハイウェイが一般に知れわたり、あらゆる情報がそこで手に入るようになれば、旅行者は自分で旅行を手配するようになるだろう。

繁盛するのは優秀で経験豊かで個性のある旅行代理店だろうけれど、いずれにしても、仕事の内容をもっと専門化させて、予約業務以上のサービスを提供することになる。たとえば、アフリカに行きたい人がいるとする。ケニヤ行きのいちばん安いチケットは自分でさがせるから、旅行代理店はなにかべつのサービスを提供しなければならない。もしかしたら、東アフリカ旅行専門の代理店ができるかもしれない——だとすれば、他の旅行者がとくに気に入ったのはどこかとか、ツァーヴォ国立公園は混雑がひどいとか、どうしてもシマウマの群れを見たいのならタンザニアにいったほうがいいですよとか、専門的なアドバイスを与えられる。またべつの旅行代理店は、これまでとは逆に、その代理店のある都市へとやってくる旅行者向けの旅を専門にするかもしれない。シカゴの代理店が、シカゴ在住者にサービスを提供するのではなく、ネットワークを通じて全世界の人々に、シカゴを訪ねる旅に関するサービスを提供する。お客はその旅行代理店を知らないかもしれないが、旅行代理店はもちろんシカゴを知りつくしているし、そちらのほうが重要だ。

新聞は長いあいだ残るだろうけれど、消費者が情報ハイウェイにアクセスできるようになった時点で、新聞業界は根本的な変革を余儀なくされる。アメリカでは、日刊紙の大部分は収入のほとんどを地域の広告に頼っている。一九五〇年、テレビがまだ珍しいおもちゃだったころには、全国向けの広告がアメリカの新聞各社の広告収入の二十五パーセントを占めていた。ところが、一九九三年には、全国向けの広告の占める割合は十二パーセントにまで低下している。おおまかにいって、これはテレビとの競合に敗れた結果だといっていい。国内で発行される日刊紙の数は激減し、生き残った新聞もその財源を地元での営業活動と分類広告にシフトさせている。分類広告に関するかぎり、ラジオやテレビは新聞にかなわない。一九五〇年には、米国内日刊紙の広告収入のうち分類広告の比率はわずか十八パーセントだったが、一九九三年には三十五パーセントにまで上昇し、金額ベースでは数十億ドルに達している。

情報ハイウェイは、個人間の売買の仲立ちとして、分類広告以上に効率的な手段を提供する。市場の顧客の大多数が電子的なアクセスで買い物をはじめたら、分類広告は窮地に追い込まれるだろう。これは、新聞社にとって、広告収入の相当程度が奪われることを意味する。

だからといって新聞が一夜のうちに消えてしまうとか、新聞社がニュースや広告の供給源として重要な存在ではなくなるというわけではない。しかし、仲介者としての役割を果たしてきたすべての企業と同様、変化を敏感に受けとめ、自分たちの築き上げてきた財産を活用しないかぎり、新聞社の電子世界での成功はおぼつかないだろう。

銀行業務も、やはり変化する運命にある。アメリカ国内には、一般消費者にサービスを提供する銀行が一万四千行ある。ほとんどの人は、自宅や通勤ルートの近くに支店がある銀行と取引している。利率やサービスの違いで、ある銀行からべつの銀行に口座を移すことがあるとしても、最寄りの支店が十マイルも離れている銀行に口座を開こうとする人はほとんどいない。いまは、銀行記録の移動にも時間がかかる。

しかし情報ハイウェイが地理的な差を縮めてしまえば、支店をいっさい持たない電子オンライン銀行――煉瓦もモルタルもなく、手数料は低料金――が登場する。間接経費の低いこうした電子銀行は、きわめて競争力が高く、全取引はコンピュータ機器を通じて行なわれる。大半の買い物は、クレジットカードとキャッシュカードと小切手帳の機能を兼ね備えたウォレットPCやスマートカードですませられるから、現金の必要性は低くなる。銀行が大規模な業界再編成で効率化をはかっているあいだに、こうした変化がすべて一度にやってくる。

預金額の大小によって利率が大幅に変わることはなくなる。ハイウェイ上のコミュニケーションを使って、新しいタイプの仲介者が小口客を効率的に集め、大口預金者に提供されている利率に近い利率を提供するようになる。ある銀行は自動車ローン専門、またべつの銀行は船舶ローン専門というふうに、金融機関は専門化する。こうした取引のすべてに関して手数料が発生するが、その料金体系は広範で効率的な競争に基づいて決定される。

これまで、貯金通帳以外のものに持ち金を投資しようとする小口の投資家たちは、かなり不利な立場にいた。株式市場とその他の金融商品――投資信託、投機的低位株、コマーシャルペーパー、社債など、無数の秘密めかした証書類――は、ウォールストリートの住人以外にはとても手が出せないものになってしまっていた。

しかしそれも、コンピュータが状況を一変させるまでの話だった。いまでは〝ディスカウント〟株式ブローカーがイエローページに大量にリストアップされ、相当数の個人投資家たちが地元の銀行に設置された機械や自宅の電話を使って株を買っている。情報ハイウェイが効率を増せば、投資の選択肢もさらに増える。取引の仲立ちだけを業務にしてきた他の仲介者たちと同様、株式ブローカーも安全な株を売るだけでは商売が成り立たなくなる。豊富な商品知識によって付加価値を生み出さなければならない。証券業界の根底にある経済システムは激変するとしても、情報ハイウェイによって平均的な消費者が金融市場に直接アクセスできるようになれば、取引の総量はうなぎ登りに上昇する。少額しか動かせない投資家でも、いままでよりいい助言を与えられ、現在は企業にしか手の届かない種類の投資から利益を得るチャンスを持てるようになる。

わたしがある業界の未来の変化について予言すると、マイクロソフトはその分野に参入するつもりなんですか、と聞かれる。だが、マイクロソフトの競争力は、すばらしいソフトウェア製品をつくることとそれにともなう情報サービスの提供を基盤としたものだ。マイクロソフトが銀行をはじめたり、店を開いたりすることはないだろう。

前に一度、銀行の背後にあるデータベースを〝恐竜〟と形容したとき、それを聞いたある記者は、「ビル・ゲイツは銀行自体が恐竜であると考えており、銀行との競合をめざしている」という趣旨の記事を書いた。おかげでわたしは、一年以上の時間をかけて世界中の銀行を訪ねてまわり、この記事はまちがいだと説明してまわる羽目になった。マイクロソフトは、いまのビジネス——企業サポートであれ、コンピュータソフト開発であれ、インターネットサーバー用グループウェアであれ——だけでも、すでに手いっぱいの難題とたくさんのチャンスを抱えている。

パーソナルコンピュータの世界におけるマイクロソフトの成功は、インテルやコンパック、ヒューレット・パッカード、DEC、NECなどをはじめとする数十のすばらしい会社と協力しながらやってきたおかげだ。折にふれて競合してきたIBMとアップルにさえ、多大な協力と支援に預かっている。いずれ他社がすばらしいチップをつくり、あるいはすばらしいPCをつくり、またあるいは、すばらしい流通を提供するであろうことを、わたしは確信できる。わたしたちはせまい分野に的を絞り、そこに全力を傾けてきた。この新世界でも、マイクロソフトはあらゆる業界の企業と協力して、情報革命がもたらすチャンスの最大限の活用に手を貸したいと思っている。

あらゆる業界が次々に変化に直面するだろうし、変化は人を不安にさせる。情報や製品流通を扱ってきた仲介者の中には、付加価値を生むことができずにべつの業界に移る者もいるだろう。またべつの者は、難局を乗り切ろうと立ち上がるだろう。ハイウェイ自体に必要な労働力はもちろん、サービスや教育や都市問題など、これから必要となる仕事はたくさんあるから、さまざまな雇用が生み出されるだろう。そしてハイウェイは、すべての人間に無限の情報を与えることで、貴重な職業訓練ツールとなる。転職してコンピュータコンサルティングの世界にはいろうとすれば、最高のテキスト、最高のレクチャー、受講資格についてのくわしい情報、試験、単位制度を手にすることができる。秩序の混乱も生じるだろう。しかし社会全体としては、この変化から利益を得ることができる。

これまでで最高の経済システムである資本主義は、過去十年のあいだに、他の経済システムに対する優位性を実証した。情報ハイウェイはその優位性をさらに拡大する。ものを生産する人間なら、購買者にいままでよりはるかに効率的にお目あての製品を見せることが可能になり、消費者もそれをより効率よく購入できる。おそらくアダム・スミスも満足するだろう。そしていちばん重要なのは、全世界の消費者がこの利益を享受するということだ。

第九章
教育は最良の投資

すぐれた教育者ならよく知っているように、教育というのは、教室で教師から学ぶことにかぎったものではない。いまはまだ、好奇心を満たしたり、問題を解決したいとき、ちょうどいい情報を見つけだせないことも多い。しかし、情報ハイウェイを使えば、いつどこにいても一見無限ともいえる情報にみんながアクセスできる。このテクノロジーを教育に利用すれば、社会のあらゆる分野で恩恵を被ることができるわけで、大いに期待できるだろう。

テクノロジーは学校教育を非人間的なものにしてしまうのではないかと心配する人もいる。しかし、(一九六八年にわたしが友人たちといっしょにやっていたように)一台のコンピュータで仲間といっしょに遊ぶ子どもたちや、海を隔てた教室のあいだでコンピュータでやりとりする生徒たちを見れば、テクノロジーはむしろ教育環境に人間味を与えるものだということがわかるだろう。テクノロジーの進歩にともない、学習ということがきわめて大切なものになっていく。そして、そのテクノロジーの力が、学習を実用的で楽しいものにもしてくれる。いま、情報テクノロジーのもたらすさまざまな可能性は、企業に変革をもたらしつつある。学校だって変わっていかなければならないだろう。

ハーバード大学大学院の教育学教授、ハワード・ガードナーは、「子どもたちが世界を理解する方法はそれぞれ違うのだから、ひとりひとりを個別に教えるべきだ」といっている。子どもたちはそれぞれ多様なアプローチで世界を理解しようとする。マスプロ的な教育では、その多様性に対応できない。ガードナーは、それぞれの生徒に対応するために、学校には「さまざまな種類のプロジェクトやテクノロジーや師弟関係があるべきだ」と指摘している。情報ハイウェイのツールを利用すれば、簡単にいろいろな方法を試したり結果を評価できるので、あらゆる種類のアプローチを発見できるだろう。

ジーンズのリーバイスが大量生産《マスプロダクション》と大量誂え《マスカスタマイゼーション》の双方を提供できるようになったのは、情報テクノロジーのおかげだった。おなじように、教育の〝大量誂え《マスカスタマイゼーション》〟も情報テクノロジーによって可能になる。マルチメディア文書と使いやすいオーサリングツールがあれば、教師はカリキュラムを〝大量誂《マスカスタマ》え《イズ》〟できる。ブルージーンズとおなじように、教育のマスカスタマイズが可能になるのは、コンピュータが製品（この場合は教育）を微調整することで、生徒は自分なりの進み具合で別々の経路をたどって学習できるからだ。これは教室だけにかぎったことではない。あらゆる学生がカスタムメイドの教育を大量生産の値段で受けられるようになる。社会人の場合も、それぞれ自分の分野の最新技術を学習できるわけだ。

子どもたちを含めたあらゆる人たちが、いまよりずっと簡単に、より多くの情報を手に入れられるようになる。情報が手に入れやすくなるだけで、好奇心が刺激され、創造性が発揮される、とわたしは思う。教育というものは、きわめて個人的な問題になっていくだろう。

もうひとつ、テクノロジーのせいで教師が無用の長物になるのではないかという心配もよく耳にする。

この点については、はっきりといっておこう。**心配は無用だ。**情報ハイウェイができても、教育の才能が不要になるとか、そういう人材の価値が下がるということはけっしてない。献身的な教師たち、両親を含めた創造性豊かな指導者たち、それにもちろん、熱心な生徒たち。みんな必要だ。ただ、教師の役目のうちかなりの部分を、テクノロジーが肩代わりするということはあるかもしれない。

情報ハイウェイを利用して、他の教師や著者のすばらしい成果を、みんなが共用できるようになる。教師はその教材を利用できるし、生徒はそれをインタラクティブに探求できる。そうすれば、いまはじゅうぶんな教育を受けられない生徒にも、教育の機会を与えることができる。子どもが持って生まれた才能を活かす助けになる。

とはいっても、そうした利点を現実のものにするには、まず教室でのコンピュータに対する見方を変えなくてはならない。多くの人が教育分野のテクノロジーに対して批判的なのは、これまであまりにも誇大宣伝が過ぎて、期待にそえなかったからだ。現在学校に置かれているパソコンの多くはパワー不足で使いにくいし、外部記憶の容量もネットワーク機能もじゅうぶんでなく、情報に対する子どもたちの好奇心に応えることはできない。コンピュータが導入されても、現状では教育はほとんど変わっていない。

学校にテクノロジーが浸透する速度が遅いのは、教育の当事者たちの多くが保守的だからだろう。全体的に教職員たちは高年齢で、テクノロジーに対して不安感やおそれを抱いている。このことは、教育のテクノロジーに割り当てられる公立学校の予算がほんのわずかなものだ、ということからもわかる。

アメリカの平均的な小中学校では、ビジネス界にくらべると、新しい情報技術に接する機会が少ない。携帯電話やポケベルやパソコンという存在は、いまや就学前の児童でさえ知っているのに、幼稚園に入ってみれば、そこは黒板とOHP（オーバーヘッドプロジェクター）が最先端技術という世界だ。FCC（連邦通信委員会）委員長のリード・ハントは、その問題についてこう述べている。「この国には、電話もなければケーブルTVもなく、広帯域サービスを受けられる見込みもない建物が無数にあって、何百万人という人たちがそこで時間をすごしている。この建物は、学校と呼ばれている」

こうした制約はあっても、いずれは変革が起こるはずだ。ただ、いきなりがらりと変わるわけではない。教育の基本的パターンは、表面的には変わらない。生徒は学校に通い、先生の話を聞いて質問し、自分の学習やグループ研究（実験なども含む）や宿題をする。

世界じゅうで、学校にもっとコンピュータを導入しよう、といわれてはいる。しかし、その進展具合は国によってまちまちだ。ほぼ全部の学校に導入済みなのは、オランダなどごく一部の国にすぎない。フランスをはじめとする多くの国々ではまだ導入率は低いものの、将来すべての教室にコンピュータを備えると政府が宣言している。イギリス、日本、中国では、職業訓練という意味で、正規のカリキュラムに情報テクノロジーの授業を組み込みはじめた。ほとんどの国が教育予算を増やし、学校でも家庭や企業とおなじくらいコンピュータが使われるようになっていくだろう。いつの日か――先進国ではそう時間がかからないだろうけれど――世界中のすべての教室にコンピュータが設置される日が来るに違いない。

ハードウェアの価格は毎月のように下がってきている。教育ソフトも、ある程度のまとまった量なら手ごろな値段で買える。アメリカのケーブル事業者や電話会社の多くは、自社のサービス地域の学校や図書館に対し、ネットワークの接続料を無料、あるいは割り引き料金とすることを発表した。たとえば、パシフィック・ベルは、カリフォルニア州全域の学校に対し、ＩＳＤＮの一年間無料サービスを実施すると発表している。ＴＣＩもヴァイアコムも、自社のサービス地域全体で学校のケーブル使用料を無料にすると決めた。

学校の教室そのものは変わらないとしても、テクノロジーは細かい点で教室を変革していくだろう。まず、教室での授業にはマルチメディアプレゼンテーションが使われる。宿題では、電子的なドキュメントが教科書とおなじくらい使われるだろう。

いや、教科書を追い抜くかもしれない。生徒たちは自分が興味を持った分野についての勉強を奨励され、簡単にそれができるようになる。ほかの生徒が質問に答えてもらっているときでも、同時に自分の質問にも答えてもらえる。一日のある時間帯は、個人やグループでパソコンに向かい、情報を探求することにあてられる。生徒は自分の見つけた情報に関する意見や質問を教師にぶつけ、教師はその中からどの質問をクラス全体で取り上げるかを選ぶ。生徒がコンピュータに向かっているあいだ、教師はひとりひとりの生徒や少人数のグループの面倒をみて、講義だけでなく問題解決の手助けに多くの時間を割けるようになる。

教育者の第一の役割は、人間の成長を助けるということだ。したがって、他の職業と同様、変化する状況につねに適応していかなければならない。ただ、ほかの職業と違うのは、教育の未来がきわめて明るいということだろう。技術革新で生活が向上するにつれ、教育に従事する労働人口が増加してきている。教室に活力と創造力を与えてくれる教育者や、子どもたちとの強い絆をつくれる教師が、今後増えていくだろう。子どもたちは、心から自分たちのことを気にかけてくれる大人に、教えてもらいたがっているのだから。

だれにでも、大きな影響を受けた教師がひとりくらいはいるのではないだろうか。わたしの場合は高校時代の化学の先生で、化学に興味を持たせるのがものすごくうまい人だったので、生物学にくらべて、化学はじつに魅力的に思えた。生物学の担当の先生は、なぜ生物学を学ぶ必要があるかなんてまるで説明してくれなかった。授業でやった解剖は、文字どおり、ただ切り刻むだけのものだった。その点、化学の先生は大げさなほど表現がうまくて、化学は世界を理解するのに必ず役に立つと教えてくれた。二十歳になったとき、わたしはジェイムズ・D・ワトスンの『遺伝子の分子生物学』を読み、高校時代の認識がまちがっていたことを知った。生命を理解するというのは、大きなテーマだ。遺伝情報はこれまで発見された中でも最も重要な情報のひとつで、今後何十年にもわたって医学に革命をもたらすだろう。ヒトのDNAはコンピュータプログラムに似ているけれど、これまでにつくられたどんなソフトウェアよりもはるかに複雑なものだ。化学には、その尽きない魅力を教えてくれた偉大な先生がいたのに、生物学はどうにも退屈なものにしか思えなかったというのは、わたしにとってとても残念なことだった。

ある教師がすぐれた教材を作って、すばらしい授業をしたとしても、その恩恵に預かれるのはせいぜい数十人の生徒だけだ。いまはまだ離れたところにいる教師がたがいの成果物を利用しあうのがむずかしいけれど、ネットワークを使えば、たがいの授業や教材を共用し、世界中の生徒が最高の教育を受けることができる。ビデオで受ける授業では、目の前に先生がいる場合にくらべて興味は半減することが多いけれど、特別な先生の話を聞けるのなら、たとえこちらから質問ができなくてもそれだけで価値があるという場合もあるだろう。数年前、わたしはある友人といっしょに、ワシントン大学のビデオカタログの中にあの有名な物理学者リチャード・ファインマンの講義録を見つけ、十年前にファインマンがコーネル大学で行った講義を見たことがある。実際に講義に出席したり、ビデオ会議で彼に質問できたりしていたら、もっと得るところは多かったかもしれない。でも彼の講義は、それまでわたしが読んだどんな本よりも、どんな先生の講義よりも明快に、物理学の概念をわからせてくれた。ファインマンは物理というテーマに生気を吹き込んでくれた。物理を学ぶ全員がもっとたやすく彼の講義を見られるようにすべきではないかと思ったものだ。情報ハイウェイを使えば、教師も生徒もこうしたすばらしいデータをもっともっと手に入れられるようになる。

たとえば、ロードアイランド州プロビデンスにいる教師が、光合成についてうまい説明のしかたを思いついたとする。彼女の講義ノートとマルチメディアデモンストレーションを、世界中の教師が入手できるようになる。情報ハイウェイを通して得た素材をそのまま使おうとする教師もいるだろうが、使い勝手のいいオーサリングツールを利用してさまざまに料理する教師もいるだろう。あっという間にこの教材の改良版が世界中の無数のクラスで使われるようになる。ほかの教師からのフィードバックも簡単に入手できるので、講義をより洗練されたものにしていくことができる。ネットワーク上ではアクセス頻度がチェックでき、教師たちに投票してもらうこともできるから、どの教材の人気が高いかということも簡単にわかる。教育に貢献したいと思う企業があれば、影響力のある教材をつくった教師を表彰したり賞金を贈ったりすればいい。

二十五人の生徒に対し、綿密で面白い教材を毎日六時間、年に百八十日ぶん用意するのは、なかなかたいへんだ。テレビを見慣れてしまった生徒たちを面白がらせるのは、容易ではないようだ。いまから十年後のことを考えてみよう。中学校の理科の先生が、太陽に関する授業の準備をしている。彼女は太陽の特徴を説明するだけではなく、科学的発見の歴史も同時に教えたいと考える。ビジュアル教材の選択には、写真でもビデオでも、絵画の一部でも、大科学者の肖像画でも、情報ハイウェイの膨大な画像カタログから好きなものを選ぶことができる。ビデオクリップや音声入りアニメも無数のサンプルから入手できる。いまなら何日もかかるビジュアルの組み込みも、数分でできるようになるだろう。彼女の太陽についての授業の進行に沿って、ちょうどいいタイミングで写真や図表が表示される。太陽のエネルギーの素は何なのかという質問が生徒から出れば、水素原子とヘリウム原子の画像を動かして見せることができるし、フレアや黒点などの現象を見せてやってもいい。核融合エネルギーについての短いビデオをホワイトボードに映すこともできるだろう。前もって情報ハイウェイ上のサーバーとのリンクを調べて、そのリストを作っておけば、生徒が図書館や自宅で勉強するときに、いろいろな見方でその教材を復習できることになる。

もうひとつ、高校の美術教師の例を考えてみよう。授業では、電子ホワイトボードを使って高品質のデジタル複製画を映し出す。作品はスーラの『アニエールの水浴』。一八八〇年代のセーヌ河岸で、ヨットや汽船を背景に、くつろぐ青年たちを描いたものだ。ホワイトボードの音声機能がこの絵の原題――〝Une Baignade à Asnières〟――をフランス語で発音し、アニエールの町がよく目立つように表示されたパリ郊外の地図を映し出す。教師は、点描画法の先駆けとなったこの絵を使って、末期の印象派について説明するかもしれない。あるいは、一九世紀末のフランス人の生活とか、産業革命といった大きなテーマのために使うかもしれない。人間の目が補色をどんなふうに見るかの説明に使うことだってできる。

教師は、絵の右端に立っている、オレンジがかった赤の帽子をかぶった人物を指していう。「帽子の色に注目してください。スーラは目の錯覚を利用しました。この帽子は赤色なのですが、彼はオレンジと青の小さな点を描き加えています。かなり近づいて見なければ、青色に気づくことはないでしょう」彼女がしゃべっているあいだ、画像は帽子の部分にズームして、キャンバスの生地が見えるところまで拡大する。画像が拡大されたことで青い点がはっきり見えるようになる。そこで教師は、青がオレンジの補色であることを説明する。ホワイトボードに色相環が現われ、教師かマルチメディアドキュメント自身のどちらかが、解説をはじめる。「この色相環では、すべての色が反対側の補色になっています。赤は緑の補色、黄は紫の補色、青はオレンジの補色。人間の目は、ある色を見つづけると、その補色が残像となるようにできているので、スーラはこの錯覚を利用し、帽子に青の点を描き込むことで、赤とオレンジの色相を鮮やかなものにしたのです」

情報ハイウェイにつながったコンピュータは、教師が生徒を観察し、評価し、指導する手助けとなってくれる。教師が宿題を出すことはこれからも変わりないだろうが、そこには電子化された参考文献を参照できるハイパーテキストが入ってくるようになる。生徒は自分でリンクをはり、マルチメディアの素材を使って宿題をしあげて、結果をディスクに落とすか、情報ハイウェイを通じて送る。教師のほうは、ひとりひとりの記録を保存して、いつでもそれを調べたり、他の教師と共用することができるようになる。

専用ソフトを使えば、生徒の能力や進歩の状況、興味範囲、期待度も簡単に把握できる。生徒に関する情報をじゅうぶんつかみ、退屈な書類仕事から解放されれば、ひとりひとりの生徒をさらにきめこまかく指導することが可能になる。得られた情報は、クラスごとのカスタムメイドの教材をつくったり、宿題を出したりするときの参考になる。教師と親が、子どもの成長について話し合うのも楽になるに違いない。ビデオ会議も普及するから、教師と親のあいだの協調関係はいっそう深まるだろう。親同士で非公式の勉強会をするにせよ、別のかたちで子どもたちへの力添えを考えるにせよ、これまでよりうまく子どもたちを助けることができるようになることはまちがいない。

子どもに対して親がしてやれる援助には、もうひとつある。自分が仕事で使っているソフトの使い方を教えてやることだ。すでに教師や学校の職員の中には、一般的なビジネスソフトを使って自分たちの仕事を管理したり、現代のビジネス・ツールとしてそれを生徒に体験させたりしている人たちもいる。

今やほとんどの大学生が、タイプライターや手書きでなくパソコンのワープロソフトを使ってレポートを書いているし、高校生のあいだでもその数は増えている。スプレッドシートやチャートを描くアプリケーションは、数学や経済学の理論の説明であたりまえのように使われているし、会計学の課程にも標準的に取り入れられている。生徒や教職員が、ポピュラーなビジネスソフトの新たな利用方法を生み出すこともある。たとえば、外国語を勉強する学生なら、主要なワープロソフトの機能を言語の勉強に役立たせることができる。そうしたソフトは、スペルのチェックをしたり、複数言語のドキュメントから同義語を検索したりするツールを備えているからだ。

子どもが親にコンピュータの使い方を教えている家庭もあるだろう。子どもがコンピュータと相性がいい理由は、物事のやりかたがまだこりかたまっていないからだ。子どもは相手から反応を引き出すのが好きだし、コンピュータはかならず反応してくれる。就学前の子どもがコンピュータに夢中になるのを見てびっくりする親もいるだろう。しかし子どもにとってみれば、それは、親に「いないいないばあ」をしてもらったり、テレビのリモコンにかじりついて次々にチャンネルを変えるのとおなじことだ。小さい子どもは相手の反応を引き出すことが大好きなのだ。

わたしには三歳になる姪がいるが、子どもの本を原作にしたブローダーバンドのCD－ROM、『おばあちゃんとぼくと』を彼女がプレイするところを見るのは楽しい。わたしの姪はこの電子絵本のストーリーを覚えていて、母親に絵本を読んでもらっているときとおなじように登場人物といっしょにセリフをしゃべる。『おばあちゃんとぼくと』では、マウスで郵便受けの絵をクリックすると、扉が開いてカエルが飛び出てきたり、手がぬっと出て扉をバタンと閉めたりするようになっている。画面上に見えるものに対して自分が影響を与えること、つまり「ここをクリックしたらなにが起きるかな？」という問いに答が返ってくることで、彼女の強い好奇心はいつまでも保たれる。別のいい方をすれば、基本となるストーリーラインの質の良さとインタラクティブ性の相乗効果が、彼女を惹きつけているわけである。

ほとんどの人は、いまの情報ツールがひきだす以上の高い知性と好奇心を持っているはずだ、というのがわたしの持論だ。ある話題に興味を持ち、それに関する優れた情報を見つけたことで満たされた気持ちになり、そのことがらをじゅうぶん理解することで喜びを感じたという経験は、多くの人にあるだろう。ところが、情報の探求作業が壁にぶつかってしまうと、人はとたんに張り合いをなくし、その話題は自分には理解できないものなのではないか、と思いはじめる。そうした経験を、特に子どもの頃に何度も体験していたら、もう一度やってみようという意欲がなくなってしまう。

さいわいなことに、わたしの育った家庭は子どもの質問を歓迎するようなところがあった。ローティーンのころにポール・アレンと友だちになれたのも幸運だったと思う。ポールと知り合ってすぐのころ、わたしはガソリンはなにからできるのかと質問した。ガソリンを〝精製する〟というのはどういうことか、ガソリンがどうやって自動車にパワーを与えるのかを知りたかった。その分野の本を読んでみても、わけがわからなくなるだけだったが、ポールはいろいろなことをよく知っていて、ガソリンについても、わたしが興味を持てるようにわかりやすく教えてくれた。ガソリンに対するわたしの好奇心が、ふたりの友情を深めてくれたといえるかもしれない。

ポールは、わたしが興味をひかれるようなことについて、なんでもよく知っていた。それに、SF本のコレクションもすごかった。一方、わたしはポールよりも数学が好きだったし、ソフトウェアについては彼の知り合いのだれよりもよく理解していた。わたしたちは、おたがいにインタラクティブな情報源だったわけだ。わたしたちは、ふたりのあいだで質問したり答えたり、図解したり、関連する情報を教えて相手の興味をひきあい、おたがいに挑戦しあうのが大好きだった。情報ハイウェイとユーザーの関係も、まさにそういうものになる。たとえば、一九七〇年代ではなく、いまから三、四年後のティーンエイジャーがガソリンのことを知りたいと思ったら、わたしにとってのポール・アレンのような友だちがまわりにいなくとも、学校や図書館のコンピュータが豊富なマルチメディア情報にリンクしているから、思う存分調べることができるはずだ。

まず、写真やビデオ、アニメーションを見ながら、石油がどんなふうに採掘され、輸送され、精製されるかという説明を受ける。自動車用の燃料とジェット機の燃料の違いも知ることができるだろう。もし自動車の内燃機関と飛行機のターボジェットエンジンの違いを知りたければ、そう質問するだけでいい。

たくさんの炭化水素が結合したガソリンの複雑な分子構造についても、教えてもらえる。もちろん、炭化水素とはなにかということも学べるわけだ。そうした追加知識をどんどんリンクしていけば、彼にとってさらに魅力的なテーマが見つかることもあるだろう。

新しい情報テクノロジーの出現といっても、とりあえずは現在使われているツールの能力を向上させるところからはじまるはずだ。手書き文字の認識が可能で、膨大な数の教育用イラストやアニメ、写真、ビデオからカラーグラフィックスを呼び出すことができる壁埋め込み型のビデオホワイトボードが、黒板にかわって登場するだろう。教科書や映画、試験用紙など、現在の教材の役割の一部は、マルチメディア文書《ドキュメント》が肩代わりすることになる。マルチメディア文書《ドキュメント》は情報ハイウェイのサーバーにリンクしていて、つねに最新の情報をもっている。

現在流通しているＣＤ－ＲＯＭでも、インタラクティブな経験は可能だ。つまり、ユーザーの指示に対してテキストや音声、ビデオによって情報を返してくれる。ＣＤ－ＲＯＭはすでに学校の授業や家庭の宿題で使われているが、情報ハイウェイにくらべるとかぎられた性能しかない。ＣＤ－ＲＯＭにできることはふたつあって、そのひとつは、百科事典とおなじように幅広い分野の話題を盛り込むことだが、それぞれの情報はほんの少しになってしまう。もうひとつは、たとえば「恐竜」といった単独の話題について大量の情報を盛り込むことだが、それでも、いちどに読める情報量はディスクの容量に制限されることになる。それに当然ながら、自分の持っているディスクしか参照できない。

にもかかわらず、ＣＤ－ＲＯＭには紙媒体よりはるかに優れたところがある。たとえば、マルチメディア・エンサイクロペディアはたんなる検索ツールではなく、生徒が宿題に使うドキュメントに組み込むことのできる総合教材でもある。そこに、授業や宿題でどんなふうに使わせるかを説明した教師用のガイドを添えることもできるだろう。わたしはマイクロソフトの製品をどんなふうに使ったかという体験談を先生や生徒たちから聞いて、びっくりしたことがある。わたしたちが予想もしなかった使い方がたくさんあったからだ。

ＣＤ－ＲＯＭが情報ハイウェイの先駆けだということはまちがいない。インターネットのワールド・ワイド・ウェブ（ＷＷＷ）は、もうひとつの先駆けだ。ＷＷＷの情報はまだかなりの部分がテキストだが、教育に関連したいろいろな面白い情報へのアクセスを可能にしてくれる。クリエイティブな教師たちはオンラインサービスを使って、わくわくするような授業を組み立てはじめている。

ここで少し、各地の教育現場での実例を見てみたい。

カリフォルニア州の四年生たちは、新聞記事をオンライン検索して、アジアの移民が直面している問題について調べた。ボストン大学では、塩の分子が水の中で分解するような化学現象をビジュアルに細かくシミュレートしてみせる、ハイスクール向けのインタラクティブなソフトを作成した。

ニュージャージー州ユニオンシティにあるクリストファー・コロンブス・ミドルスクールは、危機を乗り越えて生まれ変わった学校だ。一九八〇年代の終わり、ここの生徒の標準テストの成績は州の中でもかなり低く、学区の子どもたちの登校拒否や中途退学の率も非常に高かったため、州政府はなんとかしなくてはと考えた。その結果、教師と親たち（九〇パーセント以上がヒスパニック系で、英語が母国語でない人たち）によって、学校を救うための画期的な五カ年計画がたてられたのだった。

この計画に地域電話会社のベル・アトランティックが援助を申し出て、生徒の家庭と学校の教室や教師、職員たちをつなぐマルチメディアパソコンネットワークを構築した。手はじめに用意されたマルチメディアパソコンは百四十台で、七年生の生徒と教師の全家庭に設置し、一教室に四台以上を置ける数だった。各マシンは高速回線でつながり、インターネットに接続されて、教師にパソコンの使い方をトレーニングをするのにも使われた。教師たちは親のために週末用トレーニングコースをつくり、生徒には電子メールとインターネットを使うよう勧めていった。親のトレーニングコースには、半数以上の人が参加してくれたという。

二年もたつと、親たちは子どもが家庭でパソコンを使うことを奨励するようになり、自分たちでも教職員に負けじと使うようになった。中退や登校拒否の比率もほとんどゼロに近づき、生徒たちの標準テストの成績も、ニュージャージー州都市部の学校の平均値の三倍近くまで上昇したのだった。今ではこのミドルスクール全体にプログラムが拡張されているという。

ベル・アトランティック社の会長兼CEO（最高経営責任者）であるレイモンド・W・スミスは、この結果についてこんなふうにコメントしている。「教育方式について根本的な改革が必要な学校と、その支えになりたいと考えている親の組織、それに家庭と教室を配慮の行き届いたかたちで統合するテクノロジー……それらが融合することで、家庭と学校がたがいに支援しあって向上していく、ほんとうの意味での教育コミュニティが生まれたのだと思う」

一方、カナダのレスター・B・ピアスン・スクールも、さまざまな人種の混ざった地区にあるが、毎日のカリキュラムでコンピュータが重要な役割を果たしている。千二百人の生徒に対し、三百台のパソコンが設置され、百種類以上のソフトが使われている。学校側によれば、中退率は四パーセント。全国平均は三十パーセントで、この学校の中退率はカナダでいちばん低いということだ。「どうしたらハイスクールの学校生活全般にテクノロジーを活かせるのか」を知るために、毎年三千五百人の見学者が訪れるというのも不思議はない。

情報ハイウェイが現実のものとなれば、何百万という書物のテキストが手に入るようになる。読者はテキストをプリントしたり画面で読んだりするだけでなく、自分の選んだ声で朗読させることもできる。質問に答えてもらうことも可能だから、家庭教師を雇うようなものだ。

ソシアルインターフェイスを備えたコンピュータは、特定のユーザー向けに特化した情報も提供できる。そうすれば教育用ソフトの大半は独自の個性を持つようになり、生徒とコンピュータは人間同士の知り合いのようになっていくだろう。たとえば、生徒が「アメリカの南北戦争の原因は？」と声に出して質問すると、コンピュータは、経済的な原因による戦争だとか、人権をめぐっての戦争だとか、対立する主張を含めて、いろいろな説を教えてくれる。答えの種類や長さは、生徒とその環境によってさまざまに変わる。生徒は答えの途中でさえぎって、もっとくわしいことを質問したり、まったく別のアプローチを要求したりできる。コンピュータ側は、その生徒がそれまでにどんな情報を読み、見てきたかを記憶していて、それらの知識とのつながりや相互関係を示し、別の情報への適切なリンクを与える。たとえば、その生徒が興味を持っているのが歴史小説なのか、戦争実話なのか、あるいは民族音楽かスポーツかによって、情報の提示方法が変わってくる。ただ、これはあくまでも注意を喚起する方便にすぎない。マシンは、優れた教師とおなじように、偏った興味を持つ子どもにおもねることはしない。そのかわり、その子どもの狭い興味の範囲をより広げる方向で教えようとするだろう。

コンピュータはひとりひとりの生徒を個別にフォローできるから、さまざまな学習の進み具合に対応できるようになる。学習能力の低い子どもに対しては、とくにきめこまかな配慮がなされるが、能力が高くても低くても、すべての生徒がひとりひとりのペースに合わせて学習できるという点は変わらない。

コンピュータ支援による学習には、もうひとついい点がある。それはテストのやりかたが変わることだ。現在、テストと聞くとたいていの子どもは憂鬱な気分になるが、これは「ひどい点をとっちゃった」とか「時間切れでできなかった」とか、「勉強してなかった」といった結果の悪さに関係している。しばらくすると、テストの成績が悪かった子は、「どうせいい点はとれないんだから、テストのことなんて気にするのはやめよう」と考えるようになる。テストのせいで生徒は教育全体に対してネガティブな感情を持ってしまうことになる。

インタラクティブなネットワークでなら、生徒はいつでも気軽に質問することができる。自分で考えて自分でする質問というのは、一種の自己開発であって、ポール・アレンとわたしがおたがいに質問しあったのとおなじことだ。こうしたテストは、まちがった答えを出したところで非難されないから、学習のポジティブな要素となる。非難するかわりに、システムはその生徒の誤解を正す助けをしてくれる。どうにもわけがわからなくて困っている生徒がいれば、システムはその状況を教師に伝える。自分から質問していくことによって、生徒は自分の立場をよりはっきりと認識するから、正規のテストに対する不安感や憂鬱な気分も少なくなり、あわてることもなくなるだろう。

こうした方法で基礎能力をつけさせるインタラクティブソフトは、すでにたくさんの教育ソフト会社や教科書会社から発売されていて、その分野も、数学、言語、経済、生物学など多岐におよぶ。カリフォルニア州パロアルトにあるアカデミック・システムズ社もそのひとつで、基礎数学と英語の講義を手助けするカレッジ向けインタラクティブ・マルチメディア教授システムを開発している。そのコンセプトは「学習の媒介」。従来の学習方式とコンピュータベースの学習をミックスしたものだ。生徒はまず実力試験を受け、どんなことが理解できていて、どんなことについて指導が必要なのかということを決める。それが終わると、システムは各生徒の個人指導プランをつくる。定期テストで生徒の学習の進み具合がモニタされ、生徒が概念を理解するにつれて指導プランが変更されていく。システムは生徒のかかえる問題を教師に報告し、教師は生徒ひとりひとりに対して手助けをするようになっている。これまでのところ、パイロットプログラムに参加した生徒は、この新しい教材を気に入っているようだ。しかし、いちばん成功したのは、教師がよく面倒をみていたクラスだったという。この結果から見るかぎり、新しいテクノロジーもそれだけでは教育の向上には不充分だということになる。

親たちの中には、コンピュータを利用することに抵抗している人もいる。自分の子がなにをしているのかわからないし、コントロールすることもできないと信じ込んでいるからである。たいていの親は、わが子が背中を丸めて本に夢中になっていれば満足するが、何時間もコンピュータに向かっていると、いい顔をしない。それはたぶん、TVゲームをやっていると思っているからだろう。たしかに、勉強なんてそっちのけでTVゲームに夢中になる子どももいる。これまでのところでは、教育用ソフトよりエンターテイメントソフトのほうにたくさんの資金がつぎ込まれているという。魅力ある方法で子どもを情報の世界に招くよりも、夢中になってもらえるゲームをつくるほうがたやすいようである。

とはいえ、教科書予算と親の消費の方向がインタラクティブ教材にシフトしていくにつれ、教師たちの協力を得てエンターテイメントソフトとおなじくらい質の高いインタラクティブ教材を作るソフト会社が、どんどん増えることだろう。たとえばザ・ライトスパン・パートナーシップという企業は、ハリウッドの俳優を使ってライブ映像やアニメーションプログラムをつくっている。五〜十歳の子どもたちの興味をひきつけ、少しでも多くの時間を勉強に使ってくれるようにする、というのが彼らの目標だ。ライトスパンのソフトでは、生徒はアニメのキャラクターに導かれていくつかのレッスンを行なう。そこではまず基本概念が説明されたあと、それを使ったゲームができるようになっている。レッスンは二歳ごとの年齢でグループ分けされ、算数と国語（英語の読み・書き・話し方）について小学校のカリキュラムを補足するように組まれている。いずれあらゆるプログラムが学校のほか家庭やコミュニティセンターのテレビでも使えるようになるだろうが、それまでは、この種のソフトはCD—ROMで供給されるか、インターネット経由でパソコンユーザーに流通することだろう。

ところがこうしたことも、公立学校の直面する深刻な問題、予算削減や暴力、ドラッグ、高い中退率、危険な学区、教育よりも自分が生き残ることを気にする教師たち、といった問題を解決することはできない。社会的には新しいテクノロジーを与えるだけではじゅうぶんでなく、もっと根本的な問題を解決しなければならない。

一部の公立学校はそうした難題に直面しているわけだが、彼らはわたしたちの希望の星でもある。都市部の公立学校に通う生徒の家庭の大部分が失業手当を受けていて、生徒は英語もほとんどしゃべれず、能力も低く未来も不安定、という状況を考えてほしい。それが一九〇〇年代はじめのアメリカであり、一千万人単位の移民が大都市の学校や社会サービス機関を埋め尽くしているアメリカであった。

それでも、その世代と次の世代の人々によって、アメリカは世界でも高い生活水準を獲得することができた。現代のアメリカの学校問題も、かなり複雑ではあるが、解決不可能なものではないはずだ。いままでも、何十校かの成功例がある。これまで、そのうちいくつかの例を紹介してきた。この問題に深入りするのはこの本の目的ではないけれど、地域社会は自分たちの街や学校をとりもどせるはずであるし、現実にとりもどしてきている。それには地域住民の努力が必要だ。ひとつの通り、ひとつの学校をじょじょに変えていくしかないだろう。そういった努力のあとで、親たちは子どもが学校に行って学ぶ準備ができたことを主張するべきだ。はじめから「学校に（政府に）してもらおう」という態度では子どもたちのためにならない。

教育にとっての前向きな雰囲気がほんの少しでもつくられれば、情報ハイウェイは次の世代のあらゆる人の教育水準を上げる手助けができるようになる。情報ハイウェイのおかげで新しい教育方法が増え、幅広い選択肢の中から選ぶことができるようになる。政府資金で組まれた質の高いカリキュラムが無料で使えるようにもなる。ベンダーたちの競争によって、無料の教材はどんどん増えるはずだ。別の公立学校が新しい〝ベンダー〟になる場合もあるだろうし、公立学校の現役教師や、引退して自分でビジネスをはじめた教師が教材を提供する場合もあるだろう。情報ハイウェイをベースにした民間の学校サービスプログラムが、その機能を試したいといってくることだってありうる。学校にとって、情報ハイウェイは新たな〝教師〟をためす手段であり、離れたところからそのサービスを使う手段でもあるわけだ。情報ハイウェイによって、在宅授業《ホーム・スクーリング》もやりやすくなる。親は幅広い分野にわたる質の高い選択肢からいくつかのクラスを選ぶことができ、授業の中身についてコントロールできるわけだ。

コンピュータを使った教育は、のちのちコンピュータから離れて学習するための足がかりにもなるだろう。小さな子どもの場合は、やはり自分の手で玩具や道具に触ってみる必要がある。また、コンピュータの画面で化学反応を見るのは実験室の実技の補足にはなるが、実験の代用にはならない。子どもたちが人間関係を学び、共同作業の方法を身につけていくには、生徒同士のやりとりや、大人との交流が必要である。

将来の〝いい教師〟というのは、ハイウェイ上のどこで情報を見つければいいのかを教えるだけの存在ではない。どんなタイミングで調べ、観察し、生徒を刺激し、関心を呼び起こせばいいかを理解していなければいけない。文字や音声のコミュニケーションで生徒に能力をつけてやらなければならないし、テクノロジーを出発点として使うこともあれば助手として使うこともある。すぐれた教師というのは、コーチでありパートナーであるとともに、生徒の創造力の出口として、世界と意志を伝え合うための橋としての役割も果たす人のことである。

情報ハイウェイ上のコンピュータは、世界を説明できるだけでなく、シミュレートすることもできる。

コンピュータで現実のモデルをつくり、それを使うことは、画期的な教育ツールになる。数年前、アリゾナ州トゥーソンにあるサニーサイド・ハイスクールのある先生が、実社会の行動をコンピュータでシミュレーションするクラブをつくった。クラブの生徒たちがギャングの行動を数学的にモデリングしたところ、かなり残酷な結果を得たという。このクラブがうまくいったことで、教育とは子どもに〝正しい〟答えを与えることではなく、答えが〝正しいかどうか〟を決める手がかりを与えることだ、という考えに基き、数学のカリキュラムは根本的に組み直されることになった。

とくに科学教育は、こうしたモデリングを身につけるのに向いている。現在の子どもたちが、現実の山の高さを測ることで三角法を学んでいるのも、その例だろう。理論的な教えを受けるだけでなく、実際に二つの地点から三角測量をするわけだ。また、生物学を教えるコンピュータモデルは、すでにいろいろ登場している。中でも人気のある『シムライフ』は進化をシミュレートするソフトで、子どもたちが理論を聞くだけでなく進化のプロセスを体験することができるようになっている。植物や動物をデザインして、自分のデザインした生態系の中でどう影響しあい、進化していくかを見るプログラムで、子どもでなくても楽しむことができるソフトである。『シムライフ』の発売元であるマクシス・ソフトウエアは、『シムシティ』という都市シミュレーションのソフトも出している。これは、道路や輸送機関など相関関係にあるシステムすべてを含めた都市を、プレイヤーがデザインするものだ。自分はそのバーチャル・コミュニティの市長や都市計画担当になるわけで、ソフト側が設定済みのゴールに向かうのではなく、プレーヤー自身がそのコミュニティの運命を決めることになる。農場や工場、家庭、学校、図書館、博物館、動物園、病院、刑務所、マリーナ、高速道路、橋、地下鉄……あらゆるものを自分で設定する。市街地の人口増加や、火事などの災害にも対処しなくてはならない。地形を変えることもある。飛行場をつくったり税金を上げたりして都市の状況を変えれば、そのシミュレーション社会の変化を予期できる場合もあるし、まったく予測のつかないことが起こることもある。現実世界がどんなふうに機能しているかを手っとり早く知るにはいい方法だろう。

現実社会だけでなく、この世界の外について知るためにも、シミュレーションは有効だ。たとえば、スペースシミュレータをプレイすることで、太陽系や銀河系を宇宙船で航行することができる。生物学にも都市計画にも外宇宙にも興味がないという子どもでも、コンピュータシミュレーションを体験すれば興味がわいてくるかもしれない。そうやって、科学は面白いということをわからせてやれば、さらに多くの生徒たちにアピールできることだろう。

近い将来、あらゆる年代、あらゆる能力の生徒たちが、情報を視覚化し、それと対話することができるようになるだろう。たとえば気象を勉強しているクラスでは、仮想的な気象条件モデルに基づいてシミュレートした衛星画像を見ることができる。生徒たちは、「風速が時速十五マイル増加したら、あしたの天気はどうなるだろう?」といった「もしも〜」型の質問をぶつけることだろう。コンピュータは予測される結果を計算し、宇宙から見た気象状況を画面に出す。シミュレーションゲームは今後どんどん進化するだろうが、いまでもじゅうぶん魅力的で教育効果も高い。

こうしたシミュレーションを完璧に現実的なものにすると、バーチャルリアリティの領域に入ってしまう。きっといつかは、学校にもバーチャルリアリティ機器が——それとも音楽室や視聴覚教室とおなじようなVR室というかたちかもしれないが——入ってくる。生徒たちはそれを使って、インタラクティブな方法でさまざまな場所や物体、分野を探求していくことになる。

ただ、テクノロジーのせいで生徒が孤独になることはない。教育の重要なポイントは、共同作業《コラボレーション》を教えることだ。世界でも有数のクリエイティブな学校では、コンピュータによるコミュニケーションネットワークによって共同学習が簡単になったため、生徒同士や生徒対教師の関係が従来のものから変わりつつあると聞いている。

ハーレムのラルフ・バンチ・スクールの教師たちは、ニューヨーク都市部の生徒のために、インターネットを使ってリサーチしたり、世界各地の電子ペンパルと交信したり、近くにあるコロンビア大学のボランティアの教師と協力する方法を教えるコンピュータ支援学習ユニットを作成した。ラルフ・バンチは、アメリカ国内でもはやい時期から自分たちのホームページをWWWに立ち上げた小学校のひとつだ。このホームページは生徒たちが作ったもので、学校新聞や生徒の美術作品、スペイン語の授業などとリンクしている。

インターネットによるコラボレーションという点では、やはり大学レベルが一番だろう。学術研究の大半がインターネットを利用していて、遠くの研究施設や個人研究者との共同作業もやりやすくなっている。コンピュータによる変革はつねに大学で起きてきた。いくつかの大学は新しいコンピュータテクノロジーを研究する中心地になっているし、ほかの多くの大学も大型コンピュータセンターを持っていて、学生が共同研究や学習に使うことができる。現在、ワールド・ワイド・ウェブの中でもトップレベルの面白いホームページは、大学によって作られているといってもいいくらいだ。

中には、むしろグローバルでない使い方をしている大学もある。ワシントン大学の場合は、授業の予定表と一部のクラスの課題がWWWにポストされるし、講義ノートがWWWに出ることもある。無料サービスだから、わたしの大学時代にもあったらよかったのに、と思う。学生全員に電子メールアドレスを配布し、国語の講師が電子メールで放課後の議論をするというケースもあるだろう。授業や課題によって成績をつけるのとおなじように、電子メールの内容で成績をつけることもできるわけだ。

今の大学生たちは、教育で使われるにせよ、家族や友だちと安い費用で連絡をとりあうにせよ、電子メールの楽しさを理解しているのではないかと思う。ほかの大学に行ってしまったハイスクール時代の友だちとやりとりすることだってあるだろう。離れたところにいる大学生の子どもと連絡をとるために、電子メールをしょっちゅう使うようになった親も増えているようだ。小学校でさえ、高学年の生徒にインターネットのアカウントを持たせているところがある。わたしが通ったレイクサイド・スクールでは、今や学校のネットワークがインターネットに接続され、子どもたちはオンライン情報をブラウズしたり海外と電子メールをやりとりしたりしているという。レイクサイドのほとんど全員が電子メールのアカウントを欲しがっているらしい。ある十二週間の記録では合計二十五万九千五百八十七通のメールがやりとりされたという。つまり、ひとりの生徒が一週間平均で三十本のメールをやりとりしていることになる。また、同時期にインターネットから来たメッセージは約四万九千本、生徒が送信したメッセージ

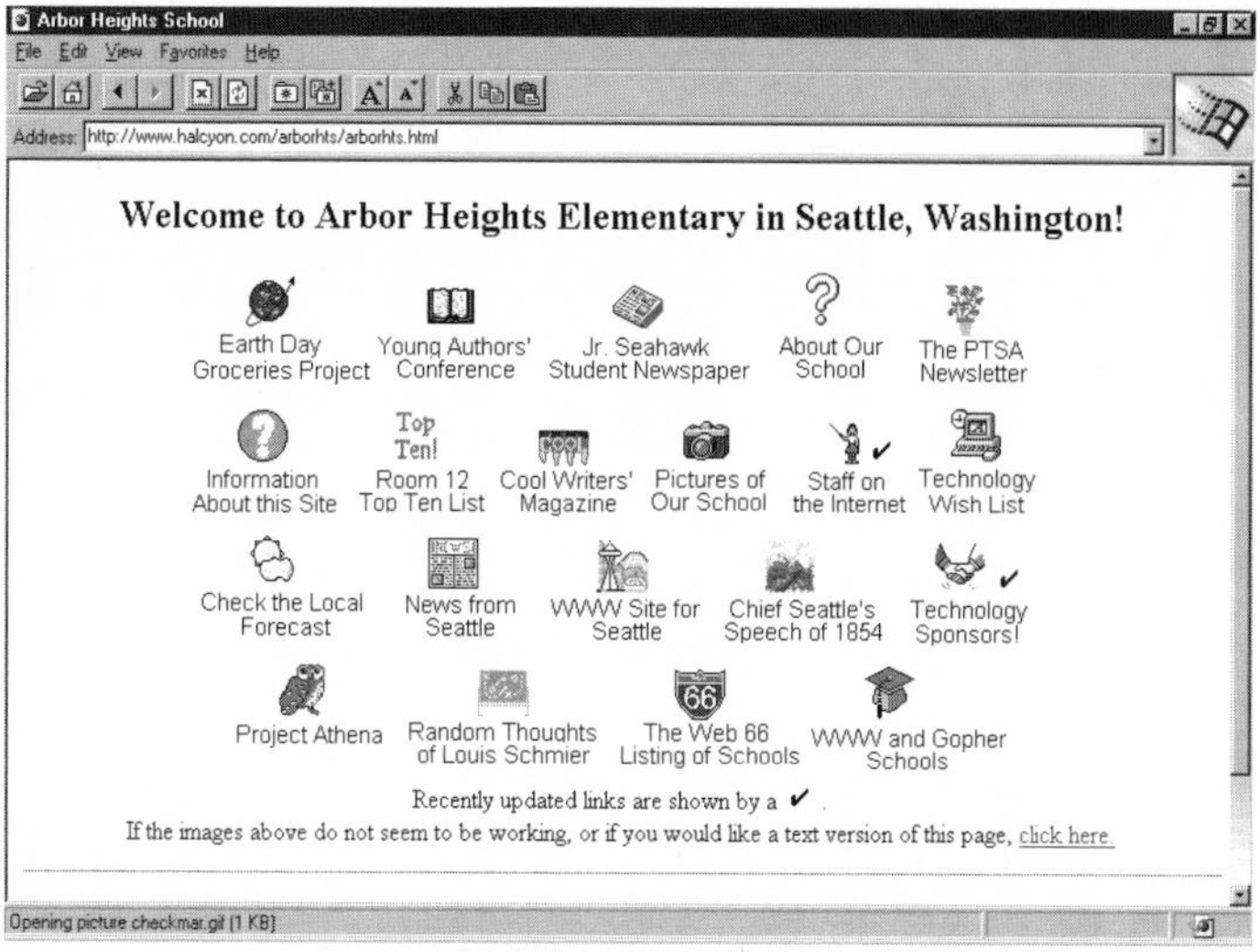

アーバー・ハイツ・エレメンタリスクールのWWWホームページから（1995年）

は七千二百本だった。

学校側はそれぞれの生徒がどのくらいの数のメールを送っているか知らないし、どんな内容かも把握していない。学校の勉強や行事に関連したメールもあるだろうが、インターネット経由のものを含めたその大部分は、もっと別の内容のものだということはまちがいない。でもレイクサイドでは、これを電子メールシステムの悪用とはみなさず、ひとつの学習方法だと考えている。

さっき引き合いに出したニューヨークのラルフ・バンチ・スクールでもそうだが、こうした小学生たちの多くは、コンピュータネットワークを使って遠くの場所にアクセスすることにより、別の文化圏の生徒から何かを学んだり、世界中の人間が集まる議論に参加したりすることができる。すでに、さまざまな州や国の学校が集まって、「学習の輪」と呼ばれるリンクをつくっている。たいていの学習の輪の目的は、遠くの生徒とのコラボレーションで特定のテーマの勉強をさせることにある。一九八九年、ベルリンの壁が崩壊したとき、西ドイツの生徒たちはほかの国にいる同世代の子どもたちと意見をかわすことができた。捕鯨産業を勉強する学習の輪には、アラスカのイヌイトの生徒が参加している。その生徒のいるエスキモー村では、いまでも食生活を鯨の肉に頼っている。ほかの生徒たちはとても興味をそそられたらしく、イヌイト族の老人を、学習の輪の教室に招いたという。

コンピュータネットワークを使った学生のためのプランでも、なかなか野心的なのが、アルバート・ゴア副大統領がイニシアチブをとるGLOBEプロジェクトである。GLOBEは〝Global Learning and Observation to Benefit the Environment〟の略で、民間だけでなくさまざまな政府機関の資金

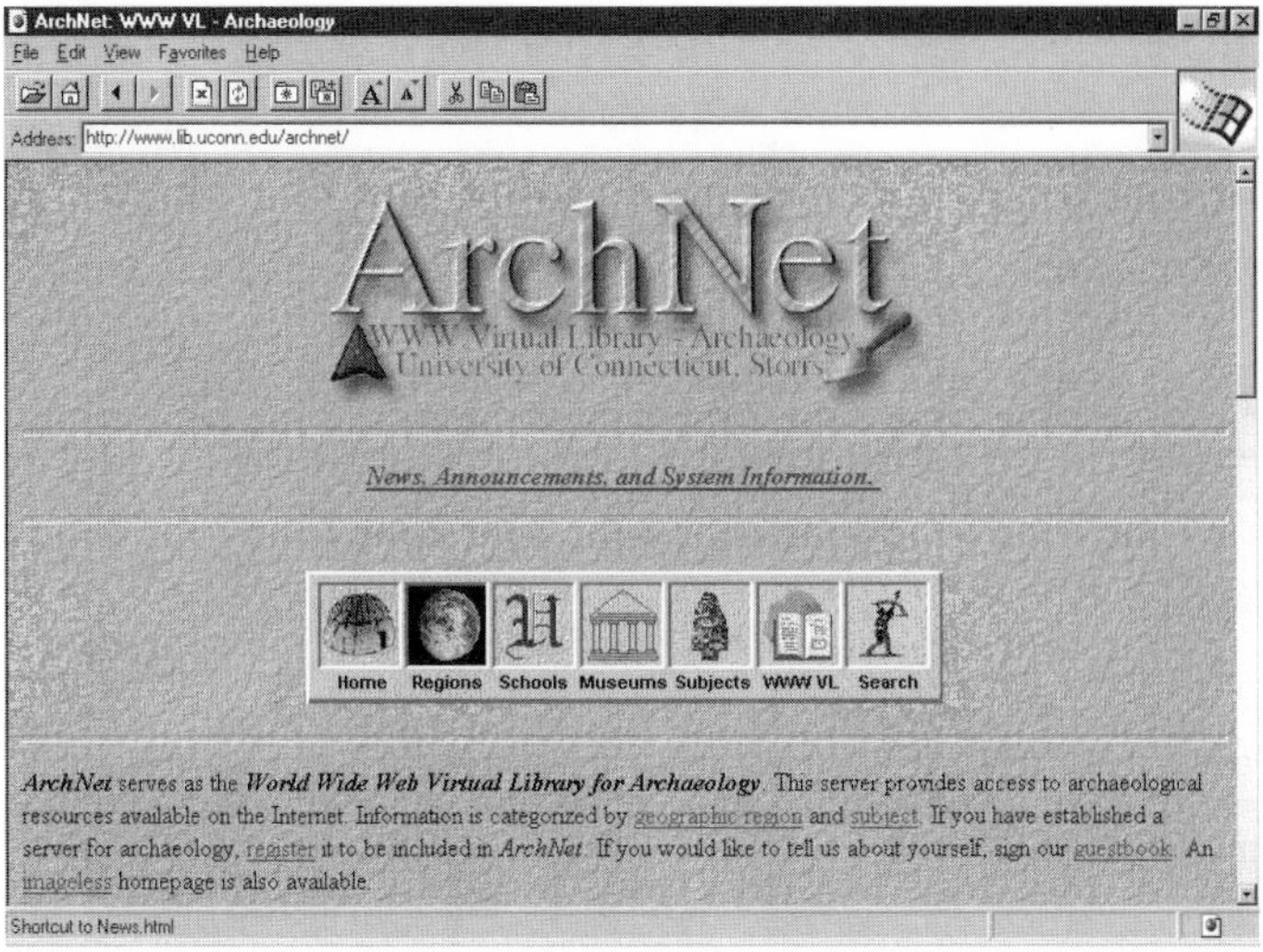

コネティカット大学のWWWホームページから。考古学リソース（1995年）

援助を求めている。このプロジェクトの目的は、世界中の小学生が協力して地球に関する科学データを集めることで、子どもたちは気温や降雨量などの統計データを定期的に集め、インターネットと通信衛星を経由してメリーランドにある全米海洋大気管理機関にある中央データベースに送る。データはそこで地球の合成画像をつくるのに使われる。合成された情報は、科学者や一般大衆だけでなく、当の生徒たちへもフィードバックされる。こうしたデータにどの程度科学的な価値があるかはだれにもわからないが——とくに、小さな子どもの集めたデータの信頼性の問題もあるが——データを集め、それが合成された画像を見るということは、いろいろな国々のたくさんの生徒たちにとって、グローバルな共同作業やコミュニケーションや環境問題について学ぶ、じつにいい方法だろう。

情報ハイウェイを使った教育は、学校に通っていない生徒に対しても開かれている。世界のどこにいようと、非常にすぐれた教師による最高の教育を受けることができる。さらには職業訓練を含む成人教育も、情報ハイウェイで可能になっていくだろう。

親や専門家、コミュニティや政治の指導者といった人たちが、たとえ一時間でも、授業に参加する機会を持てるようにもなる。ビデオ会議システムを使えば、家庭からでもオフィスからでも低コストで効率よく接続でき、見識あるゲストを招くこともできるはずだ。

無尽蔵の情報に直接アクセスしたり、たがいに情報をやりとりすることを学生たちに許すと、学校や社会全体で政治的な問題が生じることになる。インターネット上の規制問題に関するわたしの意見は、前に述べたと思う。学生は自分のノートパソコンをどの教室にでも持って入れるのか？　グループディスカッションの個人的な利用を許してもいいのか？　もしそれがＯＫだとして、学生にはどの程度の自由が与えられるべきなのか？　彼らが理解もしていないような単語の検索を許していいものなのか？　モラル上、また社会的・政治的に、親が好ましくないと判断した情報に、アクセスさせていいものか？　自分に関係ないクラスの宿題をやってもいいのか？　授業中にメモをやりとりしてもいいのか？　教師は生徒の画面をモニタしたり、授業のあとでチェックするために記録したりすることが許されるのか？

無限の情報に対するダイレクトなアクセスがどんな問題を生むにせよ、利点のほうはそれを補ってあまりあるのではないだろうか。わたし自身は学校生活も楽しんだが、教室の外にあるものをもっと強い関心を持って追いかけた。あのころにこの膨大な情報にアクセスできていれば、わたしの学校生活もかなり変わっていたのではないかと思う。情報ハイウェイは教育の焦点を学校という施設から個人へと変えていくだろう。その最終ゴールは、学位をとることではなく、生涯学習を楽しむことにあるのだから。

第一〇章
家庭でプラグイン

情報ハイウェイについてはさまざまな不安が取り沙汰されるけれど、人と人とのふれあいの機会が減っていくのではないかという心配もそのひとつだ。家庭が居心地のいい娯楽施設になれば、わざわざ外出する必要はなくなるから、人間は自分だけの安息の地に閉じこもって孤立してしまうだろう——そう主張する人もいる。しかし、わたし自身はそんなことになるとは思わない。この章の後半では、いま建てているわたしの自宅のことにも触れるが、これがその理由の説明になるだろう。

この自宅の新築には途方もなく時間がかかっていて、わたしが生まれてこのかたずっと建築中だったのではないかという気がするくらいだ（わたしが建築の本を読みはじめてからの時間を考えれば、もっと長いような気もする）。この家には映画の上映室やビデオ・オン・デマンド・システムなど最先端の娯楽設備がいろいろ備えてある。楽しい住みかになるはずだが、しかしもちろん、四六時中その家に閉じこもって過ごすつもりはない。ほかの人々も、家庭にエンターテイメントが流れ込んでくるようになったからといって、劇場に出かけるのをやめてしまうことはないだろうし、公園や美術館や店に行かなくなるようなこともないだろう。行動主義者がよくいうように、人間は社会的動物だ。情報ハイウェイが、家庭向けのエンターテイメントやコミュニケーション（個人的なものも職業上のものも）や求職に関して、たくさんの新しい選択肢を提供してくれるから、そうしたければ自宅で過ごす時間を長くすることもできる。しかし、外ですることの配分は変わっても、自宅の外で過ごす時間の総量はほとんど変わらないだろうと思う。

第一章でわたしは、けっきょくは実現しなかった反文化的ともいえるひどい予言について紹介した。もう少し最近の話をしよう。一九五〇年代には、こんなことをいう人たちがいた。いずれ映画館は消滅して、だれもがみな家にひきこもり、新しい発明品であるテレビを見るようになるだろう、と。その後有料TV《ペイ》が登場したときも、ビデオ映画のレンタルがはじまったときも、おなじようなことがいわれた。駐車料金とベビーシッターの代金を払って、世界一高いソフトドリンクとキャンディバーを買い、知らない人たちといっしょに暗い密室の席に座る人なんているのだろうか、と。しかし、人気映画を上映中のロードショー館にはいまだに人があふれている。わたし自身、映画が大好きで、よく外へ見にいく。ほとんど毎週のように映画館に行っているが、情報ハイウェイによってそれが変わるとは思えない。

通信能力が向上することで、地理的に離れた友だちや親戚と連絡を保つのはいまよりずっと簡単になる。遠くに行ってしまった友だちとの友情を絶やさないよう苦労した経験がある人は大勢いるだろう。わたしもむかし、よその街に住んでいる女の子とつきあっていたことがある。わたしたちは電子メールのやりとりで長い時間を共有しただけでなく、いっしょに映画を楽しむ方法まで編み出した。まず、ふたりのいるそれぞれの街でほぼおなじ時刻に上映がはじまる映画を見つける。携帯電話でおしゃべりをしながら、それぞれの車で別々の映画館へ向かう。映画を見て、それぞれの家に帰る途中、また携帯電話を使って映画の感想を語り合う。要するに「バーチャル・デート」だが、将来は映画鑑賞とビデオ会議が結合されて、もっといいものになるかもしれない。

それから、オンラインでトランプのブリッジをやったこともある。そのシステムには〝待合室〟があって、ゲームに加わりたい相手がほかにもいるかどうかがわかるようになっていた。また、それぞれのプレーヤーには、性別、ヘアスタイル、身体つきなど自分の姿を自由に設定する能力が与えられていた。はじめてこのシステムにアクセスしたときは、たちまち誘いが殺到したせいであわててしまい、自分の外見を設定する暇がなかった。ブリッジをはじめてしばらくたつと、相手のプレーヤーたちから、おまえはハゲ頭なんだろうとか、服を着てないんだろう（もっとも、プレーヤーの画像は腰から上しかないが）とか、からかいのメッセージが送られてきた。もう少し先だったらビデオや音声を使ったコミュニケーションができるようなシステムになっているだろうけれど、プレイ中にテキストのメッセージをやりとりできるだけでもけっこう楽しめる。

情報ハイウェイは遠くにいる友だちとのつきあいを楽にしてくれるだけでなく、新しい知り合いを見つける手助けもしてくれる。ネットワークを介して生まれた友だちづきあいから、直接会うことになるのも自然のなりゆきだろう。自分の気に入りそうな相手と仲間になる機会はこれまでごくかぎられたものだったが、ネットワークのおかげで事情は変わっていくはずだ。新しく友だちを見つける方法は、現在とはかなり違うものになっていくわけで、それだけでも人生はもっと面白いものになる。たとえば、ブリッジをする相手がほしいとする。情報ハイウェイを使えば、ちょうどいい腕前のカードプレーヤーを見つけることができる。家の近所だろうとほかの都市だろうと、海外にいる相手だろうと関係ない。もっとも、遠く離れたところにいる相手とインタラクティブにゲームをするというのは、新しいアイデアではない。手紙を使って一手ずつやりとりするチェスは、もう何世代も前から行われている。違いがどこにあるかといえば、ネットワーク上のアプリケーションの場合は相手を――おなじことに興味を持っていて、実際に顔を合わせてプレイしたときにペースが合うような相手を――見つけるのが簡単だということだろう。

プレイの最中にも、違いは出てくる。ブリッジでも「スターファイター」でもいいが、こうしたソフトでは、プレイをしながらほかのプレーヤーとおしゃべりができるようになっている。前に説明したDSVDモデムを使えば、ふつうの電話回線でも画面でゲームの進行状況を見ながら相手と声で話ができる。

昔ながらのカードテーブルでゲームをするのとおなじように、オンラインでなごやかなグループゲームを楽しむことは、勝負としてだけでなく、友だちづきあいとしても気分のいいものだ。会話を楽しめればゲームはさらに楽しいものになる。多くのメーカーが、このマルチプレーヤーゲームというコンセプトを新たなレベルに進化させようとしている。ひとりだけでもプレイできるし、何人かの友だちといっしょでも、数千人単位のプレーヤーといっしょでもいい。プレイしている相手の姿を見ることも可能になるだろう(相手が許せばの話だが)。それに、名人級の人物をさがしだして、そのプレイを見たり教えを受けたりすることも簡単にできるようになる。情報ハイウェイ上では、ゲームテーブルのまわりに集まれるだけでなく、ケンジントン・ガーデンとか、現実に存在する場所で（あるいは架空の場所で）〝会う〟ことも可能だ。びっくりするような場所で伝統的なゲームをするのもいいし、バーチャルな設定を楽しむことがゲームの一部になっているようなまったく新しいタイプのゲームに挑戦してもいい。

わたしの親友のひとりに、抜け目のない投資家として有名なウォーレン・バフェットがいる。何年も前から、彼にパソコンを使わせる方法を考え出すのがわたしの懸案になっていて、じゃあこれから飛行機でそっちへ行って直接パソコンを教えてやると申し出たこともあるくらいだった。ところが、オンラインサービスを使うと国じゅうの友だちとブリッジができるとわかって、はじめて彼はパソコンに興味を持った。最初の半年というもの、彼は家に帰ると何時間もぶっ通しでブリッジをした。テクノロジーにも、テクノロジーがらみの投資にも手を出したことのなかった彼が、ひとたびパソコンをはじめると病みつきになり、最近では、わたし以上にどっぷりパソコン通信に浸っているらしい。現在のシステムでは、自分の実際の外見や名前や年齢、それに性別も、入力する必要がない。どうやらプレイヤーのほとんどは子どもか定年退職者らしい（ウォーレンはそのどちらでもないわけだが）。そのため、そのシステムにまず追加された機能は、子どもたちがオンラインサービスを使う時間（それに料金）の上限を親が設定できるようにするものだったという。

オンラインのコンピュータゲームは、かなり人気が出るはずだと思う。アクションやアドベンチャーもの、ロールプレイングゲームはもちろん、クラシックなボードゲームやカードゲームまで、あらゆるゲームの中から選択できるようになる。このメディア専用に新しいスタイルのゲームも開発されるだろうし、賞のもらえるコンテストも行われるだろう。ときには有名人やゲームの専門家がシステムにアクセスしてきて、ほかの参加者は彼らのゲームを見物したり、いっしょにプレイしたりもできるわけだ。

視聴者からのフィードバックが加わることで、テレビのゲーム番組はレベルアップするだろう。『今日の女王』なんていう古い番組で、スタジオにいる観客の拍手や喝采を測定したように、視聴者は自分で投票した結果をすぐに見られるようになる。この方式は、プレーヤーに賞を与えるのにも使えるはずだ。アンサーTVをはじめとする積極的な企業は、すでにインタラクティブTV用のシステムを開発・テストしているが、まだアプリケーションがひとつしかないので、いまのところ利益をあげるほど注目されていないようだ。情報ハイウェイ上では、双方向テレビ番組を実現するのに特別なハードやソフトは必要ない。『パスワード』や『危険《ジエパデイ》』みたいな視聴者参加番組では、スタジオに行かなくても自宅から番組に参加して現金や賞品をもらえるようになる。常連の視聴者の名前を番組サイドで記録しておいて、なにかの機会に特別賞を与えたり、だれかが番組に参加を希望した場合にはその場で名前を呼んだりということも可能だ。

ギャンブルも、情報ハイウェイ上でできる遊びのひとつだ。ラスベガスやリノ、アトランティックシティなどの都市ではギャンブルがビッグビジネスだし、モナコなどは国そのものがギャンブルに支えられているといってもいい。ギャンブルは信じられないほど儲かる商売だ。ギャンブラーは、オッズが自分に不利なときでさえ、勝てると信じつづける傾向があるからだ。わたしは大学時代よくポーカーを楽しんだけれど、あれは技術を競うゲームだと思う。ラスベガスに行ったときはブラックジャックをやる。運に左右される割合の高いゲームというのは、わたしにとってあまり魅力がない。たぶん、金よりも時間が不足しているからだろう。勝てば一日が二、三時間長くなるというギャンブルがあったら夢中になるかもしれない。

テクノロジーの発達は、ギャンブルにつねに影響を与えてきた。たとえば、電報やチッカー［株式相場などを紙テープに印字する電信受信機］は初期のころから競馬の結果を伝えるのに使われてきたし、衛星テレビ放送は場外馬券の販売に貢献してきた。スロットマシンの設計は、初期には機械式計算機、最近ではコンピュータの発展を、たえず反映している。情報ハイウェイは、合法・非合法を問わずすべてのギャンブルにもっと大きな影響を与えることだろう。いま現在のオッズがサーバーに送られ、賭けの申し込みには電子メールが使われる。賭け金の支払いと賞金の払いもどしにはデジタルキャッシュが使われることになるはずだ。

ギャンブルはきびしい規制を受けているビジネスだから、情報ハイウェイ上でどんなかたちになるかを予想するのはちょっとむずかしい。機内でじっとしているしかない飛行機の乗客が、おたがいにギャンブルを楽しめるようになるかもしれない。ギャンブルゲームの胴元は、オッズに関する情報を全プレーヤーに対して完全に公開しなければならなくなるだろう。テクノロジーの助けを借りれば、どんなことにでも賭けができるようになるだろうし、合法的な範囲であらゆる賭けのサービスがはじまるだろう。競馬やドッグレースなど、あらゆる生中継のスポーツがリアルタイムで家庭に入ってきて、トラックやスタジアムにいるような臨場感を与えてくれる。多くの国で宝くじの収益が増え、将来は電子宝くじにユーザーを参加《プラグイン》させることも可能になる。情報ハイウェイは、ギャンブルの規制をいまよりはるかにむずかしくするだろう。

情報ハイウェイの機能を使うと、自分とおなじことに興味を持つ人たちのコミュニティを見つけるのも簡単になる。たとえばいまなら、スキーの好きな仲間をもっとつくりたいという人は、地元のスキークラブに所属したり、『レクリエーショナル・スキーヤー』誌を購読したりして新製品情報を漁っているかもしれない。そういう人も、将来は情報ハイウェイ上で同好の士のコミュニティに入れるようになる。そこではほかの愛好者と仲間になれるだけではなく、最新の気象情報などが簡単に手に入る。

ある電子的なコミュニティの参加者が増えれば、利用する人にとっての価値も高まってくる。おそらく世界のスキーファンのほとんどが、しょっちゅうではなくとも、スキーの電子コミュニティにアクセスするようになるだろう。そしていずれは、スキーに関する世界最高の情報が、電子的に手に入れられるようになる。そのコミュニティに参加すれば、ミュンヘン近辺でいちばんいいゲレンデはどこかとか、あるメーカーのストックの売り値がいちばん安いのはどの店かといった情報はもちろん、スキー関連商品の最新ニュースや広告も手に入る。競技会や旅行の写真、ビデオを撮った人がいれば、いっしょに楽しむこともできる。スキーに関する本についての意見も集まるだろうし、法律や安全性の問題も議論されるだろう。指導用ビデオなどのマルチメディア文書《ドキュメント》は、無料／有料、個人向け／不特定多数向けを問わず、なんでも入手可能になる。スキー好きなら一度は訪ねてみたい情報ハイウェイ上のコミュニティというわけだ。

実際にきつい斜面を滑ってみる前に体のコンディションを整えておきたければ、面白いトレーニング方法がある。ハイウェイ上で自分と似通った身長、体重、年齢の人間を一ダース集めて、その人たちといっしょにトレーニングをする。練習や減量の目標も、みんながおなじ。練習のプログラムをこなす全員が自分と似た人間なら、照れくささも少なくなるだろう。それでも気になるのなら、ビデオカメラを切ることもできる。コミュニティのメンバーが、たがいに励ましあって練習するために集まることもあるわけだ。

スキーヤーのコミュニティの場合は、かなり規模が大きく、性格もはっきりしている。しかし情報ハイウェイ上では、どんなに特殊なテーマについても、自分の興味に合致する人間や関連情報を見つけられるようなアプリケーションが登場するだろう。たとえば、ベルリン行きの予定があるなら、情報ハイウェイは旅行情報のほか、ベルリンに関する歴史的・社会的情報を山のように与えてくれる。一方で、趣味の仲間を見つけるアプリケーションもある。自分の興味内容をデータベースに登録しておけば、それをアプリケーションが分析して、こういう人がいますが会ってみてはどうでしょう、と提案したりするようなことさえ考えられる。ヴェネツィアングラスの文鎮を収集しているなら、おなじ趣味を持つ人の世界的なコミュニティのメンバーになってもいい。その中にはベルリンに住んでいて、あなたに自分のコレクションを見せてくれる人もいるかもしれない。十歳の娘をベルリンに連れていくのなら、おなじように十歳の娘がいて、おなじ言語を話し、訪問中につきあってくれる人がいないかどうかを聞くこともできる。条件に合う人が二、三人見つかれば、おなじ趣味をもった小さな――たぶん一時的な――コミュニティができることになる。

わたしは最近アフリカに行って、チンパンジーの写真をたくさん撮ってきた。もしいま情報ハイウェイが利用できるなら、さっそくこんなメッセージを出すだろう――「ほかにもアフリカ旅行から帰って写真を交換したい人がいたら、わたしがチンパンジーの写真をポストしたBBSにそれをアップしてください」。アフリカ旅行のメンバーだけがそのBBSにアクセスできるような設定も可能だ。

現在でもすでに、インターネット上に何千とあるニューズグループや、商用オンラインサービスの無数のフォーラムが、こうした情報共有の小さなコミュニティに場所を提供している。たとえばインターネット。ここには alt.agriculture.fruit や alt.animals.raccoons、alt.asian-movies、alt.coffee、bionet.biology.cardiovascular、soc.religion.islam、talk.philosophy.misc などなどの名前がついたテキストベースの活発なディスカッショングループがある。でも、将来の電子コミュニティが扱う話題はさらに専門化していくのではないだろうか。きわめてローカルなものもあれば、世界規模のものもあるだろう。コミュニティの選択肢が増えすぎて見つけるのがたいへんになると思うかもしれないが、いま職業別電話帳で電話番号を調べることを思えばたいしたことではない。まず大ざっぱな分類のグループを選び、その中から小さなセクションをサーチして、参加したいものを見つければいい。

たとえば各自治体の行政機関それぞれについても、専用の電子コミュニティができるかもしれない。わたしの場合、オフィスの近くにある交差点の赤信号があまりに長くて、いらいらすることがある。市当局に手紙を書いて、信号のプログラミングをしている連中に、信号の間隔が長すぎるといってやることもできるのだが、それでは偏屈な人間のいちゃもんの手紙の山に埋もれてしまうのがおちだろう。しかし、その道路を走る人たちの〝コミュニティ〟を見つけられれば、市に対して強い苦情の申し立てができる。そういう仲間を見つけるには、近所に住んでいる人たちにメールを送るか、地域問題のBBSにメッセージを送って、問題の交差点の地図に「朝のラッシュ時に、この交差点ではなかなか左折できません。信号のサイクルをもっと短くするべきだと思う方、ほかにいませんか?」という文章をつければいい。わたしと同意見の人は、このメッセージに賛成のコメントを加えていく。その数がじゅうぶん多くなれば、それを武器にして市当局にかけあうことができるだろう。

オンラインコミュニティの重要性が増すにつれ、そこは大衆がなにを考えているかを如実に反映した場所になっていくだろう。いま人気があるのはどんなことか、友だちはどんな映画を見ているのか、世間ではどんなニュースを面白いと思っているのかを知りたがっている人は多い。わたしはいつも、その日会う予定になっている人とおなじ〝新聞の第一面〟を読んで、共通の話題を持っておきたいと思う。ネットワーク上のどこがよくアクセスされているかを見ることもできるから、流行りの場所の〝ホットリスト〟もさまざまに作られるだろう。

電子コミュニティではあらゆる情報が開示されるから、それによって問題も起きる。オンラインコミュニケーションが力を持ってきたら、ある種の施設や機関は大きく変わらなくてはならないだろう。たとえば医者や医学研究者たちは、すでにこの問題に直面している。自分で電子的に医学文献をあさったり、おなじ病気の患者の記録を自ら調査できる患者を相手にしなくてはならないからだ。正統でない治療とか、未承認の治療をしたりすれば、このコミュニティではたちまち情報が広まってしまう。薬を試用している患者が、他の患者との通信で、自分が飲んでいるのは本物の薬でなく偽薬《プラシーボ》（新薬テストの対照剤）だと知ってしまったケースがある。そのせいで、試用をやめたり代わりの治療薬を探したりする患者が出た。このことは研究にはマイナスかもしれないけれど、自分の命を救おうとする患者を責めることはできないだろう。

一般大衆が大量の情報にアクセス可能となることで影響を受けるのは、医学分野だけにかぎらない。親たちも、自宅の情報家電を使ってなんでも手あたりしだいに見つけてしまう子どもたちへの対応を考えなくてはならない。子どものアクセスできる範囲を親が管理できるようなシステムも、すでに開発されている。情報出版社が対処を誤ると、これは大きな政治問題にもなりかねない。

とはいえ、すべてを考慮すれば、問題点よりもはるかに大きい利点がある。手に入る情報が増えれば、選択肢も増える。いまのところ、テレビのファンはお気に入りの番組の放送時間に会わせて夕方の計画をたてている。けれども、ビデオ・オン・デマンドが実現して好きな番組を好きなときに見られるようになったら、娯楽のスケジュールを左右するのは放送局の番組表でなく、家庭や人づきあいの都合ということになるだろう。電話が登場する以前は、ご近所づきあいが唯一のコミュニティだった。ほとんどすべてのことを近所の住人といっしょにやっていた。ところが電話と自動車の出現で、コミュニティの範囲は大きく広がった。受話器をとってダイヤルするだけで話ができるから、百年前とくらべると、実際に相手の家を訪ねる機会は減ったかもしれない。しかしだからといってわたしたちが孤立したわけではない。電話のおかげで、たがいに話をしたり接触を保ったりすることが簡単になった。だれもかれもが気軽に連絡をよこすせいで困ってしまうことさえある。

未知の人物からの電話やまちがい電話が自宅でのんびりしている時間のじゃまをする――いまから十年後には、そんな時代があったことが不思議に思えるかもしれない。携帯電話やポケベル、ファックスのおかげで、ビジネスマンたちは、これまで暗黙の了解事項だったことに、はっきりした答えを出さなければならなくなった。十年前なら、自宅で書類を受けとったりクルマの中でまで仕事の電話に出たりする必要があるのか、などと考える必要はなかった。自宅に引きこもったり、クルマで出かけたりすれば、仕事から簡単に脱出できた。しかし現代のテクノロジーによって、いつどこで連絡がつけられるようにするのかを自分で決めなければならなくなった。将来は、どんな場所にいても仕事ができ、だれに対しても連絡をとりあうことができるようになる。そのころには、プライベートな時間に割り込んでもいい相手や用件を限定できるようになっているだろう。必要な相手にだけ割り込みを認めることで、ふたたび自分の家庭が（あるいはどこでも自分の好きな場所が）プライベートな聖域になる。

情報ハイウェイは、電話の呼び出しのほかマルチメディア文書、電子メール、広告、ニュース速報など、入ってきた通信をすべてあらかじめ画面に出してくれる。そして、あなたが認めた相手だけが、電子メールのボックスに入るか、電話のベルを鳴らすことができる。ある人たちに対しては、メールは受け付けるが電話には出ないということもあるだろう。またある人たちに対しては、あなたが暇なときだけ電話を許し、べつの人たちはいつでもオーケーというような設定もできる。頼みもしないダイレクトメールを毎日無数に受け取る気はないだろうが、売り切れになったコンサートのチケットを探していたら、すぐにでも送ってもらいたくなるはずだ。受信する通信は、発信元と種類で区分けできる。広告や挨拶状、問い合わせ、出版物、仕事がらみの文書、請求書……という具合。そして、自分なりの受信のポリシーを設定する。夕食の最中に電話のベルを鳴らしていいのはだれか。車に乗っているとき鳴らしていいのはだれか、休暇中に鳴らしていいのはだれか、夜中に起きる価値があるのは、どんなコールやメッセージか。自分なりのさまざまな区分をし、状況に応じて基準を変えることができる。どこでどう使われるかわからないから、自分の電話番号は公表しない。そのかわり相手の重要度を示すリストをつくって、電話を受け付ける相手の名前を加えていく。そのリストに載っていない人があなたに電話をしたければ、リストに載っている知り合いにメッセージを転送してもらえばいい。リストの中のだれかの優先順位を下げたり削除したりすることは、いつでもできる。削除された相手があなたにアクセスするために、第八章で説明した有料メッセージを送ってくるかもしれない。

テクノロジーの発展は、建築にも影響を与えはじめている。家庭が変わりつつあるということは、家の設計・施工も変わっていくということだ。家の設計図には、コンピュータでコントロールされたさまざまなサイズのディスプレイが組み込まれるだろう。各種の装置を結ぶワイアは建設中に敷かれ、ディスプレイは反射やぎらつきを最小限にするため窓との位置関係を考慮して配置される。情報家電を情報ハイウェイに接続してしまえば、その他のさまざまなもの——百科事典、ステレオ、CD、ファックス、ファイルキャビネット、領収書用のひきだしなど——の必要性は少なくなるだろう。スペースを占領するものはどんどんデジタル情報に変えてしまえば、いつでも好きなときにとりだせる。昔の写真だってデジタル形式で保存しておけば、写真立てでなくディスプレイ画面に飾ることができる。

そもそもこういうことを細かく検討しはじめたのは、わたし自身が家を建てている最中で、その家で未来を先取りしようと思ったからだった。まあ、時代よりほんの少し先を行っている程度の設計だけれど、未来の家庭に関する多少の提案にはなるだろう。わたしがこのプランを話して聞かせると、相手はよく「本気でこんなふうにしたいのかい?」といいたげな顔をする。

家を建てようとする人はたいていそうだろうが、わたしも自分の家は、まわりの環境と調和を保ち、そこに住む人の要求を満たしたうえで、建築学的にも興味をそそるようなものにしたかった。もちろんいちばんの要求は、住み心地がいいことだ。わたしが家族といっしょに住むところなのだから、これは当然だろう。家というのは究極の仲間であり、二十世紀の大建築家ル・コルビジェの言葉を借りるなら、「住むためのマシン」だ。

素材は木、ガラス、コンクリート、それに石。丘の斜面に位置し、窓のほとんどはワシントン湖越しにシアトルをのぞみ、日没とオリンピック山の眺めが楽しめる。

この家は、シリコンとソフトウェアからできてもいる。

マイクロプロセッサとメモリチップ、それを生かすソフトウェアのインストールによって、この家は数年後に情報ハイウェイが各家庭にもたらす機能に近いものを備えているといっていいだろう。わたしが採用したテクノロジーは、現在ではまだ実験的なものだけれど、わたしが使っているあいだに広く普及して、価格も安くなるだろう。エンターテイメントシステムは、今後のメディアの使われ方をシミュレートしたもので、さまざまなテクノロジーといっしょに生活していくというのはどういうことか、その感覚を得られるように考えられている。

もちろん、情報ハイウェイのシミュレーションは、まだ不可能だ。情報ハイウェイは多くの人が接続しないと成り立たないからだ。プライベートな情報ハイウェイというのは、自分ひとりだけで電話を持っているようなものだ。ほんとうに意味のある情報ハイウェイアプリケーションは、一千万から一億の人たちが参加し、エンターテイメントなどの情報を、消費するだけでなく生み出すこともして、はじめて生まれる。何百万という人がたがいにコミュニケートし、共通の興味をもったテーマを探り、高画質ビデオなどあらゆる種類のマルチメディアを作り出すまで、情報ハイウェイは存在しない。

建築中のわが家が備える予定の最新技術は、娯楽アプリケーションの実験だけが目的ではない。暖房や照明のほか、居心地のよさや便利さ、楽しさ、それにセキュリティなど、ふつうの家庭のニーズを満たすためのものでもある。このテクノロジーは、現在わたしたちが慣れ親しんでいる古い形式のものにとってかわることになるだろう。電気の照明や水洗トイレ、電話、エアコンなどの設備を誇る家のアイデアに人々が驚いたのは、そう昔のことではない。わたしが考える目標は、住む人に娯楽を提供し、リラックスした楽しい雰囲気の中で創造性を刺激してくれる家をつくることだ。こういう目標は、一昔前に斬新な家を建てた人たちの目標とそうたいして変わらないのではないかと思う。わたしはいろいろと実験しながら、なにがいちばんうまく機能するかを知ろうと思っている。これまでも多くの先人がやってきたことだ。

一九二五年、カリフォルニアの大邸宅〝サン・シメオン〟に引っ越してきた新聞王ウィリアム・ランドルフ・ハーストは、そこに現代技術の粋を集めようと考えた。当時はラジオ受信機の周波数を合わせるのがむずかしく時間がかかっていたため、ハーストは地下室に数台の受信機を置き、それぞれを別の放送局に合わせておいた。受信機のケーブルは三階にある彼の私室まで延長され、十五世紀のオーク材のキャビネットにおさめられたスピーカーを鳴らすシステムだった。ボタンをひとつ押すだけで、ハーストは好きな局を聴くことができたという。当時としては画期的なことだが、現在ではカーラジオの標準機能になっている。

いまでは西海岸の記念建造物になっているサン・シメオンと、わたしの家をくらべるつもりはない。共通点があるとすれば、わたしが自分の家に抱いているテクノロジーのイノベーションは、彼が頭に描いていたものとそれほど変わらない、ということだろう。彼はニュースと娯楽の両方を、指先でちょっと触れただけで手に入れようとした。わたしがやろうとしているのもそれとおなじことだ。

新しい家を建てようと考えはじめたのは、一九八〇年代後半のことだった。職人芸的な技巧も好きだけれど、あまり仰々しいのは趣味にあわない。洗練された最新のテクノロジーを備えるにしても、あくまでも控えめにしておき、テクノロジーは召使いであって主人ではないことをはっきりさせたかった。最先端のすごいハイテクが駆使されているということだけで話題になるような家に住む気はしない。最初のうちは独身用の設計だったが、メリンダと結婚した時点で家族向けのプランに変更した。たとえばキッチンは家族で使えるように改良してある。とはいえ、キッチンの家具や調理器具はばりばりの最新鋭ではなく、設備の整ったふつうの家のキッチンとおなじようなものだ。メリンダはほかにも、わたしには大きな書斎があるのに彼女には仕事部屋がない、というなるほどもっともな欠点を指摘してくれたから、その点も改良した。

ワシントン湖のほとりでマイクロソフトに通いやすいあたりに、土地を見つけた。一九九〇年にまずゲスト用のコテージを建て、一九九二年にはメインの邸宅の基礎工事をはじめた。これはかなりの量のコンクリートを必要とする大工事だった——シアトルはカリフォルニアとおなじくらい地震の危険性が高い土地柄なのだ。

リビングのスペースは、大型の住宅としては平均的なものだ。居間はテレビを観るスペースと音楽を聴くスペースを含めて、だいたい十四フィート×二十八フィート。ほかに二、三人がくつろげるスペースがある。それとはべつに、百人を夕食に招待できる応接用のホールもある。ここでマイクロソフトの新入社員とやる親睦会を楽しめる。そのほか、この家には映画の上映室とプール、トランポリン室をつくることになっている。スポーツコートは岸辺に近い小さな林に囲まれていて、その手前には水上スキーのドックがある。水上スキーはわたしの大好きなスポーツだ。家の裏の丘から出る地下水を使って、小さな河口をつくることも考えている。河を遡るカットスロート・トラウト［北米産のニジマスの一種］を育てようと思う。カワウソも期待できるかもしれない。

あなたがわが家を訪ねたとしよう。車はカエデとハンノキの林を抜けてゆるやかにカーブするドライブウェイを走り、建物に近づいていく。道のところどころで、アメリカトガサワラの大木に出会うことだろう。数年前は、伐採地区の林から集められた枯れ枝が地所の裏手に山をなしていたが、いまではさまざまな種類の興味深い植物が育っている。これから二、三十年して林も成長しきったら、二〇世紀初頭のまだ伐採がはじまる前に大木がこのあたりを支配していたように、今度はアメリカトガサワラが支配することになるのだろう。

まもなく半円形の車回しに着き、玄関の前で車を止めるが、建物の大部分は視界から隠れている。あなたがいまいる場所は、建物の最上階なのだ。玄関を入ると、まず電子ピンを渡されるので、それを自分の服に付ける。このピンは、あなたを家全体の電子サービスに接続する役割をはたす。次に、アメリカトガサワラの柱に支えられたガラスの傾斜屋根の下を通って、直通エレベータか階段で下の階へと降りていく。この家ではたくさんの梁や支柱がむき出しになっていて、湖がとてもよく見える。一階に降りていくまでのあいだは、(電子ピンよりも)こうした湖の眺めやアメリカトガサワラの柱を楽しんでいただきたい。木材のほとんどは、八十年間コロンビア川沿いにあっていまは取り壊されてしまった、ワイアーハウザー製材所から買い入れた。百年近く前に伐採された高さ三百五十フィート、直径八〜十五フィートという巨木を製材したものだ。アメリカトガサワラというのは、重さの割りに頑丈なことでは世界でも指折りの木だ。ただ残念なことに、樹齢七十年程度のものは樹齢五百年のものにくらべて木目が緊密でないため、製材して梁にしようとすると裂けてしまう。樹齢の古いアメリカトガサワラはい

コンピュータレンダリングによるゲイツの未来の自宅。ワシントン湖の北西からの眺め

まではほとんど伐採されてしまっていて、わずかに残ったものは保護の対象になっている。わたしは運よく、再利用のできる樹齢の古い材木を手に入れることができた。

あなたはいま、玄関から一階まで、二階分をまっすぐ降りてきた。アメリカトガサワラの梁に支えられたこの二階分のスペースは、プライベートな居住空間だ。わたしはプライバシーを大切にしている。家に来客があるときでも、自分の家でくつろいでいる感覚はなくしたくない。

階段を降りきると、右手には映画の上映室があり、左手、つまり南側には応接ホールがある。応接ホールに足を踏み入れると、右手にはガラスのスライディングドア。外は湖につづくテラスになっている。東の壁には二十四台のビデオモニタがはめ込まれている。それぞれ四〇インチのブラウン管で、縦四列、横六列。美術やエンターテイメント、ビジネスなど各分野の大画像を、二十四台全体で映し出すものだ。モニタが使われていないときは木製の壁の中に消えるようにしたくて、画面に壁とおなじ木目のパターンを映し出そうとしたけれど、現在の技術では不可能なことがわかった。モニタは光を放射するが、本物の木は光を反射するからだ。しかたなく、使っていないときは木のパネルのうしろにモニタが隠れるようにした。

玄関で服に付けた電子ピンによって、〝家〟はだれがどこにいるのかを把握し、その情報によってお客様をもてなす。それだけでなく、要望の予測まで行なうのだが、もちろんすべては可能なかぎり目立たないようになっている。いつかは、電子ピンも不要になり、画像認識機能を持ったカメラシステムでおなじことができるようになるだろうが、現在の技術では不可能だ。

コンピュータレンダリングによるゲイツの未来の自宅。階段と来客用のダイニングルーム

家の外が暗くなると、ピンからの情報によって自動的に光の帯があなたを追い、家の中をついてくる。人のいない部屋は暗いまま。廊下を歩いていくと、ライトがしだいに明るくなって頭上で最高の明るさになり、通りすぎると消える。音楽も、人間といっしょに移動していく。家の中のどこへ行こうとおなじ音楽が聞こえるように思えるけれど、実は、それぞれの人がまったくべつの音楽を聴いていて、中にはなにも聴いていない人もいる。音楽だけではなくて、映画やニュースもおなじように家の中をついてきてくれる。また、あなたあてに電話が入れば、あなたのいちばん近くにある受話器が鳴るようになっている。

こうしたテクノロジーにはお目にかかったことがないかもしれないけれど、すぐに可能になるはずだ。周囲の環境や家のエンターテイメントシステムに働きかけるのなら、ハンドヘルドのリモコンでもいい。リモコンの場合は家に自分の場所を知らせるだけでなく、家に対して指示を与えることもできるから、ピンの機能の拡張版といえるだろう。たとえば、部屋のモニタになにを映すか指示することができる。写真や記録ビデオ、映画、テレビ番組など無数のものから選べるし、情報の選択にあたってあらゆるオプションも設定されている。

キーボードに相当する、指示を与える装置としては、コンソールが各部屋にさりげなく置いてある。このコンソールは、必要な人には目立つけれども、とくに人目をひくことがないようにしたい。独得なわかりやすい機能をもっていれば、コンソールがどこにあるかは自然に認識されるようになるだろう。たとえば、電話がそうした存在になっている。ソファの脇のテーブルに置いてあってもまったく気にな

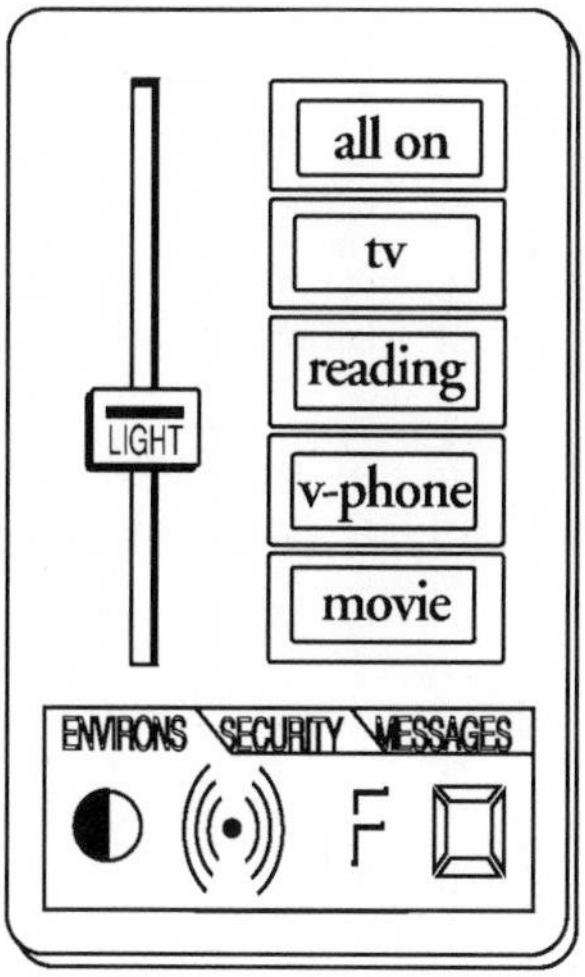

ホームコントロールコンソールのプロトタイプ

らず、それでいてあることはわかっているわけだ。

コンピュータ化されたシステムというものは、ごく単純なつくりで、自然に使えなければならない。使う人が何度も考えたりするものではいけない。シンプルにすることはむずかしいけれど、コンピュータは年々使いやすくなっているし、わたしの家での試行錯誤によって、ほんとうにシンプルなシステムはどうあるべきかがわかってくるだろう。そういったシステムでは、あいまいな指示や要求でも受け付けてくれなくてはならない。たとえば、何か曲をリクエストするにも、曲名をいわなくてすむ。最新のヒット曲をとか、あるアーティストの曲をとか、ウッドストックで演奏された曲とか、十八世紀ウィーンで作曲された曲とか、曲名に「黄色」のつく曲、といった指定を〝家〟に対してするだけでいい。あるいは形容詞で分類できる曲とか、いままでこの家でかかったことのない曲とかいうリクエストもできる。わたしの場合は、考えごとをするときにクラシック、運動するときは現代ものの元気な曲というふうにプログラムしようと思う。一九五七年にアカデミー最優秀作品賞をとった映画が観たければ、そう指定すればいい――『戦場にかける橋』を観ることができるだろう。アレック・ギネスとウィリアム・ホールデン主演の映画とか、捕虜収容所もの、といった指定でも探せるはずだ。

近々香港に行く予定があるのなら、いまいる部屋のスクリーンに香港の街の写真を映すようにリクエストできる。家の中のどこへ行ってもその写真が映し出されているように見えるけれど、実は部屋に入る直前に壁への映写がはじまり、部屋を出ると消えるようになっている。あなたとわたしが別々の写真を見ていて、片方が相手のいる部屋に入ってきた場合、〝家〟はあらかじめ決められたルールに従う。

たとえば、先に部屋にいた人間の画像を流しつづけるとか、二人の共通の好みのものに変えるとかだ。

〝家〟が訪問者を追って特定のニーズに応えるうえで、ふたつの基本がある。ひとつは控えめなサービスをすること、もうひとつは、訪問者がある装置を携帯することによってサービスを受けられること。ある種の装置によって認証手続きを行なうというアイデアは、すでに説明した。その装置が人間またはマシンに情報を送ることで、あなたはいろいろなことをする許可を与えられるわけだ。ドアのロックを開けるとか、飛行機に乗るとか、クレジットを使ってなにかを買うとか。いま使われている鍵や電子入室カード、運転免許証、パスポート、名札、クレジットカード、切符などは、すべて認証のための形式だといっていい。わたしが自分の車のキーをあなたに渡せば、あなたは車に乗ってエンジンをかけ、走り出すことができる。これは、あなたがキーを持っているから、車があなたをドライバーと認めたのだといえる。もしわたしが駐車場の係員にイグニッションキーを渡してトランクのキーは渡さなかったとすると、係員は車を動かせるけれどトランクを開けることはできない。わたしの家の場合もおなじことで、あなたの持つ電子キーによってさまざまな快適さが保証されるわけだ。

こういう話は、べつだん画期的なことではない。未来予測をする人たちの中には、いまから十年以内に家庭用ロボットが普及して家事を手伝うようになるだろうと予言する人もいるくらいだ。ただわたしは、そうしたロボットが現実のものになるまでには、まだ何十年もかかると思っている。近い将来広く普及すると考えられるのは、インテリジェント玩具《トーイ》くらいだろう。子どもたちがプログラミングして、いろいろな状況に適応させたり、好みのキャラクターの声で話をさせたりできるものだ。こうしたロボット玩具は、数種のプログラムだけを可能にしておく。視界もかぎられていて、四方の壁との距離、時間、それにまわりの光の状況を認識し、限定された音声入力だけを受け入れるわけだ。小さなおもちゃの車があって、わたしの声を認識して指示に従うようなプログラムができれば、楽しいかもしれない。玩具以外でロボット機構が使われるのは、軍事アプリケーションの分野ぐらいだろう。家庭用ロボットの普及に疑問を持つ理由は、家事には高度な視覚機能と、食事の用意をしたりオムツを替えたりする器用さが必要とされるからだ。プール掃除や芝刈り、部屋の掃除くらいまでだったら、それほどインテリジェントでないシステムでも可能だろう。でも、なにかを押して動かすという以上の動作になると、あらゆる不測の事態を認識し、反応できるマシンを設計するのは非常にむずかしくなる。

わたしが家に組み込むシステムは、快適な生活のために設計されたものだけれど、ほんとうに使えるものかどうかは、入居してみるまでわからない。わたしはつねに試行錯誤をくりかえしている。この家の設計チームは、先に建てられたゲスト用コテージを、一種の家庭用機器の試験所にした。人によって、部屋の温度が高いほうが好きな人、低いほうがいい人とそれぞれだから、コテージのソフトウェアは、時刻のほか、だれが室内にいるかによって温度をセッティングするようにしてある。寒い朝はお客様が起きる前から室内を暖かくし、夕方で外が暗くなっても、テレビがついたら自動的に照明を落とす。もしだれかが日中ずっとコテージにいたら、室内の明るさを外とおなじにする。もちろん、利用者はいつでもそのセッティングを無効にもできる。

こうした設備によって、かなりのエネルギーが節約できるだろう。現在、多くの公益企業が各家庭のエネルギー消費をモニタするネットワークを研究している。これがうまくいけば、いちいち検針員が一、二カ月ごとに家庭を回るという手間のかかる作業がいらなくなる。さらに、もっと重要なことがある。家庭と公益企業にあるコンピュータを結んで、さまざまな時間帯の分毎のエネルギー消費を管理できるようになるという点だ。これによってピーク負荷を減らすことにより、莫大な費用の節約と環境保護ができるはずだ。

ゲスト用コテージでの実験は、必ずしもうまくいったわけではない。たとえばわたしは、必要なときに天井から下りてくるスピーカーを設置してみた。音響効果をよくするにはスピーカーを壁から離した位置に置かなければならないわけだ。ところが実際にやってみると、まるでジェームズ・ボンド映画に出てくるスパイ用の仕掛けにしか見えない。しかたなく、メインハウスの設計ではスピーカーを埋め込むことにした。

お客様の要求を予測する〝家〟は、見込み違いで迷惑をかけていないかどうかを、ときどき確認する必要もあるだろう。わたしは以前、コンピュータによるホームコントロールシステムを備えた家のパーティに招かれたことがある。そこでは、家主がいつもベッドに入る午後十時半に照明が消えるようにセットされていた。十時半にはまだパーティがつづいていたけれど、案の定あかりは消えてしまった。照明をつけに部屋を出ていった家主は、長いあいだもどってこなかった。また、オフィスビルの中には各部屋の照明のコントロールにモーションセンサーを使っているところがある。この場合、数分間なにも動かないと照明が消えるようになっているから、机の前でじっと座っている人は、定期的に腕を振ったりしなければならない。

照明をつけたり消したりするくらいのことは、自分でやってもなにもむずかしくない。照明のスイッチは極めて信頼性が高く使いやすいものなので、それをコンピュータで操作する装置に置き換えるのは、かなりの冒険である。確実にきちんと作動するようなシステムを組み込まなければならない。わたしは、基本的には自動的に照明をセットするシステムにするつもりだが、万一に備えて全室の壁にスイッチをつけておいて、コンピュータの決定を無視して照明をコントロールできるようにもするつもりだ。

頻繁に照明の明るさを変えたがる人がいれば、〝家〟はそれがその人の通常のやりかたなのだとみなす。照明だけではなく、家はあらゆることに関してあなたの好みを記憶する。過去にアンリ・マティスの絵を見たいとか、『ナショナル・ジオグラフィック』誌のクリス・ジョンズの写真を見たいというリクエストをしていれば、次に部屋に入ったときは彼らのべつの作品が壁に映っている。前回訪ねて来たときにモーツァルトの協奏曲を聴いていれば、次回も演奏されるだろう。夕食のときは電話に出ないということにしてあれば、あなたあての電話でもベルは鳴らない。それに、あなたの好みを家に「告げておく」こともできる。ポール・アレンはジミ・ヘンドリックスのファンだから、彼が来るときはいつも頭にガンガンくるような曲で迎えられるというわけだ。

家はまた、すべてのシステムの操作を統計的に記録しているから、そのデータを使ってシステムを調整することができる。

わたしたちがみんな情報ハイウェイを使うようになったら、あらゆる出来事の記録や追跡に、これとおなじような装置が使われるだろう。気になる人には、利用明細も発行される。この記録づくりには、すでに先例がある。インターネットでは、ローカルなトラフィック（通信量）パターンを記録していて、それが代替ルートの決定に役だっているという。テレビのニュースではよく、ヘリコプターからのカメラで交通状況を映すけれど、おなじヘリコプターがラッシュアワーの高速道路の走行スピードを割り出すのにも使われている。

ささいなものだけれど、ユニークな例をひとつ。これは学生プログラマーたちの成果だ。彼らは、キャンパスにあるソフトドリンクの自動販売機の「売り切れ」ランプに、ある装置をつけた。それをインターネットにつないで、情報がつねに流れるようにした。まあ、他愛のない仕掛けといえばそうだけれど、毎週、世界各地の何百人という人が、カーネギーメロン大学の自動販売機にセブンアップやダイエットコークが残っているかどうかをチェックしているというわけだ。

情報ハイウェイができてからも、こうした自動販売機の売れ行き報告はあるかもしれない。さまざまな提供者からのライブビデオだってあるだろうし、最新式の宝くじやスポーツくじも、金利の一覧も、製品の在庫情報もあるだろう。都市内各地の最新の写真を集めて、その上に賃貸できるスペースを示し、家賃と賃貸可能な日の表をつける、なんていうこともできるだろう。犯罪の発生件数、地区ごとの選挙開票速報、その他ありとあらゆる公共の情報をリクエストできることになる。

わたしは、ある変わった電子機能の最初のホームユーザーになる。それは、写真や絵画の複製といった静止画像を百万件以上集めたデータベースだ。あなたがこの家のお客様だとすると、大統領の肖像画から日没の写真、飛行機の写真、アンデス山脈のスキーシーン、フランスの珍しい切手、一九六五年のビートルズ、ルネッサンス期の絵画……さまざまなデジタル画像を家のどこのスクリーンでも見られる。

わたしは、現在コービスと呼ばれている小さな会社を数年前に設立し、あらゆる種類の画像を集めるデジタルアーカイブをつくりはじめた。コービスは、歴史から科学、テクノロジー、博物学、世界各地の文化、美術といった分野をカバーする、ビジュアルデータのデジタルストック・エージェンシーだ。各分野のオリジナル画像を高品質スキャナでデジタルデータに変換し、高解像度でデータベースに保管、欲しい画像がすぐ取り出せるようなインデックスをつけておく。雑誌や書籍の出版社などの商用ユーザーはもちろん、個人の鑑賞希望者にも供給し、そのロイヤリティは画像の所有者に払われるというわけだ。コービスは、現在、美術館や図書館のほか、写真家、フォトエージェンシー、その他のアーカイブとビジネスをしている。

情報ハイウェイでは、品質の高い画像が要求されるようになると思う。これからはみんなが画像ブラウジングの重要性に気づくはずだ。これはいまのところじゅうぶんに理解されていないけれど、ちゃんとしたインターフェイスが普及すれば、たくさんの人がそう感じることだろう。

もしなにを見たいのか決められなかったら、ランダムにスキャンすればデータベースがいろいろな画像を見せてくれる。興味のある画像が見つかれば、そこから関連する画像をいろいろと探していけばいい。スキャンしながら、「ヨット」とか「火山」とか「有名な科学者」なんていうふうに注文をつけられるシステムを、わたしは考えている。

画像の一部はいわゆる芸術の範疇に属するものだ。わたしは、複製にオリジナルとおなじ価値があると思っているわけではない。本物を見るにこしたことはない。ただ、画像データベースを簡単にブラウズできるようになれば、もっとたくさんの人がグラフィックアートにもフォトグラフィックアートにも興味を持つようになるだろう。

出張の合間に、わたしはよく美術館に行って偉大な芸術のオリジナルを鑑賞した。わたしが持っているなかでいちばん気に入っている〝アート〟は、レオナルド・ダ・ヴィンチが一五〇〇年代初期に記した科学ノートだ。ダヴィンチは多方面にすぐれた才能を発揮した天才で、同時代人の中ではずば抜けていたので、わたしは子どものころから彼を尊敬していた。わたしが持っているのは絵画でなく、文字やイラストの入ったノートブックだが、どんなにうまくやっても複製は無理だろう。

ほかのこともそうだけれど、美術は多少の知識があるとぐっと面白くなる。たとえばルーブル美術館を何時間か歩き回ったとしよう。ふつうなら、なんとなく見覚えのある絵にふむふむとうなずくのが関の山だ。しかし、知識のある人がいっしょに歩いてくれたら、はるかに楽しい体験になるだろう。家庭や美術館でそのガイドの役目をしてくれるのが、マルチメディア文書《ドキュメント》だ。これがあれば、それぞれの作品についてその分野の専門家による解説を聞くことができる。おなじ作者や、同時代のほかの作品も紹介してもらえるし、ズームして拡大画像を見ることだってできる。マルチメディアの複製で美術が親しみやすいものになれば、オリジナルを見たいと思う人も増えるのではないだろうか。複製に接することでむしろ本物への崇敬の念が増し、美術館やギャラリーへ出かけようと思い立つ人も増えると思う。

これから十年のちには、これまで書いてきたような何百万という画像へのアクセスやさまざまな娯楽機能が、多くの家庭でも利用できるようになるだろう。その体験はおそらく、一九九六年末にわたしが新しい家に引っ越して体験することより、もっと強烈で印象的なものになるはずだ。わたしの家では、そうしたサービスの一部をちょっと先に体験できるだけだ。

わたしは実験が好きだ。わたしの家に関するコンセプトの中には、うまくいくものもいかないものもあるだろう。ひょっとすると、モニタを古くさい壁掛けの絵のうしろに隠すことになるかもしれないし、電子ピンはごみ箱行き、ということになるかもしれない。それとも、家のシステムに慣れて、いや、すっかり気に入ってしまって、それなしには暮らしていけないということになるか――わたしはそうなることを望んでいる。

第一一章
ハイウェイのゴールドラッシュ

このところほとんど毎週のように飛び出す大ニュースを聞いていると、なんだか企業やコンソーシアムが、情報ハイウェイの建設レースでの自分の勝利を宣言しているのだと錯覚しそうになる。大型合併やら大胆な投資やら、まるでゴールドラッシュかと思うような騒ぎだ。人も企業もチャンスを狙って、とにかく先に決勝ラインを越えよう、人に先んじて権利を主張しようと、猛然とダッシュしている。投資家たちは情報ハイウェイ関連株にすっかり心を奪われているようだし、メディアにしてみたって、テクノロジーも需要も未知数の段階でこんなに騒ぐのは前代未聞ではないだろうか。パソコン産業が産声をあげたころとは、全然様子が違う。今回の騒ぎの場合、競争に加わっている者自身は興奮に酔いしれているような感じだが、ほんとうはまだみんなやっとスタートラインに立ったにすぎない。

実際にレースがはじまったら、意外なところで勝利を手にする者がたくさん出るだろう。カリフォルニアで起きたゴールドラッシュは、西部の急激な経済発展をもたらした。一八四八年にカリフォルニアに入植した者は四百人にすぎず、ほとんどが農民だった。ところがゴールドラッシュがはじまると、一年間に二万五千人が押し寄せた。その十年後には、金の産出より製造業のほうがカリフォルニア経済に大きな位置を占めるようになり、州の住民一人当たりの財産は全米一になった。

投資戦略が正しければ、長い間には大きな儲けになる。ところが、いずれは追い抜かれるに違いない馬に賭けている企業が、いろいろな業種にたくさんある。しかもそんな企業の戦略が、重大ニュースとして報じられている。この章では、いま起きつつあることをきちんとした見通しのもとに位置づけてみたいと思う。

情報ハイウェイ建設というゴールドラッシュははじまったものの、金を目にした者はまだどこにもいない。それでも金脈の存在を確認しないまま、莫大な投資がなされるだろう。市場がきっと大きくなると信じてのことだが、広帯域のネットワークがほとんどの家庭やビジネスの場に張りめぐらされるまで、情報ハイウェイも市場もじゅうぶん整いはしない。ソフトウェアプラットフォーム、アプリケーション、ネットワーク、サーバーなど、情報ハイウェイを構成する情報機器が製造され、きちんと設置されるまでは、なにもはじまらないのだ。ユーザーが一千万人に達するまで、情報ハイウェイに収益の上がる部分はほとんどないだろう。ユーザーを増やし、収益が上がるようにするには、たいへんな苦労と技術革新、そして資金が必要だ。だから現在の狂乱状態も、投資や実験的な試みの呼び水になるという意味では有効かもしれない。

大衆が情報ハイウェイになにを望むのかは、まだだれにもわからない。大衆自身にもわかっていない。ビデオ画像をやりとりできるインタラクティブなネットワークとアプリケーションを、まだ経験したことがないからだ。初期段階の技術を一部の家庭で使ってみる実験も行われたが、事例としてはわずかなものだ。映画を観たり多少のショッピングができたりと、たしかに目新しくはあったけれど、それもすぐに色あせてしまった。けっきょくのところ、そこから得られた教訓はこうだ――インタラクティブであっても機能が限定されたシステムは、限定された結果しかもたらさない。新しいアプリケーションが何十種も登場するまでは、情報ハイウェイの真価が発揮されることはないだろう。とはいっても、市場が生まれると信じることができなければ、アプリケーションづくりを正当化することもむずかしい。情報ハイウェイを各家庭に張りめぐらすためには何十億ドルでも出そうといっている企業でも、その利益でシステムの固定費をまかなえるという調査結果が出ないかぎり、動くわけにはいかないだろう。情報ハイウェイはいきなり革命的に出現するものではなく、パソコンとそのソフトの成長にともない、インターネットがじょじょにわたしたちをシステムの完成へと導いてくれるのだと思う。

むやみに期待をかき立てて、情報ハイウェイをめぐる騒ぎをあおっているという部分もたしかにある。この技術がどういう進路をたどるかについて、あれこれ憶測を口にする人は驚くほど多い。しかしその中には、実用性やすでに明らかになっている大衆の好みを無視していたり、情報ハイウェイ建設に必要な技術の実現を早く見積もりすぎていたりする例も見受けられる。だれがなにを想像しようと自由だけれど、今世紀中に情報ハイウェイが完成して消費者に大きな衝撃を与えるというような推測は、まるでまちがっている。

現在、情報ハイウェイに投資している企業は、せいぜいのところ、いろいろ情報を与えられた上で成り行きを想像している、といったところだ。疑りぶかい人たちは、わたしが考えているほど早くビジネスチャンスが来ることはないし、そう大きなチャンスが来るわけでもないと、あれこれ理由をつけて訴えている。でも、わたしはこのビジネスを信じているのだ。マイクロソフトは、情報ハイウェイのための研究開発に年間一億ドル以上を投資している。研究開発《R&D》の結果、投資分に見合う収益を生み出すようになるには五年以上はかかるから、マイクロソフトは五億ドルの賭けをしていることになる。結果的に五億ドル損することになるかもしれないわけだ。株主のみなさんは、わたしたちの過去の実績ゆえに、この賭けに打って出ることを認めてくれたのだけれど、成功するという保証はない。もちろん、わたしたちは成功すると思っているし、成功を信じるべき根拠もあると――このレースに加わっているほかの企業と同様――考えている。わたしたちの持つソフト開発能力と、パソコンのさらなる発展にかける意気込みが、きっとこの投資への見返りをもたらしてくれると信じているのだ。

パソコンとテレビへの広帯域接続に関する総合的な実験は、リスクを負うかわりに他社に先行しようという企業からの資金を得て、一九九六年中に北アメリカ、ヨーロッパ、アジアではじまるはずだ。そうした試みの中には、個別のネットワークオペレータが広帯域のネットワークを運営できることを示すだけの便乗的なものもあるだろう。だが実験の本来の目的は、新しいアプリケーションを開発するためのプラットフォームを作り、そのアプリケーションの見栄えや収益性をたしかめることにある。

アルテアの最初の一台の写真を目にしたとき、ポール・アレンとわたしは、さぞかしいろいろなアプリケーションができるんだろうと思っただけだった。アプリケーションが開発されることはわかっていたけれど、それがどんなものになるかは確信が持てなかった。もちろん、パソコンをメインフレームコンピュータの端末として機能させるプログラムなど、予測可能なものも多少はあった。しかし、ビジカルク（スプレッドシートソフト）をはじめとする、とりわけ重要なアプリケーションの登場はふたりの予想を超えていた。

今後行なわれる情報ハイウェイの実験は、このスプレッドシートに相当するものを見つけるためのチャンスなのだ。予想もしなかったようなキラーアプリケーションやサービスによって消費者の心をつかむことができれば、情報ハイウェイの財政的な枠組みをしっかり築くことが可能になる。ただし、どんなアプリケーションが大衆に受け、どんなものが受けないかを予測するのは不可能に近い。消費者のニーズと欲求は、人によってまちまちなのだから。たとえばわたしなら、情報ハイウェイを使って医学の最先端を知りたいと思っている。おなじ年代にどんな健康上の問題があり、どうすればリスクを回避できるかを知りたいのだ。そういうわけで、ほかにも興味のある分野はいくつもあるけれど、フィットネスや医学関係の知識を増やすためのアプリケーションを当然求めることになる。でもこれは、わたしに限っての話だ。健康上のアドバイスを求めるユーザーはほかにもいるのだろうか？　新しい種類のゲームは？　人と出会うための新しい方法についてはどうだろう？　ホームショッピングも望むだろうか？　それとも、鑑賞できる映画の本数がもう少し増えるだけで満足なのだろうか？

こういう実験を通して、どんなアプリケーションやサービスの人気が高いかがはっきりする。中には、ビデオ・オン・デマンドやパソコン間の高速通信のように、既存の通信機能の拡張にすぎないものも含まれているだろう。しかしそれだけではなく、大衆の夢をつかんでさらなる技術革新や投資や事業展開につながる、まったく新しいサービスもあるはずだ。わたしはそんなサービスに期待している。初期段階で消費者に訴えかけるものが見つからなければさらに試行錯誤がつづくことになり、情報ハイウェイ全体の完成は遅れる。しかしその間にインターネットはパソコンとパソコンソフトを結びつけながら進歩をつづけ、よりしっかりした基礎を築くことになるだろう。ハードとソフトの値段も、どんどん安くなっていくはずだ。

このビジネスチャンスを前にして、大手企業の示す反応がそれぞれ大きく違っているのは面白い。ただ、先行きの不確実さを認めたがらないのはどこもおなじだ。電話会社、ケーブル事業者、テレビ局とそのネットワーク、コンピュータのハードとソフトのメーカー、新聞、雑誌、映画会社、個々のライターに至るまで、だれもがそれぞれに情報ハイウェイ戦略を打ち出している。距離をおいて見ればおなじようでも、細かいところはずいぶん違う。なんだか「群盲象をなでる」という故事を思わせる状態だといってもいい。みんなばらばらの部分をなでているだけ、わずかな情報を頼りに誤った全体像を思い浮かべているにすぎない。いや、思い浮かべるだけではない。市場のほんとうの姿を見きわめないままに何十億ドルもの資金を投じようとしているのだ。

消費者にとっては、競争は歓迎すべきものだ。でも投資する立場からすれば――とくにまだ存在すらしない製品に投資しようとする者にとっては――厳しい話である。〝情報ハイウェイ〟と呼ばれる事業はどこにも存在しておらず、まだ一ドルの利益もあげてはいない。情報ハイウェイの建設自体が一種の学習過程だから、失敗して無一文になる企業も出てくることだろう。いまのところ参入者が少なくて魅力的に見えるニッチ（隙間）も、いずれは競争が激化してマージンが薄くなってしまうかもしれない。

それどころか、まったくの不発に終わることだってありうる。ゴールドラッシュは、とかく衝動的な投資を誘発するものだ。中には成果をあげる者もいるけれど、狂乱の時が過ぎてしまえば、惨敗したベンチャー企業に向けられる目は厳しいものになる。「あんな会社をこしらえたのはだれなんだ？　連中の頭はどうなってたのかな？　熱にうかされてでもいたんだろうか？」と、だれもが信じられない思いで疑問をぶつけるに違いない。

情報ハイウェイの主たる推進力になるのは起業家精神だ。パソコンビジネスが成立したときとおなじことである。あのころ、メインフレーム用のソフトをつくっていた企業のうちでパソコンへ移行できたのは、ごく少数だった。成功したのは、新しい可能性に目を向けた人たちの小さな新興企業がほとんどだった。情報ハイウェイでもおなじことが起きると思う。新しいアプリケーションやサービスで成功する既存の大企業もあるだろう。しかし大きく成長する新興企業の数はその十倍、束の間のはなばなしい成功だけで忘れ去られていく新興企業はその五十倍にもなるだろう。

起業家精神がものをいう発展著しい市場では、最前線の各地で急速な変革が起きる。企業の大きさに関係なく、そうした変革の大部分は失敗に終わる。大企業はリスクを小さく抑えようとしがちだけれど、ひとたび失敗して爆発すれば、エゴの強さと規模の大きさのせいで地面に巨大な穴を残すことになる。ところが新興企業の方は、失敗したってろくに気づかれもしない。さいわい、人は成功からも失敗からも学ぶことができるから、結果的には急速に進歩していく。

どの企業、どのアプローチが勝利を収め、どれが敗者になるかの決定を市場にまかせるというのは、さまざまな道を同時に探索しているということを意味する。未知の市場では、市場自身に決定させるのがいちばんいいのだ。何百という企業がリスクを引き受けながら、さまざまなアプローチで需要のレベルを見定めようとしている状況では、中央で計画を立てるよりも社会自身にまかせた方が、ずっと早く正しい解決法に到達できる。情報ハイウェイにまつわる不確定な部分はじつに多いけれど、適切なシステムは市場がデザインしてくれることだろう。

政府は競争を保証するための枠組みの整備に力を貸すことができるし、特定の領域で市場原理がうまく機能しない場合は――あまり熱心すぎない程度に――介入すべきだろう。実験段階でじゅうぶんな情報が得られたら、政府が〝通行規則〟を定めればいい。つまり、企業が競争するためのガイドラインである。とはいえ、競争原理の働いている市場以上の見通しを持って市場を支配できるわけはないのだから、政府が情報ハイウェイのデザインや性格にまであれこれ指図すべきではない。利用者の嗜好や技術的問題が明確でない状況では、なおさらそうだ。

アメリカ政府は、通信事業に対する規制づくりに熱心だ。いまのところ、ケーブル事業者と電話会社が共通のネットワークをつくることには規制があって、両者がたがいに競争することはない。情報ハイウェイの立ち上げをあと押しするつもりなら、各国政府が真っ先に取り組まねばならないのは通信の規制緩和である。

ほとんどの国での旧来のアプローチは、テレコミュニケーションのさまざまな分野で独占状態をつくりだすというものだ。その背景にあったのは、企業は独占的な供給者になれないかぎり、国中に電話線を張りめぐらすのに必要な巨大投資などできない、という考えである。そして政府は独占企業に対し、制限はあるものの収益は保証されるから公益のために働くよう規制する。その結果、万人が利用できる信頼性の高いネットワークはできたものの、新機軸を打ち出すことはむずかしくなった。後にこの規制は、地域の電話システムだけでなくケーブルテレビにも拡張された。連邦政府も州政府も、独占を許し競争を減らすかわりに、統制する権利を手に入れたというわけだ。

電話とビデオ両方のサービスを提供する情報ハイウェイは、現在のアメリカでは違法ということになる。一九三四年に制限つきの独占を認めたことがいいか悪いかを議論するのは、経済学者や歴史学者にとっては意味のあることかもしれないが、この法律は是正すべきだという意見が現在では大勢を占めている。なのに政府は、一九九五年の半ばに至ってもなお、いつ、どんなかたちで変えるかについて結論を出すことができないでいる。数十億ドルがかかっていることもあって、どんなふうに競争をスタートさせるべきかという込み入った話になると、議員たちは途方に暮れてしまう。問題は、古いシステムから新しいシステムに移行しつつ、同時に大部分の参加者を満足させる方法を見つけ出さなければならないことにある。テレコミュニケーションの改革が何年も先送りされてきたのは、このジレンマのせいなのだ。議会は一九九五年の夏、テレコミュニケーション産業を規制緩和すべきかどうかではなく、いかにして規制緩和すべきかをめぐって紛糾した。この本が出るころには、どうか情報ハイウェイがアメリカで合法的になっていますように！

アメリカ以外の国では事情が複雑で、制限付きの独占事業を行なっているのは政府機関であることが多い。郵便（postal）、電話（telephone）、電報（telegraph）のサービスを管理するので、ＰＴＴと呼ばれる。一部の国では、ＰＴＴが情報ハイウェイを開発することを認めようとしているが、政府の組織がからむとたいていものごとの進み具合は遅くなる。とはいえ、長期的に考えて自分の国が競争力をつけるための重要な問題だということを政治家たちが認識すれば、この先十年で投資と規制緩和のペースは世界的に早まるだろう。これからの選挙では候補者が自分の公約の中に、情報ハイウェイを推進してこの国を指導的地位につけます、という政策を取り入れるようになるだろう。政治的に取り上げることでこうした問題が目につきやすくなれば、さまざまな国際的な障害をクリアする助けにもなるわけだ。

ケーブル会社と電話会社の競争が情報ハイウェイのインフラに対する投資のペースを速めることを考えると、ケーブルＴＶを利用している家庭の比率が大きいアメリカやカナダは有利な立場にいることになる。しかし、単一のネットワークでテレビもケーブルサービスも実際に供給しているイギリスのほうが、先行しているといえるだろう。イギリスでは一九九〇年に、ケーブル会社が電話サービスを提供することが認められた。外国の企業、つまり主にアメリカの電話会社やケーブル事業者が、イギリスでのファイバーインフラにかなり投資してきている。いまやイギリスの消費者たちは、ケーブルＴＶ事業者の中から電話サービスをしてもらう相手を選べるようになっている。こうした競争にさらされたおかげで、ブリティッシュ・テレコムの料金やサービスも向上してきたのだ。

いまから十年後に振り返ってみたなら、各国におけるテレコミュニケーション改革の進み具合と情報経済の状態との間に、はっきりした相関関係が見出せるのではないだろうか。通信インフラを持たないところへ資本を投下したいと思う投資家は、ほとんどいないだろう。新しい規制をつくることに熱中している政治家やロビイストはどの国にもたくさんいるから、さまざまな規制形態がほとんどすべて試されることになるはずだ。国によって〝正しい〟解決法はみな違うことになるだろう。

互換性の問題は、政府が立ち入ってはならないことがはっきりしている領域のひとつだ。ところが、相互運用性を保証するために政府がネットワークの標準を定めるべきだと、ある人たちは主張している。一九九四年に下院の小委員会で、すべてのセットトップボックスに互換性を持たせることを求める法案が提出された。提出した当人たちにはすばらしいアイデアに思えたのだろう。ベッシーおばさんが一度セットトップボックスを買えば、ほかの州に引っ越しても使えることが保証されるというわけだ。

たしかに互換性は重要である。家電産業とパソコン産業を成長させたのは、互換性だったといってもいいだろう。パソコン産業がまだ誕生したてのころ、さまざまなマシンが現われては消えていった。まずアルテア８８００。それがアップルⅠに取って代わられ、さらにアップルⅡ、最初のＩＢＭ―ＰＣ、マッキントッシュ、ＩＢＭ―ＰＣ／ＡＴ、３８６や４８６を搭載したＰＣ、パワー・マッキントッシュ、ペンティアム搭載のＰＣとつづいてきた。こうしたマシンは、それぞれなんらかの面で他機種との互換性を持っていた。たとえば、テキストファイルならどのマシンでも扱うことができる。でも同時に、互換性のない部分もかなりあった。古いシステムがサポートしていない根本的な部分でのブレイクスルーを、後からきた世代が売り物にしたからだ。

前の世代のマシンとの互換性が大きな長所になる場合もある。ＩＢＭ―ＰＣ互換機とマッキントッシュは、それぞれのグループ内である程度の下位互換性を保っているが、グループ間の互換性はない。また、IBM―PCが発表された当時、IBMのそれ以前のマシンとは互換性がなかった。おなじようにマッキントッシュにも、アップル社のそれまでのマシンとの互換性がなかった。コンピューティングの世界ではテクノロジーが絶えず更新されていくから、だれがどんな新製品を発表してもかまわない、というふうになっていることが望ましい。条件をあれもこれも満たすわけにはいかないとき、メーカーが下した判断が正しかったかどうかは、市場によって判断されることになる。セットトップボックスというのもある意味でコンピュータだから、急速な技術革新がパソコン産業を成長させたのとおなじパターンがくりかえされることになるだろう。実際、セットトップボックスの市場はパソコンのときよりもはるかに予測のつかないものなので、市場まかせという部分がかなり大きい。まだできてもいない製品に政府の指示による設計を押しつけるのは愚かなことだ。

セットトップボックスの互換性に関わる最初の法案は、けっきょく一九九四年の議会を通過しなかったけれど、九五年になって、またそれに関連する問題が出てきた。アメリカ以外の国々でもおなじようなことが起きるのではないかと思っている。一見筋の通った規制の法案をつくるのは簡単だが、用心しないと、そうした規制が市場の息の根をとめてしまいかねない。

情報ハイウェイの発展のペースは、国によって、またコミュニティによって違う。わたしが外国に行くと現地のマスコミから、アメリカは自分たちの国より何年進んでいるかという質問を受ける。これはむずかしい質問だ。アメリカの強みといったら、市場の規模、家庭へのパソコンの普及度、電話会社とケーブル事業者が現在と将来の利益をめぐって競争している状況、といったところだろうか。それでも、マイクロプロセッサ、ソフトウェア、エンターテイメント、パソコン、セットトップボックス、ネットワーク交換機など、情報ハイウェイ建設に関わるさまざまな技術のほとんどすべての分野で、アメリカの企業がリーダーになっている。例外はディスプレイ技術とメモリチップくらいだろう。

しかしほかの国々も、それぞれ独自の強みを持っている。たとえばシンガポールの人口密度と、政府のインフラ整備への注目度を考えると、この国がリーダーになるのではないかと思えてくる。このユニークな国では、政府の決意が非常に大きな影響力を持っていて、情報ハイウェイのインフラ整備はすでに開始されている。住宅やアパートを建設しようとする開発業者は法律によって、水道、ガス、電気、電話だけでなく、広帯域ケーブルを引くことまで義務づけられるようになるだろう。わたしは、一九五九年から一九九〇年までシンガポールの首相を務めた李光耀《リ・クワン・ユー》氏を訪ねたことがある。そのときわたしは、七十二歳の元首相がこの状況を的確に理解していて、情報ハイウェイの建設を最優先事項として全力をあげて取り組んでいることに大きな感銘を受けた。この小さな国がアジアの中で高い地位を維持するには、それがどうしても必要だと李氏は考えたのだ。「社会問題を抑えこむために現在シンガポール政府が行なっている厳しい情報統制をあきらめることになりますよ、それは承知なさってますか」とわたしは無遠慮な質問をぶつけてみた。「シンガポールはこれまで、西洋的な自由を一部犠牲にしてでも強い共同体意識に裏打ちされた文化を守ろうとしてきたが、将来は検閲以外の方法に頼らざるを得なくなることは政府もよくわかっている」というのが李氏の答えだった。

しかし中国の政府は、二通りの方法の使い分けを考えているようだ。呉基伝郵電相は記者会見でこう語っている。「インターネットとの接続によって、情報を完全に自由化するつもりはない。そのことについては一般の理解を得ていると思う。税関を通るときパスポートを見せなければならないのとおなじように、情報も管理されて当然だ」。つまり中国政府は何らかの〝管理の手段〟を使って、国内のすべてのテレコミュニケーションサービスにおけるデータの流れをコントロールするのだという。「電気通信インフラの開発と国家の統治権の行使のあいだに、矛盾はなにもない。国際電気通信連合の宣言にも、各国は自国の通信に関し主権を有するとあるではないか」。インターネットにフルに接続して、なおかつ検閲を実施するには、ユーザーひとりひとりの肩越しにディスプレイをのぞき込む人間が必要になるということが、よく理解できていないのかもしれない。

フランスでは、パイオニア的なオンラインサービス〝ミニテル〟が情報発信者のコミュニティを育て上げ、一般大衆が広くオンラインシステムに親しむ下地をつくってきた。端末の機能も帯域幅も限られているけれど、ミニテルの成功はさまざまな変革を生み、貴重な前例となった。フランス・テレコムは目下、パケット交換データネットワークに出資している。

ドイツでは一九九五年に、ドイツ・テレコムがISDN使用料の劇的な引き下げを行った。これによって、パソコンで接続するユーザーの数が一挙に増えたという。ISDNの値下げは賢明なやり方だ。なぜなら、料金の低下がアプリケーション開発をうながし、さらにそれによって広帯域システムが実現する時期も早くなるからである。

北欧諸国では、ビジネスへのパソコンの浸透がアメリカよりもずっと高いレベルで進んでいる。教育程度の高い労働力にめぐまれているので、他国との高速の通信手段を確保すれば恩恵を受けるということが、よく理解されているのだ。

日本では、たぶんほかのどの国よりもハイテク通信システムへの関心が高いというのに、この国の情報ハイウェイの将来を予測するのはかなりむずかしい。他の先進諸国にくらべ、日本の企業や学校、家庭では、パソコンがそれほど広く利用されていない。キーボードで漢字を入力するのがたいへんだということも一因だが、ワープロ専用機の市場が大きく、こちらが定着してしまっているせいもある。

情報ハイウェイの建設に必要な資材とコンテンツの両面で開発資金を提供している企業の数では、日本はアメリカに次いで第二位である。卓越した技術力を持ち、投資の対象に長期にわたって取り組んできた日本の大企業は数多い。たとえばソニーは、コロムビア・レコードおよびコロムビア・スタジオを傘下に持つソニー・ピクチャーズと、ソニー・ミュージックを所有している。東芝はタイム・ワーナーに莫大な出資をしている。NECは情報ハイウェイを先取りする構想を一九八四年に打ち出し、〝コンピュータ・アンド・コミュニケーション（C&C）〟というキャッチフレーズで並々ならぬ取り組みを示した。

日本のケーブル事業はごく最近まで規制が厳しかったのだが、その変貌ぶりには目をみはるものがある。NTTは世界のどんな企業からも最高に評価されていて、情報ハイウェイ・システムのあらゆる面でリーダーシップをとることになるだろう。

韓国では、人口あたりのパソコン販売台数はアメリカにくらべてかなり低いけれど、その二十五パーセント以上が家庭で使われている。この数字からうかがえるのは、家族の結びつきが強く、一族の繁栄を子どもの教育に託す傾向のある国なら、教育効果のある製品にとって豊かな土壌になりうるということだ。行政の力をうまく利用すれば、学校に安く通信回線を引かせたり、僻地や貧困地域にも情報ハイウェイを延ばすことができそうだ。

オーストラリアやニュージーランドも、他の先進諸国から地理的に大きく隔てられていることもあり、情報ハイウェイには関心を持っている。オーストラリアの電話会社は民営化されようとしており、競争相手も生まれ、計画が前向きに進んでいる。ニュージーランドのテレコミニュケーション市場は、世界一開かれている。民営化されたばかりの電話会社は、民営化という手段がいかに効果的かを示すいい見本になっている。

西ヨーロッパと北アメリカ、オーストラリア、ニュージーランド、日本などの先進諸国に関しては、政策を誤まらないかぎり、情報ハイウェイの建設で一、二年以上の開きが出ることはないと思う。もちろん国内ではそれぞれに、経済面でのばらつきのせいで、よそに先駆けてサービスを享受するコミュニティもあることだろう。ネットワークはまず、より豊かな地域に入ってくる。そういう場所の住民たちが、進んで金を使おうとするからだ。情報ハイウェイ展開の初期は、地方行政の人たちのほうが積極的に環境づくりに関わっているということになるかもしれない。自由競争を奨励する規制がある工業国では、情報ハイウェイ建設に納税者の血税は必要ない。情報ハイウェイが直接家庭につながるまでにかかる時間は、その国の国内総生産（GDP）でほぼ決まるだろう。にもかかわらず、開発途上国でも企業や学校が接続されればその影響は大きく、先進諸国との経済格差を縮めるのに役立つはずだ。インドのバンガロールや、中国の上海、広州などは、情報ハイウェイ回線を企業に設置し、教育水準の高い従業員のサービスをグローバルな市場に提供するために使うことになるだろう。

現在、多くの国々で、政界のリーダーたちが情報ハイウェイへの投資を促す政策を打ち出している。先手をとるにせよ後れをとるまいとするにせよ、各国間の競争が大きな推進力になっていることは事実だ。各国のさまざまなアプローチの中で、どれがいちばんうまくいくかをだれもが注視することになる。行政はすぐにネットワークが必要だと判断したのに民間企業が難色を示した場合、それを理由に政府自身が情報ハイウェイ建設に手を貸し、資金を提供しようとするかもしれない。政府が手をつけたとすれば情報ハイウェイの建設は早く進むだろうけれど、ごく現実的な問題としてありがたくない結果になりかねないことはよく考慮しておくべきだろう。そういう国ではけっきょくのところ、技術革新のペースについていけないエンジニアが采配をふるい、役立たずの無用の長物ができあがるだけの結果になるかもしれない。

これとよく似たことが、日本で起こった。ハイビジョン、つまり高解像度テレビ（HDTV）のプロジェクトだ。大きな権力を持つ通産省とNHKが、日本の家電メーカーに新しいアナログHDTVシステムをつくらせようと調整を図ったのである。NHKはこの新しい規格での放送を、一日に数時間流した。しかし不幸なことにこのシステムは、普及を待たずして時代遅れになってしまった。デジタル技術のほうがすぐれていることがはっきりしたのだ。このために、たくさんの日本企業がむずかしい立場に立たされた。心の中ではこのシステムがいい買い物でないことを知っているのに、表向きは政府の肩入れしている規格を擁護する発言をしなくてはならないからだ。いま、この本を書いている時点でも、このアナログシステムに移行しようという〝公式のプラン〟は残っている。そうなってほしいとほんとうに思っている人間はひとりもいないというのに。それでも日本は、ハイビジョン・プロジェクトの一環である高解像度カメラとディスプレイの開発からは利益をあげるだろう。

情報ハイウェイの建設は、「いたるところにファイバーをはりめぐらせる」と口でいうほど簡単ではない。この事業に関わろうとする政府や企業は新しい進歩についていかなくてはならないし、方向転換に対応できる体勢も必要だ。テクノロジーに詳しく、それにともなうリスクを負う覚悟も要求されるとなると、やはりこれは役所より産業界が取り組むべき仕事だろう。

民間企業同士の競争は、さまざまな局面で熾烈な戦いを生むだろう。ケーブル事業者や電話会社などの企業は、ファイバーや無線、衛星のインフラの供給を引き受けようとする。ハードメーカーはネットワーク企業向けに、サーバー、ATM交換機、セットトップボックスを、一般消費者向けにパソコン、デジタルテレビ、電話その他の情報家電を売ろうとしのぎを削る。同時にソフトウェアのほうでも、アップル、AT&T、IBM、マイクロソフト、オラクル、サン・マイクロシステムズなどが、ネットワークプロバイダにソフトウェアコンポーネントを提供しようと競争する。いずれは何百万という企業や個人がソフトウェアアプリケーションや情報を（エンターテイメントも含めて）、ようやく開花したネットワーク上で売るようになるだろう。

物理的なインフラを整備し、一般家庭に広帯域の回線を供給することがいかに重要であるかについて、これまでにある程度くわしく論じてきた。アメリカ国内での競争と、その主役である電話会社とケーブル事業者の戦略についても触れた。ケーブル事業者は大規模な電話会社にくらべると若くて規模も小さく、冒険をも辞さない傾向がある。ケーブルTVネットワークは消費者に、一方向の広帯域ビデオを同軸ケーブル網、ときには光ファイバーケーブル網を介して提供する。世界的に見るとケーブルTVの普及率はかなり低く、加入者数は一億八千九百万に過ぎないが、アメリカ国内では全世帯の七十パーセント以上、約六千三百万世帯にケーブルが通じている。すでにケーブルシステムは、デジタル信号の伝送にじょじょに切り替えられつつあり、パソコンユーザーにインターネットやオンラインサービスへの接続を行なうケーブル会社がいくつも出てきている。電話回線を使って28800bpsで情報をダウンロードするのに慣れたパソコンユーザーも、3000000bpsでダウンロードできるのなら多少料金が高くてもテレビのケーブルを使うだろうと踏んだわけだ。

電話会社のほうは財政的にはもっと力がある。アメリカの電話システムは、二地点間を直接に接続する分散型交換ネットワークとしては、世界最大である。地域の電話会社をあわせれば年間一千億ドルの収益になるから、二百億ドル規模のアメリカのケーブルビジネスよりもはるかに大きな市場である。AT&T系地域電話会社（RBOC）七社は、産みの親であるAT&Tと競いあいながら、長距離通話や携帯電話システムなどの新たなサービスを提供していくだろう。しかし、このRBOCも世界中の電話会社と同様、がっちり規制の枠にはめられた公益事業の世界から抜け出したばかりで、競争社会の中では新参者なのだ。

地域の電話会社は激しい競争にさらされて刺激を受けるだろう。いまは守りの姿勢にあるのだ。ほかの電話会社やケーブル会社がその地域に参入して、電話以外の通信サービスまではじめようとするに違いない。新しい規制はこうした競争を奨励する性格のものになるだろうし、すでに説明したように長距離通話の料金は劇的に引き下げられる。そうなると、電話会社が現在得ているような収益はごっそり奪われてしまうだろう。

地域サービスを提供している企業は、先進のデジタル伝送機能を少しずつ導入している。これまでは市場参入に財政的に厚い壁があって競争にさらされずにすんでいたため、急がなくてはというプレッシャーはなかった。これまでなら新規参入者が既存の企業に対抗するには、二倍の設備投資（ざっと一億ドル）かかることがわかっていたのだ。ところがいまや、交換機も光ファイバーも年々コストが下がっている。

要するにこういった企業も、パソコンを買おうかと考えている人が直面するのとおなじ種類の決断を迫られているということだ。もっと値段が下がって性能が向上するのを待つべきか、それともいまの製品でがまんしてすぐに使いはじめるべきか？　ネットワーク企業にとってはこういうジレンマが、とても深刻な問題になることがある。本来ならすばやく対応して、つねに最新技術を押さえておくべきだろう。じゅうぶん待ってからケーブルや交換機に投資すれば安くすませられるだろうけれど、ライバルがそれほどの慎重さを持ちあわせていなかった場合、奪われた市場のシェアは二度ととりもどせない。うらやましいほどの収益をあげているにもかかわらず、電話会社は、新型ネットワークへのアップグレード費用がかさみ、必要な資金の確保に汲々としているかもしれない。公共料金審議会は、電話料金の値上げも、現行業務の収益を新規事業に回すことすらも許さないだろうからだ。ＲＢＯＣからの魅力的な額の配当金に慣れてしまっている株主たちは、情報ハイウェイ建設のために収益を振り向けるのに難色を示すかもしれない。電話会社は百年以上にもわたり、規制に守られた独占企業として着実に利益を得てきた。それが突然、高度成長会社となってしまうわけだが、それはトラクターがスポーツカーに変わるくらい過激なことだ。不可能ではないにしろ（トラクターもスポーツカーもつくっているランボルギーニの社員に訊いてみるといい）、なまやさしいことではないだろう。

パソコンユーザーにＩＳＤＮをうまく提供できれば、価格を引き下げてマスマーケットを確立したいと考えている電話会社にとって、新たな収入の途が開かれることになる。ケーブルをパソコンに接続するよりも、ＩＳＤＮを使うほうが早く実現するのではないかとわたしは思う。電話会社はいろいろ工夫をこらして、家庭側の最後の二、三百フィートだけ銅線を残し、なおかつ広帯域のデータ転送を可能にしようと考えている。新サービスの需要が収益の拡大につながれば、電話会社もケーブル事業者も成功するだろう。

ケーブル事業者や電話会社の野心は、たんにビットを流すためのパイプの提供にとどまらない。ここで、自分がビット伝送の会社を経営していると想像してみてほしい。ある地域のネットワークを所有していて、ほとんどの家庭がそこにつながっているとしたら、もっと儲けるためにはどうすればいいだろう？　顧客にビットをもっとたくさん消費させるように働きかけることもできるけれど、一日は二四時間しかない。そして人はテレビを見たりパソコンの前に座ったりすることに、すでに相当長い時間を費やしている。これ以上送り出すビットを増やせないのなら、そのビットに〝利子〟をつけるのはどうだろう。情報ハイウェイを一種の経済的食物連鎖とみなしている人は多い。ビットの伝送と配給が底辺にあり、さまざまな種類のアプリケーションやサービス、コンテンツの層が上にかぶさっているわけだ。ビットの配給に携わる企業は、この食物連鎖をのしあがっていくという考えにひきつけられる。たんにビットを伝送するだけでなく、ビットを所有することで利益を得たいと考えるのだ。だからこそケーブル事業者や地域電話会社や家電メーカーは、先を争うようにしてハリウッドの映画会社、テレビ局、ケーブルテレビの放送局などのコンテンツビジネスとの連携に走るのである。

中には、そうしないと不安だから投資しているという企業もある。長いあいだ、政府公認の独占状態がつづいたおかげで、情報流通業はけっこう儲かる商売だった。それが一変して競争がはじまると、ビット配給のうまみはさほどでもなくなるかもしれない。投資と権力の行使の両方、あるいはそのどちらかを通じて、アプリケーションやサービスの制作に参画し、コンテンツビジネスに参入したいと望む企業は、門戸の開かれている今のうちに動きたいのだ。テレビに接続するセットトップボックスを安く売るとか、それに助成金を出すとかいった道を選ぶ企業も、中にはあるだろう。その戦略は、たとえばひと月分の料金で情報ハイウェイへの接続を提供し、セットトップボックス、プログラム、アプリケーションとそれに付随するサービスをパッケージにして渡す、というようなものになる。要するにケーブルテレビのシステムとおなじで、アメリカの電話会社も規制緩和前にはそうしていたのだ。

ネットワーク運用会社が基本料金でセットトップボックスもつけてくれるというのは、ボックスを買うための数百ドルが惜しいという顧客にとっては魅力だろう。前にも書いたように、初期段階のボックスはたちまち時代遅れになるという危険性があるから、わざわざ買おうという気にはなれないはずだ。ボックスを提供するとなれば、ネットワーク運用会社もそれなりに先行投資を増やす必要が出てくるわけだが、確実に多数のユーザーを得られるのなら、金をかける値打ちはある。ところが政府の委員たちは、ネットワーク運用会社にボックスの管理をまかせたら、特権的な立場をかさに着るようになるのではないかと懸念している。ボックスを押さえたネットワーク会社は、そのボックスに乗せるソフトウェアやアプリケーションやサービスについてもかなりの支配力を持つことになるからだ。その結果、映画を売ろうとする制作会社の側では、選択の幅がせばまるかもしれない。いろいろなサービスに回線やボックスへの平等なアクセスを認めるかどうかは、規制緩和を進めるにあたって考慮すべきやっかいな問題のひとつである。アクセスを平等に認めるべき根拠として、複数のサービスがおなじ回線を使えるようにしておけば、政府がこういうサービスとその相互運用性について標準を設定しなくてすむ、という考え方もある。

小売り業者はセットトップボックスを販売するチャンスを欲しがっている。これまでテレビもパソコンも売ってきたのだから、セットトップボックスだって売ってもいいのではないか、と。一方、家電メーカーはボックスを製造したがっていて、いろいろなモデルを提供できるようになりたいと思っている。珍しいもの好きには意匠を凝らした高価なボックスを、一般向けにはシンプルなボックスを、というわけだ。もしネットワーク運用会社がボックスを提供するなら、小売り業者に儲けはない。携帯電話の場合は、このような問題を部分的な補助金で解決した。どの小売り業者から携帯電話を買ったとしてもその代金の一部を、ユーザーがサービスの提供を受けることにした携帯電話会社が肩代わりしてくれるというしくみだ。

ネットワークの供給をめぐって競合するのは主としてケーブル事業者と電話会社だろうが、このふたつだけというわけではない。たとえば日本の鉄道会社は、線路沿いに光ファイバーケーブルを敷設すれば、いくらでも楽に延ばすことができると考えている。また多くの国で電気、ガス、水道といった公益事業が、自分たちも家庭や企業にラインを通じているのだと主張している。コンピュータで家庭の暖房を管理してエネルギーを節減すれば、それだけでも光ファイバーケーブルを張りめぐらす費用の大部分がまかなえるという議論もあった。エネルギー需要が減って、金のかかる発電所を新しくつくらなくてもすむようになるからだという。フランスではケーブルTVの回線のほとんどが、ふたつの大きな水道会社の所有になっている。しかしフランス以外では、少なくとも伝統的な公益事業が情報ハイウェイの建設に名乗りをあげている例はあまり見られない。

電話会社やケーブル事業者の大きな競争相手として、直接視聴者に番組を送り届ける衛星放送などのテクノロジーにわたしが触れてこなかったことに、疑問を感じる読者もいるかもしれない。前にも述べたように、現在の衛星テクノロジーは暫定的なものである。大量の放送用ビデオ信号を伝送してはいるけれど、それぞれのテレビやパソコンに個別のビデオ信号を送り込めるだけの帯域幅を獲得するまでには、大きな技術上のブレイクスルーが必要なのだ。

アメリカの市場でいえば、現行の衛星一個あたり三百チャンネルのシステムから、三十万チャンネルのシステムに移行しなければならない。これでも、同時に個別の信号を供給すべきディスプレイが全体の一パーセント以下だと想定してのことである。

こうした衛星を使って真の双方向性を実現するには、家庭からのデータをどうやってネットワークにもどす（バックチャンネル）かという問題も解決しなければならない。でないとビデオ会議などのアプリケーションを実現できないのだ。バックチャンネルに電話回線を使えば、部分的解決にはなる。ヒューズ・エレクトロニクス社のＤＩＲＥＣＴＶシステムでは、ユーザーが選んだペイ・パー・ビュー番組の記録を、家庭用の一般電話回線を使って課金センターにもどすようになっている。ただ、特殊な回路を増設することで、テレビだけでなくパソコンにも放送衛星から直接データを送ることは可能だ。だから、ある種のアプリケーションにとってデータ放送は、当座の間に合わせとして価値あるパイプを提供しているには違いない。

わたしの友人であり携帯電話のパイオニアであるクレイグ・マッコウが、わたしといっしょに投資しているテレデシックという会社は、低軌道衛星を多数使うことによって衛星技術の限界を克服しようとしている。彼らの提案するシステムはじつに野心的で、従来の静止衛星の五十分の一という低い軌道を回る衛星を千個近く利用するというものだ。それだけ地球に近いということは二千五百分の一のパワーですむということを意味し、その結果、双方向チャンネルリソースを増やすことができるのである。これでバックチャンネルの問題は解決する。また、衛星にはつきものの伝送遅延も克服できる。遠距離であっても、光ファイバーに匹敵する伝送スピードを実現できるのだ。テレデシックは現在、法律上、技術上、財政上の難問をかかえており、そういう問題を克服できたかどうかがはっきりするのは数年先のことになる。もし克服できたなら、テレデシックあるいはそれに類するシステムは、地球上のさまざまな場所に情報ハイウェイを張りめぐらせるための、最初の、廉価な手段となる。それどころか、これが唯一の方法になるかもしれない。アジアやアフリカの人口の大部分にとっては、今後二十年以内に光ファイバー回線にローカルアクセスできる見通しはないからだ。

急激に進歩しているもうひとつのテクノロジーは、地上をベースとする無線通信だ。これまで無線のVHFやUHFを使って空中に飛ばしていたテレビ信号は、主として光ファイバーで送るようになるだろう。その目的は、だれもがパーソナルビデオを発信し、交流できるようにすることにある。一方、音声などのデータ転送速度の低い通信は、モビリティ（可搬性）への要求に応えるため、有線から無線伝送に移されていく。ウォレットPCのところで書いたように、理想的なシステムはパーソナルな高品質ビデオとモビリティを備えていなければならないが、その両方を確保するのは現在の技術ではまだ不可能だ。光ファイバーでならビデオ画像を送れるが、無線のシステムではそれだけの帯域幅を実現できないからだ。

競合する各社は先を争って最初のインタラクティブサービスを供給しようとするだろうけれど、魅力ある地域にことごとくどこかの会社が進出してしまうと、今度は他社がすでにサービスをしている市場への参入を狙ってしのぎを削ることになるだろう。興味深いことに、ケーブルTVでは第二のシステムが導入された地域もわずかながらあったけれど、〝やりすぎた者〟が儲けた例はない。一般通信回線を二本以上各家庭に通せばさらに競争が生まれるわけだが、余分の出費は莫大なものとなる。

情報ハイウェイのサーバーは膨大な記憶容量を持ち、一日二十四時間、週に七日稼働する大きなコンピュータでなくてはならない。サーバーのシェアをめぐる争いも熾烈なものになるはずだ。サーバーの適切な設計について、またその開発戦略については、企業によって考え方が違う。潜在的に競合関係にある企業の立場は、当然ながらそれぞれの専門の領域に影響を受ける。道具が金槌しかないという状況では、直面する問題のことごとくが、じきに叩くべき釘のように見えはじめるものだ。ヒューレット・パッカードのようなミニコンメーカーは、ミニコンのクラスタをサーバーとして使う構想をもっている。主としてパソコンをつくっている多くの企業は、手ごろな価格のパソコンをたくさん接続することこそ、最も経済的で信頼性のあるやり方だと信じている。そしてIBMのようなメインフレームのメーカーは、大型マシンをサーバーに採用している。情報ハイウェイが〝ビッグ・アイアン〟の最後の砦になるだろうという、虫のいい望みを抱いているのである。

当然ながらソフトメーカーも、自分たちの製品こそが解決策だと思っている。ソフトウェアならコピーしてもほとんど費用がかからないので、高価なハードをソフトに置き換えることでシステムのコストを下げられるからだ。そして、これらのサーバーを動かすソフトウェアプラットフォームを供給することが、またべつの競争となりつつある。メインフレームやミニコン向けのソフトをつくっているデータベース会社オラクルは、オラクルのソフトを走らせるスーパーコンピュータやミニコンピュータがサーバーになると考えている。AT&Tはネットワークビジネスの経験を踏まえて、システムのインテリジェンスのほとんどをネットワーク上のサーバーと交換機に組み込み、PCやセットトップボックスといった情報家電にはできるだけ小さな処理能力しかもたせないようにするだろう。

マイクロソフトにとっての、唯一の〝金槌〟はソフトウェアだ。情報ハイウェイのインテリジェンスが、サーバーと情報端末とに等しく分配されることをわたしたちは期待している。このやり方はクライアント/サーバー型コンピューティングと呼ばれることがあり、情報端末(クライアント)とサーバーが連携してひとつのソフトウェアアプリケーションを実行するというものだ。わたしたちは、巨大なスーパーコンピュータも、メインフレームも、ミニコンピュータのクラスタさえ必要ないと考える。パソコンメーカーの多くもそうだろうが、サーバーは本質的にパーソナルコンピュータとおなじものを何十、何百と連ねたネットワークであるというのがマイクロソフトの考え方だ。見慣れた筐体もモニターもキーボードもなく、ケーブルシステムの本社や電話システムの本局に置かれた大きなラックにまとめて収められている——何千というそんなマシンのコンピューティングパワーを活用するためには、特別なソフトウェア技術が必要だ。わたしたちのアプローチは、情報ハイウェイでの連携をソフトウェアの問題として処理し、もっとも大量に使われている(したがってもっとも安い)コンピュータを利用するというものである。

このアプローチは、ソフトウェアも含めてパソコン業界での技術的進歩すべてを最大限に生かすということに焦点を当てている。情報ハイウェイに利用される主要な機器のひとつがパソコンであることはまちがいない。セットトップボックスにはパソコンと共通の技術をできるだけ多く盛り込んで、両方で稼働するアプリケーションやサービスを開発しやすくしておくべきだ。そうすることにより、互換性を保ちながらインターネットを情報ハイウェイのレベルにまで発展させられるだろう。現在のパソコン上で使えるツールやアプリケーションは、新しいアプリケーションの開発に利用できるはずだ。たとえばセットトップボックスは、これから十年間に登場するパソコン用CD－ROMの大半を使えるようにすべきだと思う。新しい世界を想像するのにパソコンの視点にとらわれすぎだ、視野が狭いといわれるかもしれないが、世界中でパソコンは毎年五千万台以上売れている。どんなアプリケーションやサービスの開発を計画するにしても、この台数はじゅうぶん手応えのある先行市場だといえるだろう。

ある型のセットトップボックスがいきなり百万台普及したとしても、パソコン向けマルチメディアタイトルのビジネスチャンスにくらべたら、ささやかなものだ。こういう専用ボックスに対しては、アプリケーション開発者も研究開発費のごく一部を回すことしかできない。短期的には限られた数のユーザーしか期待できない市場に対して新しいアプリケーションを開発する余力があるのは、超大企業に限られる。したがって、これから起こるイノベーションのほとんどは既存市場の拡張になるだろう。そして、パソコン／インターネット市場を利用することが、インタラクティブTVや情報ハイウェイへとつなげていくための方策となる。もっとも、ほかのコンピュータプラットフォームや家庭用ゲーム機についてもおなじような議論が可能なのだが。

マイクロソフト以外のソフトメーカーも、セットトップボックスのソフトウェアに関する自社の戦略におなじように自信を持っている。アップルはマッキントッシュの技術を使うことを提案しているし、シリコン・グラフィクスは自社のUNIX系ワークステーションOSを採用するつもりでいる。現在は主として業務用トラックのアンチロックブレーキシステムに使われているOSを転用したいと考えている小さな企業さえあるくらいだ。

ハードメーカーでも、セットトップボックスへのアプローチについてはおなじようなことを考えているらしい。一方、家電メーカーはウォレットPCからテレビまで、どんな情報家電をつくり、どんなソフトを使おうかと検討しているところである。

ソフトウェアアーキテクチャをめぐる争いは延々とつづき、それまで興味を示さなかった潜在的競合相手も現われるだろう。あらゆるソフトウェアコンポーネントは、現在のコンピュータ同士のように、ある程度の互換性は持つはずだ。インターネットにはほぼどんなコンピュータでも接続できるのだから、情報ハイウェイでもきっとおなじことだろう。

こうしたプラットフォームにはどの程度共通したユーザーインターフェイスを持たせるべきなのか、という問題もある。ただひとつの共通のユーザーインターフェイス、というのが理想だけれど、使う人が気に食わなければどうしようもない。ママ、パパ、おばあちゃん、幼稚園児、X世代の若者——すべての人がおなじ好みということはないだろう。このうえなく柔軟なこのメディアでは、ワンサイズでだれにでもフィットするようにしておかねばならないのだろうか？　いろいろと議論は広がるが、インターフェイスの問題もやはり、実験と改良をくりかえして最終的には市場に決めてもらうべきものなのではないだろうか。

おなじように市場の決定を待つべきものは、ほかにもいろいろある。著者の名前の出ている情報やエンターテイメントにおいても広告を認めるべきか？　それとも、ほとんどのサービスに対して利用者が直接料金を払うようにしたほうがいいのか？　テレビや情報家電のスイッチを入れたときから、すべて利用者自身が表示内容をコントロールするのがいいのか、それとも最初に現れる画面はネットワークプロバイダがコントロールして、なんらかの情報を提示すべきなのか、といったことだ。

市場はネットワークデザインの技術的側面にも影響を与える。専門家の多くはインタラクティブネットワークに非同期転送モード（ＡＴＭ）が使われると考えているけれど、いまのところＡＴＭはコストがかかりすぎる。ＡＴＭ装置の価格がチップに関連するほかの技術のコストとおなじような動きを示すとしたら、急速に安くなるはずだ。しかし、もしなんらかの理由で価格が下がらなかったり、下がり方が遅かったりしたら、信号は消費者の家庭に入る前に別の形式に変換しなければならなくなる。

情報ハイウェイをマスマーケットでうまくスタートさせるには、さまざまな分野の企業からさまざまな技術を集めることが必要になる。必要な技術のいくつかに自信がある企業は、なにもかも自力で解決して、だれにも頼らずに市場を活性化させたくなるものだが、それはまちがったやり方だと思う。

わたしはいつも、ビジネスはほんの限られた範囲の能力を核にした集中的な展開がベストだと考えてきた。コンピュータ産業も人生もおなじことで、あらゆることをうまくやってのけようとしても無理に決まっている。IBMやDECといった業界の古株は、チップからソフトウェア、コンサルティングまで、すべてを自分のところでやろうとした。しかし、マイクロプロセッサとパソコンの標準が定まって技術革新のペースが加速されたとき、多角的な戦略は脆弱だということがはっきりした。特定の分野に的をしぼった企業のほうがうまくいったのだ。ある企業は優れたチップをつくり、べつの企業は優れたパソコンを設計した。またべつの企業はディストリビューションとインテグレーションに優れている。それぞれの新企業がせまい分野に集中して、成功したわけだ。

だから、注意したほうがいい。情報ハイウェイに関連するあらゆる分野をひとつの組織にまとめてしまうような企業合併には、懐疑の目を向けるべきなのだ。情報ハイウェイに関する新聞記事の多くは、こうしたビッグビジネスの交渉事にしか注目していない。メディア企業も合併し、これまでと違う図式が生まれつつある。電話会社がケーブル事業者を買収するケースもある。ワイアレス通信のマッコウ・セルラー社は、ワイアベースのAT&Tに買収された。ディズニーはキャピタル・シティーズ／ABCを手に入れ、タイム・ワーナーはターナー・ブロードキャスティングの買収を提案している。こうした投資に踏み切った企業が自分たちのしたことを正しく評価できるようになるまでには、かなり長い時間がかかるだろう。

正しい選択であろうとなかろうと、こうした交渉劇は大衆を喜ばせるようだ。たとえば三百億ドルという金額が提示されたベル・アトランティックとＴＣＩの合併が中止になったとき、新聞はこれが情報ハイウェイ実現の妨げになるかどうかをさかんに論じた。結果はノーだ。どちらの企業も情報ハイウェイのインフラ整備を目標に掲げて、投資プランを積極的に展開している。

情報ハイウェイの実現は、パソコンとインターネット、それに新しいアプリケーションの進化にかかっている。企業同士が合併したり、合併に失敗したりすること自体は、技術の進歩や停滞を示す目安にはならない。あの手の交渉はバックグラウンドノイズのようなものだ。聞いている者がいてもいなくても、つねにゴロゴロ鳴りつづけている。マイクロソフトについていえば、映画会社やＴＶネットワーク、新聞・雑誌社など、何百という企業と関わりを持つだろう。そうした企業との提携により、先方の所有するコンテンツをアレンジして、ＣＤ－ＲＯＭやインターネット、情報ハイウェイを念頭に置いたアプリケーションをつくりたいと思っているからだ。

わたしたちはそういうかたちでの企業の連携に期待をかけているし、深く関わっていきたいと考えている。ただし、マイクロソフトの本来の目的は、情報ハイウェイ向けのソフトウェアコンポーネントをつくっていくことだ。そして、新しい応用分野《アプリケーション》を開拓するハードメーカーに対して、数多くのソフトウエアツールを供給しようとしている。世界中のさまざまなメディアやコミュニケーション企業がわたしたちといっしょに仕事をし、アプリケーションに対する顧客の反応を見ることだろう。顧客からのフィードバックをとらえるのは、きわめて重要なことである。

情報ハイウェイに関わる実験の結果は、あなたも知ることができるはずだ。マルチプレイヤーの新しいゲームに人はひきつけられるだろうか？　新しいやり方での人づきあいは受け入れられるだろうか？　ネットワークを介して協力しながら仕事を進めるという方法は広まるだろうか？　人々は新たな市場でショッピングをするだろうか？　これまで想像もしなかったエキサイティングなアプリケーションは登場するだろうか？　人々はこうした新しい機能に対してお金を払うだろうか？

こうした問いに対する答えこそが、情報化時代の展開を見通すカギになるはずなのだ。企業合併も情報ハイウェイをめぐる騒ぎも、はたで見ているぶんには面白い。しかし、情報ハイウェイ建設のレースが実際どうなっていくかを知りたければ、インターネットに接続したパソコンや、情報ハイウェイを念頭においた実験で人気を集めたアプリケーションから目を離さないことだ。少なくとも、わたしはそれを心がけている。

第一二章
最も重要な課題

現在は情報化時代というエキサイティングな時代だ。それも、まだはじまったばかりである。このところ、どこへいっても——人前で話すときも友人たちとの食事の場でも——かならず尋ねられるのが、情報テクノロジーがわたしたちの生活をどう変えていくかということだ。情報テクノロジーによって未来がどんなものになるのかを、だれもが知りたがっている。わたしたちの生活は良くなるのか、それとも悪くなるのか？

前にも書いたようにわたしは楽観主義者だから、新しいテクノロジーがもたらす衝撃についても楽観的に見ている。新しいテクノロジーは余暇を増やし、豊富な情報によって文化をより豊かにしてくれるだろう。在宅勤務や遠隔オフィスを可能にすることで、都市に住む人たちの悩みを緩和してくれもする。物理的なものでなくビットのかたちをとる製品が増えるため、資源問題の解決にも役立つだろう。わたしたちは自分の生活をもっと自分の力でコントロールできるようになり、なにかを体験するにしても製品を買うにしても、自分の興味に合わせてカスタマイズすることが可能になる。情報化社会の住民は、生産、学習、娯楽のすべてにわたって新たな機会を与えられるのだ。積極的に動いて協力しあう国々には、経済的な見返りがあるだろう。こうしてまったく新しいかたちの市場が出現し、無数の雇用が創出されることになる。

何十年という単位で見れば、経済はつねに上昇傾向にある。過去二、三百年間にわたって、各世代はいつもそれ以前の世代よりも効率的な仕事のやりかたを発見してきた。その蓄積が人間に大きな恩恵をもたらしたのだ。現代の平均的な人間は、数世紀前の貴族よりはるかに水準の高い生活を送っている。国王から土地をさずかるというのはすごいことだろうけれど、シラミだらけというのはいただけない。医学の進歩にかぎっても、寿命を延ばし生活水準を上げることに大いに貢献してくれたわけだ。

二〇世紀初頭には、ヘンリー・フォードが自動車産業そのものだった。しかし、今あなたが乗っているクルマは、フォード自身が乗っていたどんな自動車よりもすぐれている。安全で信頼性が高く、オーディオ機器までついている。こうした進歩のパターンは、これからも変わらないだろう。生産性の向上こそが社会を前進させる駆動力だ。先進工業国での平均的な生活者が、現在の水準で最高の暮らしをしている人よりいろいろな面で〝リッチ〟になる日が来るのも、時間の問題だろう。

わたしがいくら楽観主義者でも、これから起こることについてまったく心配していないわけではない。大きな変化が起きるときはいつもそうだけれど、情報化社会の恩恵をこうむるにもそれなりの代償がある。ビジネスの分野によってはある種の混乱が生じ、労働者の再教育が必要になるだろう。通信とコンピューティングのコストがただ同然になれば、国家間の関係や社会経済グループ間の関係にも変化が生じる。パワフルで柔軟性に富んだデジタルテクノロジーのおかげで、個人のプライバシーや商業上の秘密の保持、国家の安全保障に関して、新たな問題が生じてくるだろう。さらに、公平性の問題にも取り組まなければならない。情報化社会は、技術的な知識のある人や経済的な特権を持つ人たちだけでなく、万人に恩恵を与えるものでなくてはならないからだ。要するに、あらゆる種類の重要な問題にわたしたちは直面することになる。わたしはかならずしもそのすべてに答えを用意しているわけではないが、「はじめに」にも書いたとおり、いまは幅の広い議論をするべき時期だと思う。技術の進歩によって社会全体が直面する新たな難問には、まったく予見できないものもある。また、技術的な変革のペースはものすごく速く、ときには昨日とまったく違う世界にいるような気がすることもあるだろう。ほんとうはそんなことはないのだが、変革に対する準備が必要であることはまちがいない。だれもがアクセスできるネットワークの実現、教育への投資、規制のあり方、個人のプライバシーやセキュリティ管理のバランス……そうした問題について、社会はむずかしい選択を迫られる。

未来について考えるのは大切だけれど、いたずらに結論を急ぐのは避けなければならない。現在のわたしたちにできるのは一般的な問いを投げかけることだけで、細部にわたって具体的な規制を考えても意味がない。この革命が今後どんな方向に進むのか、その見きわめがつくのはまだ先なのだ。わたしたちはそれまでの時間を使って理性的な決定を下すべきなのであり、性急に今後の方針を決めてしまうのはよくない。

個人的に抱く不安感でいちばんよくあるのは、「経済の変化にどう対処していけばいいのか」ということだろう。自分がいまやっている仕事は時代遅れになるのではないか？　新しい仕事のやり方についていけないのでは？　自分の子どもが選んだ職業が、いずれ消え去ってしまいはしないか？　経済の激変による失業、とくに高齢者の失業が激増するのではないか？　そんな危惧をみんなが抱いていると思う。たしかに心配するのも無理はない。ある職種や業種がそっくり消えてしまうこともありうるのだ。しかしそのかわり、新しい職種や業種が誕生する。これから二、三十年のあいだにそういう変化が起きるだろう。歴史的な基準からすれば急激な変化かもしれないが、マイクロプロセッサ革命がこの十年のあいだに職場にもたらした変化や、航空・輸送・金融などの産業に与えた影響とくらべれば、さほど破壊的なペースでもない。

マイクロプロセッサとパソコンによって、さまざまな仕事や企業が大きく変化した。中には消えてしまったものもある。しかし、産業社会の大きな部門が全体としてマイナスの影響を被ったという例は見あたらない。メインフレーム、ミニコン、タイプライターなどのメーカーは規模を縮小せざるをえなかったけれど、コンピュータ産業全体としては成長したわけだし、雇用創出の効果もずいぶん大きかった。IBMやDECなどの大企業ではレイオフが行なわれたが、解雇された社員の多くはおなじ産業の中に――たいていはパソコン関連企業に――再就職先を見つけた。

コンピュータ産業の外でも、パソコンによってビジネスの一分野全体が被害を受けたという例はない。DTP（デスクトップパブリッシング）のプログラムによって職を失った植字工もいるだろうが、その何倍もの人間がDTPによって新たに生じた職についたはずだ。万人にいい結果をもたらすような変化は存在しない。しかしパソコンが推進力となって起きた革命は、かなり良質のものだったといっていいだろう。

世の中に存在する仕事の数はかぎられていて、ひとつ仕事がなくなればそのまま取り残されてしまう人が出るのではないか、と心配する人もいる。幸いなことに、経済システムはそんなふうに働くものではない。経済は相互に結合しあった巨大なシステムだから、ある分野から切り離された労働資源があれば、その価値を認めるべつのエリアに渡されるようになっている。ある職種が不要になれば、それに関わっていた人たちはべつの仕事に取り組むことが可能になるわけだ。長い目で見れば、最終的には生活水準の向上をもたらすだろう。景気の後退や不況など、経済全般の浮き沈みによって周期的に失業が発生することはあるにせよ、テクノロジーの進歩は雇用創出の方向に動くはずなのだ。

経済の発展にともなって、職種はつねに変化していく。その昔、電話はすべて交換手を通じてかけていた。わたしが子どもだったころ、家から長距離電話をかけるには、まず「0」を回して交換手を呼び出し、相手先の番号を告げたものだ。ティーンエイジャーになったころにも、多くの会社ではまだ社内交換手が雇われていて、プラグを差し込んで電話をつないでいた。現在は通話量こそ格段に増えたが、交換手の数は激減した。機械が肩代わりしているからだ。

産業革命以前は、ほとんどの人が農業に従事し、農場に住んでいた。食料の確保が人類の最大の関心事だった。もしだれかがその当時、これから一、二世紀のうちに、食料の生産にはほんのわずかな人間しか必要でなくなる、と予言したとしたらどうだろう？　それではいったいどうやって生活するんだ、とみんな心配したに違いない。一九九〇年にアメリカ国勢調査局が把握した五百一種類の職種の大部分は、五十年前には存在すらしていなかった。これから出現する新しい仕事のカテゴリーを予言することはできないけれど、教育、社会サービス、レジャーなどのニーズに関連するものがほとんどだろう。

情報ハイウェイが売り手と買い手を直接結びつけることで、仲介を職業とする人たちが圧迫されることは想像がつく。これはウォルマートやプライスコストコといった大規模小売店や直販会社が、従来の小売店に与えた圧迫と変わりはない。ウォルマートが田舎町に進出したとき、地元の商店主たちは死活問題だと感じた。生き残る者もいれば、生き残れない者もいる。しかし結果的に地域経済にあたえる影響は、それほど大きくはない。文化的な面であまり歓迎されないかもしれないが、倉庫をそのまま利用する形態の店やファーストフードチェーンが成功したのは、代金の支払いというかたちで票を投じている消費者が、価格の安さを支持したからだ。

仲介業者の数を減らすのも、コストを下げることにつながる。同時に経済的な変動をも招くだろうが、過去十年に小売業界で起きた変化にくらべればたいしたものではない。情報ハイウェイがあらゆる分野のショッピングに使われるようになり、仲介業者が目に見えて減るまでには長い時間がかかるはずだから、準備期間はたっぷりある。職をなくした仲介業者が新たにつく仕事は、いまのわたしたちには想像できないようなものかもしれない。新時代の経済がどんなクリエイティブな職を生み出すかは、じっと見守っているしかないのだ。しかし社会が必要とするかぎり、仕事がなくなることはけっしてない。

生産性が向上するという大きなメリットを指摘しても、危うい立場に立たされている人の慰めにはならないだろう。長い時間をかけて経験を積んできたことが必要とされなくなってしまった人に、なにかべつのことを学べというだけではいけない。けっきょくは適応せざるをえないとしても、新しいことに適応するのはそれほど簡単ではなく、時間もかかる。また、今後起きる変化の及ぼす二次的影響を推測するのは、予測可能な変化についてでさえむずかしい。まして予測のできない変化については、ほとんど見当もつかない。百年ほど前、人間ははじめて自動車を目にした。それで金儲けができるだろうとか、いくつかの職種や産業がなくなるかもしれないといった程度の予想はできた。しかし、詳細にわたってすべてを予見することは困難だった。御者をしている友だちに履歴書を書いておけとか、エンジンのことを勉強しておいたほうがいい、とかいったアドバイスをする程度のことはできただろう。しかし、道路沿いの店舗用地の買収までは考えつかなかったはずだ。

一般的な問題解決能力を伸ばす教育が、これまでにもまして重要になっていくだろう。激変する社会に投げ込まれる前に適応能力を身につけておくには、やはり教育が欠かせない。経済状況のめまぐるしい変化をうまくくぐり抜けていけるのは、適切な教育を受けた人と集団なのだ。社会がすぐれた能力の持ち主に特別に与える報酬はどんどん膨らんでいくだろうから、まずきちんとした教育を受け、その後も学びつづけることを心がけてもらいたい。生涯を通じて、新しいことに興味を持ち、新しい能力を獲得していく姿勢がほしい。

気楽で居心地のいい場所を追われたと感じる人も増えるだろうが、すでに学んだことの価値が消えてしまうわけではない。ただ、人も企業も自らをつくり直す作業を——一度ならず——受け入れなくてはならない、ということなのだ。企業も政府も労働者の再教育に取り組むだろうが、最終的に自分の能力に責任を持つのはやはり自分でしかない。

第一歩はコンピュータに慣れることだ。よく理解できないうちは、ほとんどだれでもコンピュータというものに不安を抱くようだ（子どもだけは例外だけれど）。はじめてコンピュータに触れる人は、たったひとつのミスで機械を壊してしまうのではないか、データをそっくり消してしまうのではないかと心配する。たしかにデータをうっかり消してしまうことはよくあるけれど、取り返しのつかない事態になることはめったにない。わたしたちは、データを不用意に消すおそれがあまりなく、万一失敗しても簡単に修復できるようなソフトウェアをつくろうと心がけてきた。ほとんどのプログラムに〝アンドゥ〟(Undo) コマンドがあって、いったんやった操作をすぐに取り消せるようになっている。失敗が破滅につながるわけではないとわかれば、ユーザーはもっと自信を持つだろう。そして実験をはじめる。実験をしてみたい人にあらゆる種類の可能性を与えてくれるのがパソコンなのだ。パソコン上で経験をつむうちに、ユーザーはなにができてなにができないかを理解するようになる。ここまでくれば、パソコンはもはや脅威ではなく、便利な道具になっている。パソコンはトラクターやミシンと同様、特定の作業を効率よく行なうのに役立つ機械なのだ。

人がコンピュータに抱くもうひとつの不安は、機械があまり「賢く」なると人の心などは必要でなくなり、機械が人間にとってかわるのではないかということだ。人間の知能の一部を再現するプログラムなら、いずれはできると思うけれど、わたしが生きているうちに可能だとは思えない。コンピュータ科学者たちは何十年も前から人工知能の研究に取り組み、人間とおなじ理解力と常識を備えたコンピュータをつくろうと努力してきた。アラン・チューリングは一九五〇年に、チューリング・テストと呼ばれるものを考案した。被験者はコンピュータと人間の両方を相手にメッセージをやりとりするが、相手の姿を見ることはできない。対話をしばらくつづけてもどちらが人間でどちらがコンピュータか判断がつかないままであれば、真にインテリジェントな機械ができたと考えよう、というものだ。

しかし、人工知能の発達についての主要な予言は、どれも楽観的すぎたことがはっきりした。いまある世界最高のコンピュータでも、単純な学習作業すらできない。コンピュータが知性を持っているように見えたとしても、それはある種の作業を愚直に行なうよう特別にプログラムされているだけのことだ。たとえば、チェスの指し手を何十億通りも試すことで、名人級の強さのプログラムができるのである。

コンピュータは、予測可能な未来に向けて人間の知性を増強する道具になりうる力を秘めている。とはいえ、ほとんどすべての人がユーザーになるまでは、情報家電が情報発信の主役になることはないだろう。金持ちも貧乏人も、都会人も田舎の人も、老いも若きも——すべての人が情報家電を手にするようになれば、すばらしいことだ。多くの人にとって、パソコンの値段はまだまだ高すぎる。情報ハイウェイが社会と呼べるほどの統合を実現するためには、エリートだけでなく事実上すべての人がアクセスできるようにしなければならないが、全世帯に情報家電が行き渡る必要はかならずしもない。大部分の人が家庭にシステムを所有するようになったら、持っていない人は図書館、学校、郵便局、情報キオスクなどに設置してあるマシンを利用すればいい。万人がアクセスできるようにすることは重要だけれど、それを問題にするのは情報ハイウェイがうまく稼働するようになってからでいい。もちろん、評論家たちの予測よりはずっと高いレベルで、ということだ。それにしても、情報ハイウェイが大衆化しすぎるのは問題だと文句をいう当の評論家が、情報ハイウェイなど普及しないといっているのには驚いてしまう。

じゅうぶん発展をとげた情報ハイウェイは、当然ながら手ごろな費用で利用できるはずだ。一部の大企業や金持ちだけが接続可能な高価なシステムなら、情報ハイウェイではなく〝情報私道〟にすぎない。社会の十パーセント程度の裕福な人しか利用できないようなネットワークは、すぐれたコンテンツを集めて成長することはできないだろう。オーサリングには一定の費用がかならずかかるから、手ごろな価格に抑えるにはユーザーの数を増やすしかないのである。また、大方の了解が得られないかぎり、広告収入で情報ハイウェイを支えるわけにもいかない。接続料金が引き下げられるとか、システム設計のやり直しによる遅れをカバーできるほど魅力的なサービスが受けられるとかいったメリットがなければ、賛同を得るのはむずかしいだろう。いずれにせよ、情報ハイウェイは大衆を相手にするしかないのである。

やがてはコンピューティングとコミュニケーションのコストが劇的に下がり、オープンな環境での競争がはじまるだろうから、情報ハイウェイ上の娯楽や情報の大部分は低いコストで提供できるようになる。広告を導入すれば、コンテンツの多くは無料になるだろう。ただ、ロックバンドだろうとコンサルティングエンジニアだろうと、あるいは出版社だろうと、サービスプロバイダはユーザーに支払いを要求する。したがって情報ハイウェイは、賢明な方針をとれば手ごろな費用で使えるようにはなるものの、まったくの無料にはならないだろう。

利用者が情報ハイウェイのサービスに費やすことになるお金の大部分は、現在もべつのかたちで同種のサービスに使っているお金である。以前はレコードに使っていたお金で、いまはCDを買っているとか、映画のチケットを買うかわりにビデオのレンタル料金を支払っているといった変化とおなじことだ。そのレンタル料金が、いずれビデオ・オン・デマンドの料金に変わっていく。印刷された定期刊行物の購読料金の一部は、インタラクティブな情報サービスに流れるだろう。そして現在、市内通話や長距離通話、ケーブルTVに使われているお金の大部分が、情報ハイウェイに使われることになる。

政府の提供する情報、医療アドバイス、掲示板、一部の教材などは無料になる。そしてひとたび情報ハイウェイに乗れば、重要なオンラインリソースに対しても平等なアクセスができることがわかるだろう。二十年以内に、商業、教育、広域通信サービスが情報ハイウェイに乗る。そして情報ハイウェイを使うかどうかによって、その人が社会の中心的メンバーになれるかどうかが——少なくとも部分的には——決まるようになるだろう。そこで社会の側は、地理的な意味でも社会経済学的な意味でもすべてのユーザーが平等になるよう、幅広い層の人びとのアクセスをどうやって保証するかを決めねばならなくなるのである。

教育は、情報化がもたらす難問をすべて解決してくれるわけではないにせよ、答えの一部にはなるだろう。現代社会のさまざまな問題が、部分的には教育の問題であるのとおなじことである。どんな未来学者にも劣らない想像力に恵まれ、つねに先を見つづけていたH・G・ウェルズは、一九二〇年にこんなことをいっている。「人間の歴史は、教育と破滅との競争という色彩をますます強めている」。教育はいわばこの社会を平らにならす役割を担っており、教育上の進歩はすべて、平等を目指す長い道のりをたどる。電子化された世界の利点のひとつは、教材の利用者の数が増えても追加コストは基本的にゼロだということだろう。

パソコンを学ぶにしても、きちんとした教育でないといけないわけではない。前にも書いたように、わたしがパソコンの魅力にとりつかれることになったきっかけは、その後のウォレン・バフェットと同様、ゲームだった。わたしの父の場合は、税金の計算に使ったのがきっかけでコンピュータに夢中になった。もしコンピュータが恐いものに思えるのなら、こういう手近なところからはじめてみたらどうだろうか。自分の生活を楽にしたり、楽しくしたりしてくれることを探し、それをコンピュータにやらせてつきあっていけばいい。映画のシナリオを書いてもいいし、ホームバンキングでも、子どもの宿題の手伝いでもいいだろう。コンピュータを気楽に使えるように努力するのは、けっして無駄ではない。性急に切り捨てるようなことをしなければ、じょじょにでもコンピュータは味方になってくれるはずだ。複雑でむずかしいと感じても、それはあなたの頭が悪いということではない。まだまだ業界の側に、使い勝手をよくする努力が足りないというだけのことだ。

あなたが若ければ若いほど、これには重要な意味がある。あなたが五十歳以上だとしたら、コンピュータの使い方を習う必要を感じる前に退職、ということになるかもしれない（そのままコンピュータに近づかないままなら、びっくりするような体験のチャンスを逃したことになるとは思うけれど）。もしもあなたが二十五歳になったばかりで、コンピュータの扱いに自信がないとしたら、どんな職種に就こうと成功はむずかしいだろう。コンピュータを道具として使いこなすことができれば、仕事を探すのもずっと楽になる。

つまるところ、情報ハイウェイはわたしの世代やそれ以前の世代ではなく、これからの世代のものなのだ。このテクノロジーを限界まで推し進める力を持っているのは、この十年間にパソコンといっしょに育った子どもたちや、これから情報ハイウェイで育つ人たちである。

わたしたちは、男女の不均衡を修正することにも注意を向ける必要がある。わたしがもっと若かったころ、コンピュータを扱うことを奨励されるのは男の子だけのようだった。いまの女の子たちは二十年前とくらべるとはるかにコンピュータに対して積極的だけれど、技術的な仕事に就く女性はまだ少ないように思う。女の子でも男の子と同じように、小さいうちからコンピュータに親しんでいいのだということをはっきりさせれば、コンピュータを操る能力を生かせる職場に、もっと進出していけるのではないだろうか。

わたし自身の子どものころの経験と、いま子育て中の友人たちの経験から、子どもはコンピュータを前にすると夢中になることはよくわかっている。だから、そういう機会を大人たちがつくってあげることが大事なのだ。学校に対しては情報ハイウェイを安く利用できるようにすべきだし、先生たちが新しいツールに親しめるようにもしておくべきだろう。

情報ハイウェイのすばらしい点のひとつは、現実世界よりもはるかに簡単に平等化が実現できることだ。すべての貧困地域の中学校の図書館にビバリーヒルズの学校とおなじ蔵書をそろえようとすれば、莫大な費用がかかる。ところが学校をオンライン化すれば、どの学校に置かれた情報にでもアクセスできるようになる。バーチャルワールドの中は完全に平等だから、現実世界では解決できていない社会問題を検討するには役立つはずだ。ネットワークで偏見や不平等が解決されるわけではないが、解決に向けての大きな力にはなるだろう。

エンターテイメントや教材といった知的財産にどう値段をつけるかという問題も興味がつきない。製造業によってつくりだされた古典的な製品なら、どうやって値段が決まるかは経済学者たちがよく知っている。合理的な価格決定のプロセスが、非常に直接的なかたちでコストの構造を反映する仕組みを、彼らはうまく説明してくれるだろう。複数のメーカーが競合する市場では、製品の価格は限界原価にまで下がってしまうことがある。しかしこのモデルを知的財産に適用することはできない。

経済学の基礎の講義を受けると、需要供給曲線というのが出てくる。二つの曲線の交差するところが製品の適切な価格になるというわけだ。ところが、製造コストに関して通常のルールを適用できない知的財産の場合、需要と供給の経済学は混乱をきたしてしまう。通常の場合、知的財産を開発するには巨大なコストを先行投資しなければならない。その作品の複製がひとつしか売れなくても、百万部売れても、この固定費は変わらない。ジョージ・ルーカスの『スター・ウォーズ』シリーズの新作は、直接の製作費だけで何千万ドルもかかるだろうが、それは何人がお金を払って劇場で観てくれるかということとは関係ない。

知的財産の価格設定がほかのものよりも複雑なのは、今日ではたいていの知的財産について、比較的安く複製をつくれるからだ。情報ハイウェイが実現すれば、ある作品の複製を送信するコスト——実質的には製造業における製造コストとおなじ——はさらに低下し、ムーアの法則により年々下がっていくだろう。薬局で新薬を買うとき、その代金のほとんどは製薬会社が研究開発と試験に使った費用に充当される。錠剤ひとつひとつをつくる限界原価はわずかでも、製薬会社はそれにかなりの金額を上乗せしなければならない。市場があまり大きくない場合はとくにそうだ。患者たちの支払う代金で研究開発費の大部分をまかなうだけでなく、新薬開発の財政的リスクを引き受けた投資家たちを喜ばせるに足る利益を生まなければならないのである。貧しい国がその薬をほしがれば、メーカーはモラル上のジレンマにおちいることになる。特許料をただにするか大きく割り引きするかしないかぎり、貧しい国がその薬を使えるようにはならないだろう。しかし、メーカーが研究開発に資金を投じられるようにするには、顧客のだれかが限界原価を上回る代金を支払わなければならない。薬の値段は国によって大きく違い、政府が医療費を補助しない場合、裕福な国の内部でも貧しい人たちを差別するようなことになってしまう。

新薬を買うにも、映画を観るにも、本を読むにも、裕福な人は普通の人よりたくさん払うようにする、という解決法もある。これは不公平に思えるけれど、現在も使われているシステム、つまり税金のシステムとおなじことだ。収入の多い人は所得税その他の税金というかたちで、道路や学校や軍隊や政府施設の維持費を普通の人より多く支払っている。たとえば、そうしたサービスを受けるのにわたしが去年支払った額は一億ドル以上になる。マイクロソフト株の一部を売却したため、相当な額の資本利得税《キャピタルゲイン》がかかったからだ。べつに不平をいっているわけではなく、おなじサービスに対してずいぶん支払う金額が異なる一例として紹介したまでである。

情報ハイウェイのアクセス料金は、コスト計算によるよりも、もっと政治的な決め方をすることになるだろう。遠く離れた家や小さなコミュニティにケーブルを敷くコストはほかにくらべてかなり高いから、遠隔地の人たちのアクセスには余分にコストがかかることになる。企業はそうした地域のための投資を渋るかもしれないし、遠隔地の人たちが自ら投資するのも無理かもしれない。僻地の接続には政府が金を出すべきか、それとも都会のユーザーが田舎のユーザーの分を肩代わりするような規則をつくるべきか、じゅうぶん論議を尽くす必要があるだろう。ただ、この問題にも先例がある。郵便、電話、電気のサービスについては、米国内のどこに住んでいようと一律料金にする「ユニバーサル・サービス(普遍的サービス)」と呼ばれる政策だ。田舎は人口集中地域とくらべると家庭と職場が離れていて、サービスにかかる費用も大きくなるが、それも同一料金でカバーするというものである。

新聞配達やラジオ・テレビの受信については、これに相当する政策はない。それでも、こうしたサービスは全国くまなく行なわれているから、ある状況のもとでは政府の介入がなくてもじゅうぶんなサービスを受けられるということだろう。アメリカ郵政公社は、真に普遍的なサービスを提供するにはこれしかないとして、政府機関の一部として設立されたものだ。しかし、UPSやフェデラル・エクスプレスは違った見解を持っているだろう。どちらも広い地域をカバーしながら利益を得ているのだから。情報ハイウェイへのアクセスの保証に政府が関るべきかどうか、関るにしてもどの程度にすべきかという問題をめぐって、これから何年も激しい議論がつづくに違いない。

情報ハイウェイは、遠隔地に住む人が相談をしたり、共同作業をしたり、他の地域と関係を持ったりするための手段を提供する。田舎のライフスタイルと都会の情報が結びつけば魅力的だと思う人が多いため、ネットワーク会社は田舎でも高収入の世帯を抱えているところに光ファイバーを敷こうとするかもしれない。その地域の接続性のよさを売りものにする州や地域、あるいは宅地開発業者すら登場するのではないだろうか。こういう流れは、国内各地の〝アスペン化〟(アスペンはスキー場で有名なコロラド州の村)とでもいうべきものにつながっていく。生活の質という点でもともと高く評価されていたはずの田舎のコミュニティが、洗練された新種の都会人を引き寄せるための計画に熱中しはじめるわけだ。それでも全体としてみれば、情報ハイウェイへの接続は都市部の方が早く実現するだろう。

情報ハイウェイは国境を越えて、発展途上国にも情報とチャンスをもたらすだろう。費用の安いグローバルコミュニケーションによって、人はどこにいても世界経済の表舞台に立てる。中国在住の英語を話せる博士《ドクター》が、ロンドンにいる同業者とコンサルタントの仕事を奪い合うなどということも起こりうる。工業国の頭脳労働者は、ある意味で新しい競争にさらされることになる。過去十年にわたって工業国の製造業者たちが、発展途上国からの追い上げに苦しめられたのとおなじことだ。かくして情報ハイウェイは、知的財産とサービスをめぐる国際的取引において圧倒的な力を発揮する。ちょうど、比較的安い航空貨物輸送とコンテナ式海上輸送が利用しやすくなったことが、製品の国際取引の大きな伸びにつながったように。

実質的な成果は、より豊かな世界ということだが、その豊かさは安定したものでなければならない。先進諸国とそこで働く人々は、経済的にかなりのリードを保つことになりそうだ。とはいえ、持てる国と持たざる国との格差は縮まるだろう。あとからスタートした方が有利になることもありうる。後発組は途中の段階を飛び越し、先行する者が犯したあやまちを犯さずに進むことができる。あるいは、工業化を経験しないまま一挙に情報化時代に突入する国もある。ヨーロッパはアメリカに数年遅れてテレビを取り入れた。ヨーロッパで規格を定めるころには、アメリカより画質の高い方式ができていた。こうしてヨーロッパの人々は、美しいテレビ映像を何十年も享受してきたのである。

電話システムも、スタートの遅れがメリットにつながる実例のひとつだ。アフリカや中国では、各地で携帯電話が広く使われている。アジア、ラテンアメリカ、その他発展途上地域でも携帯電話のサービスが急速に広まっているのは、銅線を引く必要がないからだ。今後もこういう地域では、銅線を使った従来の電話システムを取り入れることはないだろうと予測する携帯電話業界の関係者は多い。つまり、電柱を立てるために百万本もの木を切り倒し、総延長十万マイルもの電話線を張りめぐらせ、けっきょくそれを取り外してネットワーク全体を地下に埋設する、などという無駄なことをしなくてすむわけだ。こういう国では、無線の電話がはじめての電話システムとなる。広帯域のケーブルを敷設する余裕のない地域では、携帯電話システムがますます発達し、性能が向上していくだろう。

先進的なコミュニケーションシステムの存在は、各国をどんどん均質化し、国境の重要性を薄めていく。ファックス、ポータブルビデオ、CNNも、社会主義体制と冷戦を終結に導くのに大きな役割を果たした。こうしたテクノロジーによって、いわゆる〝鉄のカーテン〟越しにニュースが行き来できたのだから。

商業用の衛星を使った放送はいま、中国やイランのような国の市民たちに外の世界をかいま見る貴重な機会を提供しているが、こういう放送の視聴は、かならずしも政府から認められた行為ではない。この新しい情報源へのアクセスによって、人々は異文化への理解を深め、たがいに結びつけられていく。しかし、これが欲求不満をつのらせる原因になるのではないかと考える人もいる。悪くすると、自分の権利がじゅうぶん認められていないと思っている人が、全然違ったライフスタイルを次から次へと見せつけられ、自分の境遇とくらべているうちに、〝期待感の革命〟を起こすのではないか、というわけだ。個々の社会の内部では、人々が情報ハイウェイを利用して幅広い可能性に目を開かれるうちに、伝統的な体験と現代的な体験のバランスが崩れはじめるだろう。グローバルな問題やグローバルな文化にばかり人々の目が向いて、伝統的な問題や地域の問題への関心が薄れることを、不愉快に感じる文化もあるかもしれない。

「ニューヨークのアパートに住む人間とアイオワの農場に住む人間、それにアフリカの村に住む人間がおなじ広告に心を動かされたとしても、各人の状況が似通っているということにはならない」と、均質化された共通体験によって地域の多様性を消そうとするテレビの傾向を評して、ビル・マッキベンはいった。「離れた場所に住む人々がほんとうに感覚を共有しているのかどうか、ただ多少そんな徴候があるというだけのことだ。グローバルビレッジというものの内実は、そういうわずかばかりの、かすかな共通性にすぎない」

　しかし、人々がその広告を、あるいはその広告が支えている番組を見ることを選択したら、その権利を否定できるだろうか？　これは各国がそれぞれに答えを出すべき政治的な問題だ。それにしても、情報ハイウェイにフィルタをかけて、一部の要素だけを取り込むようにするのは簡単ではないだろう。

　アメリカのポップカルチャーは国外にも強い影響力を持っているので、それを制限しようと試みている国もある。外国のテレビ番組を放送できる枠を週に何時間と決めることによって、国内の番組制作者の居場所を確保しようというわけだ。しかしヨーロッパでは、衛星放送とケーブルテレビによって政府のコントロールは低下している。情報ハイウェイは境界を突き崩し、世界全体の文化――少なくとも文化的活動や価値観の共有――をつくりだすかもしれない。それと同時に、自らの民族共同体に深く関っている愛国者――あるいは国外居住者――が、関心をおなじくする他者と、どこにいても簡単に接触できる手段を提供する。つまり、文化の多様性を広げ、むしろただひとつのグローバルな文化への傾斜を押しとどめる力にもなりうるということだ。

　もし人々が自分自身の関心事にのみ意識を向け、広い世界から引きこもってしまったら――ウェイトリフティングの選手はウェイトリフティングの選手としか付き合わず、ラトビア人はラトビアの新聞だけしか読まないようなことになったら――共通の体験と共通の価値観が失われてしまうだろう。異文化への恐怖心は社会をばらばらにする力を秘めているのかもしれないが、実際にはそんなことにはならないだろう。というのも人間は本来、グローバルコミュニティも含めて、たくさんのコミュニティに所属したいという気持ちを持っていると思うからだ。アメリカ人がこの国の国民として共通の経験をするのは、テレビでさまざまなできごとをみんなが同時に目撃するからである。打ち上げ後に爆発したスペースシャトル「チャレンジャー」、スーパーボウル、大統領就任式、湾岸戦争、O・J・シンプソンのカーチェイス――そういう瞬間瞬間に、わたしたちは〝いっしょ〟だったのだ。

もうひとつ人々が心配するのは、強烈な魅力をもつマルチメディアエンターテイメントがいつでも簡単に楽しめるようになったら、いつのまにかひどくそれにのめりこんでしまう人間も出てくるだろうということだ。バーチャルリアリティ体験がありふれたものになったら、これは深刻な問題を引き起こすかもしれない。

ある日バーチャルリアリティゲームのなかで、バーチャル・バーに入っていったあなたは、〝特別な相手〟と目を合わせることになる。相手はあなたが興味を示したことに気がつき、近づいてきて言葉をかける。あなたも相手としゃべりながら、自分の魅力と機知をこの新しい友だちに印象づけようとする。ふたりはその場で、パリに行こうと決めるかもしれない。ヒューッ！　あっという間にパリに着いたふたりは、ノートルダム寺院のステンドグラスをいっしょに見上げている。「香港のスターフェリーに乗ったことはある？」誘うつもりで、あなたは友だちにたずねてみる。ヒューッ！　たしかにバーチャルリアリティは、これまでのTVゲームよりずっと没頭しやすく、病みつきになりそうだ。

あまりにも頻繁に、あるいはあまりにも長時間、この魅力的な世界に逃避するようになったことに気づいて心配になってきたら、「どんなパスワードを使っても、一日に三十分以上はゲームをさせないでくれ」とシステムに告げて、楽しみを自制すればいい。魅力的すぎて我を忘れるのを戒めるためのスピードバンプ（車のスピードを落とさせるために道路上につくるこぶ）というわけだ。でっぷり太った人の写真を冷蔵庫に貼って、間食の戒めにするようなものである。

スピードバンプは、そのうち後悔しそうな行為を思いとどまるのに大いに役立つ。しかし、だれかがノートルダム寺院のシミュレーションの中で、ステンドグラスを眺めて暇をつぶしたり、仮想のバーで作り物の身体をもった友人とおしゃべりをして過ごそうと決めたのだとすれば、その人は自分の自由を行使しているだけのことだ。現在、多くの人が日に数時間テレビを見て過ごしている。こういう受動的な暇つぶしの時間の一部をインタラクティブなエンターテイメントに置き換える程度なら、なにも問題はないと思う。正直にいって、世間の人が情報ハイウェイに何時間もはりついていても、わたしはべつに気に留めないだろう。のめり込んだところで、せいぜいTVゲームかギャンブル程度のことなのだから。それでも、自分の行動を変えたいと思いつつ、つい手を伸ばしてしまうという人のために、立ち直りを手助けする支援グループのようなものはできるかもしれない。

それよりも気がかりなのは、情報ハイウェイに頼りすぎたために、社会が脆弱化してしまう危険性である。

ネットワークと、ネットワークにつながったコンピュータを基本とするマシン群によって、社会に新しい遊び場、新しい仕事場、新しい教室ができる。ネットワークは本物の貨幣にとってかわり、既存のコミュニケーションの形態をほとんどすべて取り込んでしまう。わたしたちのアルバム、日記帳、ラジカセのかわりにもなる。こうした多彩さはネットワークの強みだが、それはまた同時にネットワークに依存するようになるということでもある。

依存は危険だ。一九六五年と一九七七年にニューヨーク市で大停電が起こったとき、何百万という人々が——わずか数時間のことだったのに——途方にくれた。それは、みんな電気に頼りきっていたからだ。照明、暖房、輸送機関、セキュリティ、すべてが電気の供給を前提としていた。その供給が絶たれたとたん、人がエレベーターに閉じ込められ、交通信号は用をなさなくなり、電動のポンプが停止した。なくなってはじめて、ほんとうに必要なもののありがたみがわかるのだ。

情報ハイウェイの全面ダウンという事態は、その対応についてじゅうぶん検討しておく価値がある。どこにも中心を持たないシステムなので、一カ所で起きた事故が広範囲に影響を及ぼすとは考えにくい。サーバーのひとつが故障したのなら、交換してもとのデータを復旧するだけのことだ。しかしこのシステムは、破壊行為に対して弱いかもしれない。重要になればなるほど、じゅうぶんな冗長性を持たせた設計が必要になるだろう。弱点のひとつは、システムが暗号——情報を守るための数学を使った鍵——に頼っていることである。

自動車のハンドルロックにせよスチール製の金庫にせよ、現行のセキュリティシステムはどれひとつとして完璧に安全とはいえない。侵入をできるだけむずかしくするよう努力するのが精一杯である。一般的な評価は逆なのだが、これまでのところ、コンピュータセキュリティは非常にうまくやってきた。情報を委ねられている人間がミスを犯さないかぎり、抜け目のないハッカーでもやすやすとは近づけないような方法で、コンピュータは情報を保護することができる。情報が漏れる主要な原因は、管理のずさんさにある。情報ハイウェイでもミスは起きるだろうし、流れる情報量はあまりにも多い。だれかの発行したコンサートのデジタルチケットが偽造可能なものだったら、会場に入りきれない人数が集まってしまう。こういうことが起きるたびに、システムの改訂と法規の修正が必要になるだろう。

システムのプライバシーもデジタルマネーのセキュリティも暗号化技術に頼っているので、数学やコンピュータ科学の進歩によって暗号システムが無効になってしまうと、大変なことになる。たとえば、きわめて大きな数字を因数分解してもとの素数を簡単に見つける方法がわかったとしよう。この能力を手にした人や集団は、デジタルマネーを偽造でき、個人のファイルや会社のファイル、政府のファイルにも侵入でき、国家の安全を揺るがすことさえ可能になる。だからこそ、システムの設計には慎重のうえにも慎重を期さなくてはならない。もしも特定の暗号化技術が破られうることが判明した場合、ただちにべつの暗号方式に切り換えられるようにしておく必要がある。しかしこれを完成するためには、まだ少し工夫がいる。十年以上も秘密にしておきたい情報のセキュリティを確保するのは、とりわけむずかしい。

プライバシーが失われるのではないかというのが、情報ハイウェイで懸念されるもうひとつの問題だ。政府機関だけではなく、民間企業もすでに大量の個人情報を収集している。しかし、その情報がどう使われたかも、データが正確かどうかもわからないことが多い。国勢調査の統計には、詳細な情報が大量に含まれている。医療機関の記録、運転免許の記録、図書館の記録、学校の記録、裁判所の記録、クレジットの履歴、納税の記録、融資の記録、雇用の記録、クレジットカードでの支払い――そのすべてが個人を浮き彫りにする。たとえばあなたがあちこちのバイクショップに電話しているとする。そういう人は、オートバイの広告の絶好の対象になりそうだから、理論的にいえば電話会社はその情報を売って商売することができる。個人情報は日常的に集められ、ダイレクトメールのリストやクレジットの報告書になっている。これまでにもデータがまちがっていたり、悪用されたりしたケースがあったことから、こうしたデータベースの利用は法的に規制されるようになった。アメリカでは、自分についての個人情報を当人が閲覧できることになっており、自分の情報をだれか他人が閲覧した場合には、そのことを知る権利がある。情報があちこちに分散しているおかげで、いまのところ個人のプライバシーはいちおう守られているが、全部まとめて情報ハイウェイに接続された場合は、コンピュータを使って別々の情報を関連づけることが可能になる。クレジットのデータと雇用の記録、販売契約の記録がリンクすると、個人の活動が正確に把握されてしまう。

情報ハイウェイを利用したビジネスが増えて、そこに蓄積される情報量がどんどん膨れあがると、行政はプライバシーに関係する情報へのアクセスを規制する方針をとろうとするだろう。ネットワーク自体がその時点でそういう方針に沿うものに変わり、医者は患者の納税記録にアクセスしない、政府の役人は納税者の学業記録を見られない、教師は学生の医療記録を閲覧できない、といったことを保証するようになるだろう。情報が存在するということ自体ではなく、情報の濫用が問題なのだ。

いまのわたしたちは、生命保険会社が保険を引き受けるかどうかを判断するために、自分の医療記録を見ることを許している。保険会社としては、契約者がハンググライダーや喫煙やストックカーレースなど、危険なことに手を出しているかどうか知りたいとも思うだろう。しかし、保険会社のコンピュータが情報ハイウェイを使ってわたしたちの物品購入記録を調べ、危険な行動をうかがわせる徴候がないかどうかたしかめるのを許していいだろうか？　わたしたちを雇うことになるかもしれない会社が、コンピュータでわたしたちの通信記録や娯楽サービスの記録を調べて、心理面の調査を行なうことは許されるのか？　連邦や州や市の機関は、どこまで個人情報をのぞいていいのだろう？　結婚するかもしれない相手の情報は、どこまでアクセスしていいのか？　プライバシーに関しては、法律の整備とともに運用面での規定を明確にする必要がある。

プライバシーに関するこうした危惧の中心にあるのは、自分についての情報をだれかが監視しているのではないかという可能性である。だが情報ハイウェイは、個人が自分自身のことを細かく記録していく手段にもなる。いわば〝詳細に記録された人生〟を送ることが可能になるのだ。

ウォレットPCには音声、時間、位置、そしていずれは持ち主の身に起きたあらゆる事柄を映像として記録できるようになるだろう。自分がいった言葉や人からいわれた言葉がことごとく記録され、さらに体温、血圧、気圧、その他自分自身と周囲の環境のさまざまなデータも残っていく。情報ハイウェイとのやりとり――出したコマンド、送ったメッセージ、呼び出したり呼び出されたりした相手など――もすべて追跡できる。こうして蓄積される記録は、究極の日記、究極の自叙伝にもなりうるわけだ。そこまでは必要ないという場合でも、家族のデジタルフォトアルバムをつくろうとするとき、それがいつどこで撮った写真かが正確にわかれば役に立つ。

要求される技術は高度なものではない。じきに人間の声を一秒あたり数千ビットのデジタル情報に圧縮することが可能になるだろう。ということは、一時間の会話なら約一メガバイトのデジタルデータに変換できる。ハードディスクのバックアップに使われる小さなテープには、すでに十ギガバイト以上のデータを保存できるようになっているから、約一万時間分の音声を圧縮して記録できるわけだ。新世代のデジタルビデオデッキ用のテープは百ギガバイト以上の容量になるだろうから、数ドルのテープ一本で、ひとりの人間の十年分以上の会話が記録できる。ひょっとしたら――その人がどのくらいおしゃべりかにもよるけれど――一生分だって録音できるかもしれない。いま挙げた数字は現時点での性能に基づいたもので、将来の記録媒体はもっと安価になる。音声は簡単だということでもあるが、数年以内には完璧なビデオ画像の記録も可能になるだろう。

詳細に記録された人生、というとちょっとぞっとするかもしれないが、このアイデアを温もりのあるものにしてくれる人もいるだろう。また、人生を記録することには防御の意味もある。つまり、ウォレットPCはアリバイ証明マシンと見ることが可能なのだ。暗号化したデジタル署名があるため、捏造不可能なアリバイによって、理不尽な告発から身を守ることができる。だれかに言いがかりをつけられたら、こういってやればいい。「おいおい、こっちには記録があるんだぜ。ビットは保存されている。オレのいったことはなんだって再生できる。いいかげんなことをいうんじゃない」。ただし、なにか悪いことをすればそれも記録される。不正な取引もまた記録として残る。リチャード・ニクソンはホワイトハウス内の会話をテープに記録していた。この録音テープと、のちにその内容を改竄しようとしたのではないかという疑惑によって、彼は大統領の地位を失った。詳細に記録された政治家人生を選んで、一生それを後悔するはめになったのだ。

ロドニー・キング事件は、ビデオテープの証拠能力とその限界を明らかにした。近い将来、警察の車両と個々の警察官に、時間と位置の記録が可能なデジタルビデオカメラを持たせるようになるかもしれない。勤務中の警察官自身も記録すべきだ、と市民の側はいうだろう。警察もそれには大賛成のはずだ。ひとつには残忍な犯罪や虐待から身を守るため、またひとつには、よりよい証拠を集められるようにするためだ。すでに、犯人逮捕の状況はすべてビデオに記録しているという警察もある。

この種の記録は、警察だけに影響を及ぼすわけではない。医療過誤保険は、手術経過やさらに診察までも記録している医師には安い保険料を適用する、あるいはそういう医師にしか利用できない、というふうになっていくだろう。バス、タクシー、トラックなど運輸関係の企業は、当然ながら運転手たちの運行実績に関心を抱いている。また、走行マイル数と平均速度を記録する装置を取り入れている会社はすでにある。あなたやわたしの車も含めてすべての自動車に、記録装置だけでなく車両とその位置の識別のための送信機——未来のナンバープレート——をつけようという提案が出てくることも想像できる。いまでも飛行機には〝ブラックボックス〟が搭載されているのだから、コストが下がったとすれば、車にもそういう装置を積み込んでいけない理由はない。盗難にあっても、所在はすぐに確認できる。ひき逃げや走行車両からの発砲事件でも、裁判官は「この三十分のあいだ、現場から二ブロックの範囲にいたのはどの車か？」と問うことができるわけだ。ただ、ブラックボックスは速度と位置を記録するので、スピード違反の取り締まりを途方もなく強化することになる。それはやっぱり望ましくないことだと思う。

世界にどんどんいろいろな機器があふれるようになると、いずれ公の場所で起きたことはほとんど全部カメラの記録に残る、というところにまで到達するだろう。公共の場所にビデオカメラがあるというのは、どちらかというと当たり前のことになっている。銀行、空港、ＡＴＭ、病院、高速道路、商店、ホテル、オフィスビルのロビー、エレベーターなど、どこにでもカメラが、たいていは目につかないように設置してある。

これほどたくさんのカメラが常時わたしたちを監視するようになるという予感は、五十年前だったらわたしたちを悩ませたかもしれない。ジョージ・オーウェルがそう感じたように。しかしいまでは、どうということもない。アメリカやヨーロッパでは、通りや駐車場の上方に監視カメラを設置することを、住民が歓迎するような地域もあるほどだ。モナコでは、こじんまりした公国じゅうに何百というビデオカメラが設置されたおかげで、路上での犯罪は事実上一掃された。もっとも、面積が三百七十エイカー（百五十ヘクタール）という小さな国だからこそ、数百台のカメラで全部カバーできたのだけれど。学校の敷地周辺にカメラを設置するのを歓迎する親は多い。麻薬の売人や痴漢、はてはいじめっ子までも、撃退したり逮捕したりできるからだ。どこでも見かける街灯は、公衆の安全のためにコミュニティが実質的な投資をしたということを意味する。数年のうちに住民たちは、さほど大きくもない金額をそこに上乗せして、情報ハイウェイにつながったカメラの設置を要求するようになるだろう。また十年以内に、コンピュータがビデオ録画をスキャンして、特定の人物あるいは行動を捜すことが、安いコストで可能になるだろう。事実上すべての街灯の支柱に監視カメラまでつくという状況を想像するのはたやすい。これらのカメラの映像は、犯罪が発生し、裁判所の命令がある場合にかぎって公開されることになるだろう。どのカメラのどの映像も、いつでもだれにでも見られるようにすべきだと主張する人もいるかもしれない。わたしには深刻なプライバシー問題だと思えるけれど、そういう意見の持ち主は、カメラが公共の場所にしかないのだからかまわない、と主張するだろう。

ほとんどすべての人が、安心感と引き替えに、ある程度の規制なら進んで受け入れるはずだ。歴史的に見れば、西欧的民主主義の世界に生きている人々はすでに、人類の歴史上例がないほどのプライバシーと個人の自由を享受している。情報ハイウェイにつながったカメラをいたるところに設置すると深刻な犯罪は影をひそめるということが実験でたしかめられれば、監視の目を危惧するか犯罪のほうがこわいか、という現実的な論議が起こるだろう。政府主導でこの種の実験がアメリカで行なわれることは、ちょっと考えにくいかもしれない。プライバシーの問題があるし、憲法への挑戦ともなりかねないからだ。それでも、世論は変わりうる。オクラホマシティでの爆破事件のようなことがさらにいくつか起きたとすれば、プライバシー保護の強硬姿勢にも変化のきざしが生じるかもしれない。今の時点で〝ビッグブラザー〟のデジタル版に思えるものも、テロリストや犯罪者の魔の手から逃れられるとしたら、いつかそれが当然の存在になることも考えられる。わたしはどちらの考え方にも肩入れするつもりはない。

テクノロジーの助けを借りながら、社会が方針を決めるだろう。

テクノロジーはビデオ画像を簡単に記録できるようにしたのと同時に、個人的な文書やメッセージを完全にプライベートなものにしておくことも可能にした。だれでも自由にインターネットからダウンロードできる暗号化ソフトを使うだけで、パソコンは解読不可能な暗号機になる。セキュリティ確保のためのサービスは、情報ハイウェイの展開とともに、電話、ファイル、データベースなど、あらゆる形態のデジタル情報に応用されていくだろう。パスワードをきちんと保管してさえいれば、自分のコンピュータに保存されている情報はかつてなく強力な錠前と鍵で守られている。この点で情報プライバシーは、これまで個人ではだれも望みえなかったほど保護されていることになる。

行政側にはこの暗号化能力に反対している人が多い。政府が情報を収集する能力を低下させてしまうからだ。あいにくだが、テクノロジーの動きを止めることは不可能というしかない。アメリカの国防と情報にかかわる機関のひとつに国家安全保障局（NSA）がある。アメリカが行なう通信内容を他国に読み取られないようにしたり、他国の通信の暗号解読を行なって情報を収集したりしているのだが、NSAは進んだ暗号化能力を持つソフトがアメリカ国外に流出するのは望ましくないと考えている。そうはいっても、このソフトウェアはもう世界中で手に入るし、どのコンピュータ上でも実行できる。どんな政策決定をしようと、政府が過去に手にしていた通信傍受能力をとりもどすことは、もはや不可能だろう。

高度な暗号化能力をもつソフトウェアの輸出を妨げている現在の法律は、アメリカのソフトウェアやハードウェアの企業をだめにしてしまいかねない。外国の競争相手をアメリカの企業より優位な立場に立たせているのが、この制約なのだ。暗号化ソフトの輸出規制はなんの役にも立たない、とアメリカのコンピュータハードおよびソフトのメーカーは口をそろえる。

メディアの発達は各段階ごとに、人々と政府のあいだに生じる相互作用に大きな影響を及ぼしてきた。印刷出版物――のちには大部数を発行する新聞――が政治論争の性格を変え、その後はラジオやテレビが、政府の指導者が民衆と直接、親しく話し合うことを可能にした。それとおなじように、情報ハイウェイも政治に影響を与えるだろう。政治家たちは世論調査の結果を、これではじめて即座に見ることができるようになる。有権者たちはホームコンピュータやウォレットPCから無記名投票をすることができ、数えまちがいや不正手段の危険性も少なくなる。情報ハイウェイが政府に与える影響は、産業界への影響とおなじくらい大きいだろう。

政策決定の方法に明白な変化が現れなかったとしても、組織だった主張をし、候補者を支援しようとする市民にとって、情報ハイウェイは大きな力になる。そのせいで、特別利益団体や政党までもが急増するかもしれない。今日、なんらかの論点をかかげて政治活動を組織するには、数かぎりない調整が必要になってくる。自分とおなじ意見の人をどうやって見つけるか？　その人たちをどうやって運動に誘い、どうやって話し合うか？　電話やファックスは、人と人を一対一で結ぶにはすばらしい手段だ（かける相手がわかっていればの話だが）。テレビでならひとりで何百万人かの視聴者に語りかけることができるけれど、高くつくし、視聴者の大半が関心を向けてくれなければ無駄になる。

政治運動を組織するには、気の遠くなるような時間をかけて自発的に働かなくてはならない。アピールを書いたダイレクトメールを封筒に入れる作業、ボランティアを送り出し、可能なかぎりの手段を尽くして人々にコンタクトをとる――そうした困難を乗り越えるだけのエネルギーを集め、多くのボランティアをさらに巻き込んでいき、影響力のある政治運動を組織しえたのは、ごくわずかなテーマだけだった（環境問題はそのひとつだ）。

情報ハイウェイによって、あらゆるコミュニケーションが簡単に実現する。BBSやオンラインフォーラムでは、一対一、一対多、あるいは多対多の接触が効率よく行なわれる。共通の関心を抱く人々がオンラインで出会い、たいしてお金もかけずに組織をつくることができる。政治活動を組織するのが非常に簡単になるので、小さな意見や各所に散らばった人たちの意見もじゅうぶん効力を発揮できるようになる。一九九六年に実施されるアメリカ国政選挙は、インターネットがすべての候補者と政治活動団体の重大な関心事になる最初の選挙となるだろう。そしていずれは情報ハイウェイが、政治的意見をやりとりする中心的な役割を担ったパイプとして機能するようになるはずである。

州レベルでは、特別な問題についての直接投票がすでに行なわれている。集計の必要上、こういう投票は他の選挙との相乗りでしか実施できない。しかし情報ハイウェイがあれば費用はほとんどかからないから、そういう投票ももっと頻繁に実施できるようになるだろう。

あらゆることがらを投票に付して、完全な〝直接民主主義〟を実施すべきだという意見が出てくることはまちがいないだろう。わたしは個人的には、直接投票は政府を運営するのにいい方法ではないと考えている。代表者を媒介にして治める方法のほうが、統治の価値を高めることができると思う。代表者の役割は、複雑にからまりあった問題の微妙なところを、時間をかけて全部理解することにある。政治には妥協がつきものだけれど、比較的少数の代表者が自分を選出してくれた人たちにかわって意思決定を行なうのでなければ、妥協など不可能に近い。管理の秘訣は――社会であろうと会社であろうと――資源の割り当てに関して見識ある選択をすることにある。そして、フルタイムの政策決定者の仕事は、そのわざに磨きをかけることだ。それによって、あまり自明とはいえない解決策が見えてくるのである。しかし直接民主主義では、長期的視野から見てうまく事が運ぶように判断を下しても、有権者には理解されないかもしれない。

新しい電子的世界の中での仲介者とおなじように、有権者の付託によって政治を担当する立場にいる者は、自分自身の価値を証明しなくてはならない。情報ハイウェイはこれまでになく強いスポットライトを彼らに当てるだろう。有権者はそこからたんに写真や音声データを受け取るのではなく、代表者がなにをやっていて、自分の一票をどう行使しようとしているかということについて、もっと直接的な感触を得る。ある問題をめぐって、上院議員のところに百万通もの電子メールが届くとか、ポケベルで選挙区からリアルタイムの世論調査の結果を知らされるとかいった日が来るのも、そう遠い先のことではないだろう。

問題はいろいろあるけれど、情報ハイウェイに対するわたしの思い入れは、やはりかぎりなく大きい。情報テクノロジーはすでにいろいろな人の人生に影響を与えている。一九九五年六月に新聞でわたしのコラムを読んだ人から送られてきた、こんな電子メールからもよくわかる。「ミスター・ゲイツ、わたしは詩人ですが、読書障害があります。つまり、きちんとした綴りで書くことが全然できないのです。このコンピュータのスペルチェッカーがなかったら、詩や小説を出版する望みなど絶対持てなかったでしょう。わたしは詩人として大成しないかもしれません。しかし、成功しても失敗しても、それは自分に才能があるかないかというだけです。障害のせいにしないですむから、あなたにお礼をいいたいのです」

わたしたちはいま、歴史に残る出来事を目のあたりにしている。それはまるで地殻変動のように世界をゆるがし、科学的方法の発見や、印刷術の発明や、産業革命の到来とおなじようにわたしたちをゆさぶっている。もしある国の市民が情報ハイウェイによって、隣接する国々に対する理解を深めることができるとしたら、それによって国家間の緊張を緩和することができるとしたら、それだけでもじゅうぶん、建設に必要なコストを正当化できるのではないだろうか。もし情報ハイウェイを利用するのが科学者だけだったとしても、不治の病の治療法を見つけるための共同研究がうまくいくようになるのなら、それだけでも貴重なことである。もしこのシステムが子ども専用だったとしても、教室の内外で自分たちの興味を追求することができるようになるとしたら、それだけで人間の状況は大きく変わるだろう。あらゆる問題を解決する特効薬ではないとしても、情報ハイウェイは多くの分野に前進するための力を生み出すだろう。

情報ハイウェイは、あらかじめ決まった計画にしたがってするするとできあがるわけではない。後退することも予期せぬ事故もあるだろう。いっときの後退をとらえて、やはり情報ハイウェイは誇大広告でしかないという人もいるかもしれない。しかし情報ハイウェイにおいては、初期段階でなにか失敗があったとしても、その経験は教訓として将来に生かされる。情報ハイウェイは、いままさに生まれようとしているのである。

かつて大きな変化というものは、何世代も何世紀もかかるのが普通だった。しかし今回の変化は、一夜にして生じるわけではないにせよ、いままでにくらべたら変化の速度ははるかに速い。西暦二〇〇〇年までにまずアメリカで、情報ハイウェイは最初の姿を明らかにするだろう。そして十年とたたないうちに、広範囲に影響が及ぶ。ネットワークのアプリケーションですばやくチャンスをつかむのはどれか、また長く生き残るのはどれかを当ててみろといわれたら、わたしでもきっといくつかはまちがえてしまうだろう。二十年もすれば、わたしがこの本の中で語ったことのすべてが、先進諸国と発展途上国の企業や学校で広く実現しているに違いない。ハードウェアの設置がすんでしまえば、あとはただ、そのハードを使って人がなにをするか、つまり、どのソフトウェアアプリケーションを使うかという問題だけになる。

ネットワーク経由で情報が手に入らないことを憤慨するようになったら、それは情報ハイウェイがあなたの人生の一部になっているということだ。ある日、自分の自転車の修理マニュアルを捜しているうち、紙でできたマニュアルしかないことに気づいて当惑する。どこかに置き忘れたらそれっきりだからだ。そして、どうしてインタラクティブな電子ドキュメントのマニュアルにしないんだろう、動画のイラスト、ビデオのチュートリアルもついていて、いつでもネットワークから入手できるようになっていればいいのに、とあなたは思うようになるだろう。

ネットワークは、もしわたしたちがそう望むなら、互いを結びつけてくれる。百万ものコミュニティの中に散らばろうとすれば、それを実現してくれる。そしてなにより、エンターテイメントや、情報や、ほかの人との接触を、数えきれないほどの新しいやり方でかなえてもくれる。

アントワーヌ・ド・サンテグジュペリは、人がどんなふうにして機関車その他の技術に親しみを覚えるようになるかを雄弁に語った。もしサンテグジュペリが生きていたら、きっと情報ハイウェイを拍手で迎えただろう。そして、それに抵抗を感じる人々をうしろ向きだと批判したのではなかろうか。五十年前に彼はこう書いている。「手紙を運ぶ、人の声を運ぶ、ちらちらする写真を運ぶ――ほかの世紀と同様、この世紀においてもなお、われわれの成し遂げた最高の業績は、ただ人間を結びあわせることだけを目的としている。空想家たちは、文字や印刷術、航海術といった発明が人間の精神を堕落させたと思っているのだろうか？」

情報ハイウェイはさまざまな目的地に向かってつづいている。そのうちのいくつかを取り上げて、わたしは楽しく思いをめぐらせてきた。愚かな予測もきっと混じっているだろうが、それほど多くないことを願うばかりだ。いずれにしても、わたしはわくわくしながらこの旅に出ようとしている。

おわりに

情報ハイウェイは、わたしたちの今後の生活に重大な影響を与えるだろう。第九章で述べたように、その最大の利益はテクノロジーを教育に（学校教育も正規外の教育も、両方含めて）応用することから生じる。そのための多少の助けになればと、この本の出版によるわたしの収入は、教室にコンピュータを導入する先生たちへの援助に使ってもらうことにした。全米教育向上基金と、それに相当する世界中の組織を通じて、この寄付金は教師が生徒の可能性を開発するために使ってもらうことになる。その意味では、わたしにはじめてコンピュータを体験させてくれたレイクサイドスクールの母親クラブとおなじことをするのだともいえる。

この本を書くのには、かなり長い時間がかかった。わたしが一生懸命に仕事をするのは、仕事が好きだからだ。仕事中毒というわけではない。仕事以外にも好きなことはたくさんあるけれど、自分の仕事をしているときがいちばんわくわくする。わたしは、マイクロソフトをつねに向上させ、もっとも進んだ会社にしておきたい。これは考えると恐ろしいことだが、コンピュータ技術の進展のなかで、ある時期の業界リーダーはけっして次の時期のリーダーにはなれなかったという事実もある。マイクロソフトは〝パソコン期〟のリーダーだった。ということは、歴史的見地からすれば、情報時代の〝ハイウェイ期〟のリーダーとしてはマイクロソフトは不適格なのかもしれない。でも、わたしはそのジンクスに挑みたい。この先いつか、パソコン期とハイウェイ期の境界の時期がやってくる。わたしは、その境界を越えるはじめての例になりたいと思っている。成功した企業がイノベーションに失敗しがちなのは、まさにこの点に関係していると思う。自分たちの現在のビジネスに固執しすぎていると、新生面を開くことに力を集中できなくなってしまうからだ。

わたしにとっての大きな楽しみは、聡明な人たちを雇い、いっしょに働くことである。彼らからさまざまなことを学ぶのを、わたしは大いに愉しんできた。最近入社した人物のなかには、わたしよりはるかに若い人もいる。わたしのころよりずっといいコンピュータを使って育ってきたのは、うらやましいかぎりだ。みんなたいへん才能ある人たちだから、きっと新たなビジョンを創り出してくれることだろう。ビジョンをもつとともに、顧客の言葉に注意深く耳を傾けていけば、マイクロソフトはこのさきもリードをつづけていけるはずだ。そして、優れたソフトウェアを生み出し続けることで、パソコンを万人に認められるツールとすることができるはずだ。わたしはよく、自分は世界で最高の仕事をしていると公言してきたけれど、ほんとうにそう思っている。

現代は最高に生きがいのある時代だ。いまほど、昔不可能だったことを実現する機会に恵まれた時代もないだろう。新たに会社を興すにしても、医学など生活の質を向上させる科学を発展させるにしても、友人や家族との生活を大切にするにも、これ以上いい時代はないと思っている。大切なのは、テクノロジーの進歩の良い面と悪い面、その両面についての幅広い議論によって、専門家だけでなく社会が全体として、その方向性を確認することだ。

さあ、次はあなたの番だ。この本の最初でわたしは、この本が議論のきっかけとなって、これから個人や企業や国家が直面するさまざまな問題に、少しでも関心が持たれることを希望すると書いた。この本を読み終えたあと、あなたがわたしの楽観的見方を少しでも理解し、どうやって未来をかたちづくっていこうかという議論に加わってくれることを、わたしは願っている。

訳者あとがき

ビル・ゲイツにとっての本書の意義

一九九五年の十月二十八日にビル・ゲイツは四十歳になった。「不惑」の年である。普通の四十歳だと今から中年になるような感じがするが、ビルの四十歳というのは彼自身にとって人生のひとつの節のような非常に意味のある四十歳ではないかという気がする。

マイクロソフトは株式を公開してからわずか十年で世界の大企業の仲間入りを果たしたが、この本はビル・ゲイツがソフトウェアの仕事を始めてからの過去二十年間を書き記し、その背後にあった彼のコンピュータ業界の現状に対する鋭い仮説と、その検証、今後の彼の活動の指針になるようなことを書いた本である。つまり自分のコンピュータへの回想録であり、同時にこれからの課題を彼はまとめたのではないかと思っている。それを多くの人と共有することで前向きな議論を生みだそうという考えであろう。彼がこういう発言をするのは、会社を始めた頃にソフトウェアを違法にコピーする人に対して公開質問状を出して以来のことではないか。それだけ大きなインパクトのあるできごとである。

オリジナルの米国版の米語の表現は大変練られた表現であり、まるでプログラムのようにしっかりとした言葉で書かれている。ほとんど契約書に使われるような明解な文章は、十七年前に電子メールをやりとりしていた頃と変わりない、まぎれもないビル・ゲイツの言葉遣いである。ラスベガスで本書に関しテレビのインタビューの収録があったときに、インタビューに答える彼の語調は自信と確信に満ちたたいへん説得力のある話し方であった。そういう話し方ができるのは、本書の内容がちゃんと整理されて頭に入っているからであろう。本書の執筆はスピーチ原稿のように簡単にはいかなかった、と彼は前書きで述べているが、本書を書き下ろすことにより、発想がより高度なレベルに昇華されたのではないだろうか。この次に彼から出てくる新しい発想が楽しみである。今後数年間、本は当分書かないと彼は言っていたが、おそらく次に四十五歳か、五十歳の誕生日にこの「ビル・ゲイツ 未来を語る」の続編を書くのではないかと私は期待している。

ビル・ゲイツが未来についての本を書くと言い始めたのは、数年前のことであった。原稿ができあがってなければいけない締め切りの日からは一年以上も遅れてしまった。普通ならば諦めてしまうところであるが、彼は決して諦めず、書き直しを何度も行いながらとうとう脱稿してしまったのである。途中マイクロソフトからは、原稿がまとまるたびに送られてきて、そのたびに内容がどんどん面白くなっていくのを、ソフトウェアのバージョンアップのようなものだと日本では関係者同士で話していた。この本には彼が自信を持って考えていることの骨格ともいえる部分だけが書かれている。たくさんの部分を彼はカットしたのではないか。謝辞にあるように、たくさんのスタッフの助けを借りて三百六十度どの方向から見てもわかりやすく書かれているが、これはソフトウェアの制作手法を応用したのではないだろうか。万人のためにという彼の思想はこの本にも貫かれている。

本書は一章から四章までが今までの展開についてのことが書かれており、五章から十一章までが本論としての情報ハイウェイについての彼の分析と世界観である。最後の十二章には最も重要な課題が挙げられている。読みようによっては、この本は大変な本である。つまりビル・ゲイツが認識している現在の問題点を、これほど素直に描いた資料が外に出たということが大変なことではないか。本来ならば「極秘」のスタンプでも押して社内でもアクセスに制限がかかっているようなファイルである。本書の執筆の過程で彼は何十倍もの資料に目を通し、何百人もの人と話をしたのではないだろうか。そして、それらが整然と彼の頭の中で整理され、未来に向かって並べられているときに、それは彼の中で「大変確実な未来のシナリオ」ともいうべきものになったということは想像できる。この本を書いたことによるビル・ゲイツの内的変化がマイクロソフトの強力な力になっていくのであろう。しかし、この本は情報ハイウェイに関した本では一番楽観的な立場で書かれた本だと思う。中山素平・日本興業銀行特別顧問は「問題は解決されるためにある」と常々言われておられる。いろいろな人が問題点ばかり挙げる中でビル・ゲイツの意見は限りなく前向きで、その背景に自分がそれを実現してゆくのだという強い決意を感じる。私はこの姿勢に限りなく共感を覚える。

あとがきだけでなく、刊行前のインタビューにおいてもビル・ゲイツは、ネットワーク環境におけるプライバシーや教育の問題、将来の社会にネットワークがどのような意味を持つのかということを話し合おうではないか、と読者に提案している。この姿勢に、単に無責任な未来予測をするだけの作家や教授やコンサルタント、現実性の乏しい政策を振りかざす役人や政治家と違う、フロンティアスピリットの国アメリカの実業家としての彼の不退転の決意ともいうべきエネルギーを強く感じる。

本書は米語で書かれ、日本語、ドイツ語、フランス語、スペイン語、ポルトガル語、イタリア語、韓国語、中国語、スウェーデン語、デンマーク語、フィンランド語、ノルウェー語、オランダ語をはじめとする世界二十カ国で翻訳出版されるという。国の数は本書刊行の時点であって、出版される国の数は増え続けており、ラテンアメリカやアフリカでもたくさん売れそうだということだ。

日本語版「ビル・ゲイツ未来を語る」の誕生

ビル・ゲイツの初めての著作「The Road Ahead（目の前に広がる道）」の日本語版「ビル・ゲイツ 未来を語る」はたくさんの方々の協力で生まれた。事業レベルではマイクロソフトとアスキー出版局との間の交渉を粘り強く続けてくれたマイクロソフトのJonathan Lazarus氏、Kelli Jerome氏に感謝したいと思う。マイクロソフトプレスではRick Tsang

氏、Becki Culbert 氏、Amy Smith 氏の協力を得た。

日本のマイクロソフトでは、社長の成毛真さんが励ましてくださった。彼は仕掛人である。この本の翻訳権はほかの出版社にいってしまったとほとんどあきらめていたところを、成毛さんが「やっぱりケイがやるべきじゃないかとビルが言ってる」と電子メールで教えてもらったことから復活戦が始まった。ラザレス氏を追っかけて日帰りでニューヨーク出張もした。山田隆裕さん、森田けいさん、河野昌子さんにお世話になった。ありがとうございました。

アスキーの側では、全社プロジェクトとして宮崎秀規がこの出版をスポンサーしてくれた。佐藤英一、中村宏美、辻憲二、大塚由里子が夜を徹して頑張ってくれた。アスキーの経営企画委員会は全員一致でこの本の計画を承認してくれた。本書の訳出では大森望さん、日暮雅通さん、福岡洋一さん、加瀬典子の協力を得た。この本を一人でも多くの読者に届けるために小笠原直樹、四本健、増岡陽一郎、柳正晴、山田浩之、中尾真二、宮川洋、高橋延之、坂根淳史、大塚和代が一丸となって動いてくれている、その努力に対してあらかじめお礼を申し上げます。

また、電通の中村厚夫氏はラスベガスまでビル・ゲイツのインタビューのビデオを撮りに来てくれた。アスキーネットの石村賢一はWWW（http://www.aix.or.jp/billg）にインタビューを収録してくれた。ぜひアクセスをしてみていただければ幸いである。

アメリカと日本の、マイクロソフトとアスキーの、そういう人たちの協力を得て、この日本語版はでき上がった。それぞれの皆様に深くお礼申し上げます。

この原稿は米国から日本へ飛ぶ飛行機の中で書いているが、日本ではちょうど同じ日に、ウィンドウズ95が発売されようとしている。ウィンドウズがもっと進化して、情報ハイウェイでつながり、二十一世紀を迎える頃が楽しみである。ビル・ゲイツの夢がわれわれの現実になっていることを願いつつ。

十一月二十二日

アトランタ発　日本航空一九便にて

西　和彦

索引

[執筆協力者紹介]

ネイサン・ミアボルト
Nathan Myhrvold

マイクロソフト社「アプリケーション&コンテント」グループ副部長。一九八六年、自身で創立したDynamical Systems社とともにマイクロソフトに加わる。ケンブリッジ大学ではスティーヴン・ホーキングとともに研究活動を行ない、プリンストン大学で理論物理学の博士号を持つ。全米情報基盤(NII)諮問委員会のメンバーでもある。

ピーター・リニアスン
Peter Rinearson

ピューリツァー賞受賞ジャーナリスト。一九八二年、ゲイツとマイクロソフトのプロフィールをはじめて全国紙に紹介。マイクロソフトワードの解説書の著者でもある。Alkiソフトウェア創立者、デジタル制作スタジオ、ラスター・ランチ代表。

ビル・ゲイツ　未来を語る

初版発行　一九九五年十二月十一日
著者　ビル・ゲイツ
翻訳　西和彦
発行人　宮崎秀規
編集人　佐藤英一
発行所　株式会社アスキー
〒一五一―二四　東京都渋谷区代々木四丁目三十三番十号
振替　00140-7-161144
大代表　(03)5351-8111
出版営業部　(03)5351-8194(ダイヤルイン)
第一書籍編集部　(03)5351-8106(ダイヤルイン)
ブックデザイン　松田行正＋河原田智
印刷　図書印刷株式会社

ISBN4-7561-0231-X Printed in Japan
●1190236